AF237896

ACCESO GRATIS a la Lectura en la Nube

Para visualizar el libro electrónico en la nube de lectura envíe junto a su nombre y apellidos una fotografía del código de barras situado en la contraportada del libro y otra del ticket de compra a la dirección:

ebooktirant@tirant.com

En un máximo de 72 horas laborales le enviaremos el código de acceso con sus instrucciones.

CASOS PRÁCTICOS DE DERECHO PENAL
PARTE ESPECIAL

CASOS PRÁCTICOS DE DERECHO PENAL

PARTE ESPECIAL

3ª Edición

Mª DEL CARMEN GÓMEZ RIVERO
Catedrática de Derecho penal
Universidad de Sevilla

SILVIA MENDOZA CALDERÓN
Profesora Titular de Derecho penal acreditada
Contratada Doctora en la Universidad Pablo de Olavide

tirant lo blanch
Valencia, 2015

En caso de erratas y actualizaciones, la Editorial Tirant lo Blanch publicará la pertinente corrección en la página web www.tirant.com.

© Mª del Carmen Gómez Rivero
Silvia Mendoza Calderón

© TIRANT LO BLANCH
EDITA: TIRANT LO BLANCH
C/ Artes Gráficas, 14 - 46010 - Valencia
TELFS.: 96/361 00 48 - 50
FAX: 96/369 41 51
Email:tlb@tirant.com
www.tirant.com
Librería virtual: www.tirant.es
DEPÓSITO LEGAL: V-2175-2015
ISBN: 978-84-9119-130-8
IMPRIME: Guada Impresores, S.L.
MAQUETA: Tink Factoría de Color

Si tiene alguna queja o sugerencia, envíenos un mail a: *atencioncliente@tirant.com*. En caso de no ser atendida su sugerencia, por favor, lea en *www.tirant.net/index.php/empresa/politicas-de-empresa* nuestro Procedimiento de quejas.

Nota a la tercera edición

Han transcurrido ya ocho años desde que se publicara la primera edición de esta obra. Como subrayaba la Nota a la primera edición, surgió con la finalidad de adaptar las enseñanzas de la asignatura *Derecho Penal, Parte Especial,* a las exigencias derivadas de los actuales Planes de Estudio, que conceden protagonismo a la dimensión práctica de la materia, verdadero banco de pruebas de la racionalidad última de cualquier construcción teórica. La conveniencia de actualizar los materiales de Casos prácticos de Derecho Penal, Parte especial para dar cabida a alguno de los supuestos más importantes que se han planteado en la práctica de nuestros Tribunales desde la última edición de esta obra aconsejaba ya de por sí su revisión. Pero a esta razón se ha sumado otra que desborda la mera conveniencia para demandar con urgencia acometer esta tarea. Estamos, como es sabido, ante los primeros momentos de vigencia de la LO 1/2015, de 30 de marzo, de reforma del Código penal, entrada en vigor el pasado día 1 de julio. Han sido muchos los aspectos de la Parte Especial afectados por esta ley de reforma, que ha incorporado nuevos tipos delictivos y modificado, en ocasiones en profundidad, muchos de los ya existentes. La adaptación de los contenidos al nuevo texto legal obligaba a acometer una revisión profunda de los materiales así como de su ordenación. Todo ello se ha realizado cuidando de que el libro se mantuviera fiel a su inicial estructura, caracterizada por la presentación de un resumen de los hechos extraídos de la jurisprudencia de nuestros Tribunales de Justicia en los que en ocasiones se introduce alguna variante. Al pie del caso se acompaña un cuadro que incluye las distintas voces de interés para su tratamiento. Lejos de indicar la solución de cada supuesto, su valor se ciñe a señalar los tipos de la Parte Especial que pudieran venir en consideración, así como a indicar igualmente, con mero valor orientativo, las cuestiones de la Parte General con posible relevancia en la solución del caso concreto. Se ha mantenido como Anexo la relación de Acuerdos de Pleno no jurisdiccional del Tribunal Supremo con incidencia en la materia, al que se remiten, cuando es el caso, los referidos cuadros orientativos de la solución. Se ha suprimido sin embargo los extractos de las distintas Circulares, Consultas o Instrucciones de la Fiscalía General del Estado. La considerable extensión del número de páginas que comportaba la sola mención de sus contenidos esenciales contrasta con la facilidad de su consulta en las distintas bases de datos, por lo que su eliminación parecía razonable.

Como en ediciones anteriores, la preparación de esta obra se ha visto decisivamente impulsada por la contribución de la Profª Dra. Silvia Mendoza Calderón, colaboración que, por su envergadura, merece con creces ser calificada de verdadera coautoría de esta obra.

Sevilla, 31 de julio de 2015

Mª del Carmen Gómez Rivero
Catedrática de Derecho penal de la Universidad de Sevilla

Índice

I. HOMICIDIO. ASESINATO

CASO NÚMERO 1

Antonio mantenía una relación de amistad con los hijos de Marta, por lo que conocía que en el domicilio de ésta había un mueble con doble fondo que contenía gran cantidad de dinero, propiedad de Luis, hijo de aquella.

Antonio compartió esta información con Pablo, Braulio y Jorge, todos mayores de edad y le propuso que entraran en la vivienda y se apoderaran del dinero.

El día acordado, Pablo, Braulio y Jorge entraron en la vivienda, y tras comprobar que Marta todavía estaba despierta, abandonaron el lugar por la puerta de entrada llevándose las llaves puestas por el interior, con la intención de volver más tarde.

Ya de madrugada regresaron a la vivienda, entrando con las llaves sustraídas y accediendo al dormitorio de Marta que dormía y donde estaba el dinero.

Al despertarse Marta la amordazaron y ataron con cuerdas las manos a la espalda, y las piernas, y, en situación de cúbito prono sobre la cama con la cabeza girada hacía la izquierda, le impidieron la respiración violentamente cogiéndola del cuello y tapándole la boca y la nariz, provocándole la muerte.

Seguidamente sacaron los cajones de la mesita, dejándolos en el lugar, y se apoderaron de la estructura del mueble, huyeron del lugar y se repartieron el dinero. El mueble sustraído ha sido tasado en 40 euros[1].

CUESTIONES DE PARTE GENERAL

ASPECTOS A ANALIZAR	PRECEPTOS DEL CÓDIGO PENAL
Tipo subjetivo: animo de lesionar y ánimo de matar	Véanse los artículos relativos a los correspondientes tipos de la Parte Especial.
Tentativa y consumación	Arts. 15 s.
Autoría y participación	Arts. 27 ss.
Relación concursal entre los distintos delitos. Concurso de leyes y de delitos	Arts. 8, 73 ss.

---

[1]   Con modificaciones los hechos están basados en los enjuiciados por la Sentencia del Tribunal Supremo, número 647/2014, de 3 de diciembre.

CUESTIONES DE PARTE ESPECIAL

ASPECTOS A ANALIZAR	PRECEPTOS DEL CÓDIGO PENAL
Asesinato	Arts. 139 s.
Homicidio doloso	Art. 138
Lesiones dolosas	Arts. 147 ss.
Relación concursal de las lesiones con el resultado muerte	
Delito de robo	Arts. 237 ss.

CASO NÚMERO 2

Arturo, licenciado en Medicina y Cirugía, tenía instalado un consultorio en el que atendía consultas de "Medicina estética, dermatología, medicina general y endocrinología". En dicho centro también pasaba dos días a la semana consulta de estética y nutrición Paulina, licenciada en Medicina y Cirugía, especialista en Medicina de familia, que trabajaba en otro centro estético, donde atendía como paciente a Miranda.

Miranda manifestó a Paulina que quería hacerse una liposucción, por lo que ésta la desvió a Arturo. Tras hacerle un primer estudio y concertar el día en que realizaría la intervención, Arturo condujo a Miranda a una sala que carecía de las necesarias condiciones de asepsia y de los medios materiales y humanos mínimos para controlar las constantes de la paciente y para atender, si fuera necesario, cualquier complicación. El doctor marcó con un rotulador verde las zonas del cuerpo de la paciente a tratar (abdomen, caderas y muslos), y procedió a infiltrarle la anestesia local previamente preparada. Dicho preparado pudo ser realizado unos días antes, bien por la auxiliar de clínica que trabajaba en la consulta y que se encontraba de vacaciones, o bien por otra auxiliar que se encontraba en la consulta y que nunca lo había realizado antes.

Cuando había realizado varias infiltraciones, la paciente comenzó a convulsionar violentamente. En esos momentos se encontraba también en la sala Paulina, que pasaba de forma casual para despedirse.

El doctor interrumpió la intervención y ayudado por Paulina trató de reanimar a la paciente con los medios que tenían a su alcance (un ambú y un tubo de guedell, sin inyectarle ninguna sustancia reanimante al no haberle tomado una vía). Como no conseguían reanimarla llamaron inmediatamente al 061. Cuando llegaron los servicios de urgencia la paciente se encontraba ya en estado de parada cardiorrespiratoria con cianosis intensa, por lo que resultaron infructuosas las maniobras de reanimación que realizaron los sanitarios durante más de treinta minutos.

La paciente tenía conectado a un dedo del pie un pulsioxímetro que al parecer no funcionaba bien, como tampoco funcionaban bien ni el aspirador ni la botella de oxigeno de la clínica, puesto que estaba conectada a un humidificador y era de baja supresión.

Tras un análisis de las muestras de sangre tomadas durante la autopsia, los peritos dictaminaron que se le había inyectado una dosis tóxica de anestesia; en concreto contenía mepivacaína en un nivel netamente tóxico, cuyo efecto se vio potenciado al venir mezclada con lidocaína en un nivel terapéutico moderado y

tóxico elevado. La acción asociada de ambos anestésicos aumentó el efecto tóxico, causándole la muerte[2].

CUESTIONES DE PARTE GENERAL

ASPECTOS A ANALIZAR	PRECEPTOS DEL CÓDIGO PENAL
Autoría y participación	Arts. 27 ss.

CUESTIONES DE PARTE ESPECIAL

ASPECTOS A ANALIZAR	PRECEPTOS DEL CÓDIGO PENAL
Homicidio imprudente	Art. 142
Imprudencia profesional	Art. 142

---

[2]   Con variaciones, los hechos están basados en los enjuiciados por la Sentencia del Juzgado de
     lo Penal de Madrid, número 268/2006, de 16 de junio. *(Tol 951832)*.

CASO NÚMERO 3

La productora cinematográfica "Morenas Films, SA" contrató los servicios de la "Escuela de Especialistas, SL", cuyo administrador único era Iñigo, mayor de edad y sin antecedentes penales, para la ejecución de una escena que simulaba el suicidio del protagonista de la película "Canícula", arrojándose desde el viaducto de Madrid. Al objeto de preparar el montaje del salto, Iñigo contactó con el monitor de la Escuela, Ernesto, que le expuso las dificultades de hacer puenting convencional, así como con Ángel, que había intervenido anteriormente como coordinador especialista en otra película y que había efectuado un salto desde el viaducto, pero no al vacío sino a una plataforma.

En esa ocasión se tuvieron ya en cuenta las dificultades que el viaducto presentaba incluso para grandes especialistas. Pese a que, por tanto, Iñigo conocía que había otra forma distinta y más segura de efectuar la escena de simulacro de suicidio, así como el elevado riesgo que representaba la acción, sin una previa evaluación de riesgos y sin hacer mediciones y pruebas previas, tomó la decisión de que el salto se efectuaría mediante el sistema de puenting convencional.

Para la ejecución del salto contrató a Juan Enrique, ex alumno y empleado de la Escuela, encomendando el montaje del mismo a Ignacio y a Braulio, ambos mayores de edad y sin antecedentes penales. Ni Juan Enrique —contratado solo para saltar— ni Ignacio ni Braulio tenían experiencia ni conocimientos suficientes para advertir a simple vista las dificultades que presentaba el viaducto. De hecho, Ignacio era la primera vez que intervenía en el montaje de un puenting, y aunque Braulio tenía algo más de experiencia debido a haber realizado antes alguna escalada, estaba a las instrucciones de Ignacio y su cometido básicamente consistía en hacer los nudos y tensar la cuerda en el momento del salto.

Ignacio y Braulio procedieron a efectuar el montaje de las cuerdas y el salto, sin efectuar prueba previa alguna. Debido a que las cuerdas dispuestas para la sujeción de Juan Enrique eran excesivamente largas, cuando saltó, su cuerpo en lugar de quedar suspendido describiendo una trayectoria pendular sobre el viaducto, se precipitó contra el suelo golpeándose en la cabeza, lo que le causó un traumatismo cráneo-encefálico que produjo su muerte a los pocos instantes. Por las características técnicas del viaducto no era posible efectuar el salto mediante el sistema de puenting convencional.

El fallecido Juan Enrique tenía 21 años de edad y vivía con su madre, Rosario que estaba presente en el viaducto en el momento de ocurrir el accidente[3].

---

[3]   Con variaciones, los hechos están basados en los enjuiciados por la Sentencia de la Audiencia Provincial de Madrid, número 115/2006, de 30 de marzo.

CUESTIONES DE PARTE GENERAL

ASPECTOS A ANALIZAR	PRECEPTOS DEL CÓDIGO PENAL
Tipo subjetivo: límites de la imprudencia y dolo eventual. Imprudencia profesional.	Véanse los artículos relativos a los correspondientes tipos de la Parte Especial.
El consentimiento en las situaciones de riesgo.	
Autoría y participación	Arts. 27 ss.
Relación concursal entre los distintos delitos. Concurso de leyes y de delitos	Arts. 8, 73 ss.

CUESTIONES DE PARTE ESPECIAL

ASPECTOS A ANALIZAR	PRECEPTOS DEL CÓDIGO PENAL
Homicidio doloso	Art. 138
Homicidio imprudente	Art. 142
Lesiones dolosas	Arts. 147 ss.
Lesiones imprudentes	Art. 152
Relación concursal de las lesiones con el resultado muerte	
Delitos contra los derechos de los trabajadores	Arts. 311 ss.

CASO NÚMERO 4

Sobre las tres de la madrugada, Alfredo, mayor de edad y carente de antecedentes penales, se encontraba en la puerta de acceso de una discoteca próxima al puerto cumpliendo sus funciones de portero del local, entre las que se encontraba la de controlar el acceso del público al mismo. Tras la llegada al local de un grupo de personas de nacionalidad ecuatoriana, se produjo una discusión debida a la oposición de Alfredo a que éstos entraran en el local por presentar sus integrantes una evidente situación de embriaguez y por llevar un calzado inadecuado. Al ver lo que ocurría acudió otro compañero de Alfredo, Carlos, mayor de edad y sin antecedentes penales, finalizando la disputa entre los porteros y el grupo con un intercambio de golpes, empujones e insultos. Breves instantes después de este primer incidente, acudió nuevamente al local uno de los integrantes del grupo, Darío, persona de estatura de 1,52 metros y de peso de 50 kilogramos aproximadamente, quien tomó un objeto entre sus manos y lo lanzó contra las personas de seguridad que estaban frente a él, y en concreto contra el guarda de seguridad Francisco, quien logró repeler dicha agresión. Esta conducta desencadenó la huida precipitada del grupo, en el que se encontraba Darío, el cuál vestía con ropa de invierno, comenzando así la inmediata persecución por el grupo de personas encargadas de una u otra manera de la seguridad, compuesto entre otros, por Alfredo, Carlos y Esteban. En el curso de la persecución del grupo en el que se encontraba Darío, éste quedó rezagado, siendo alcanzado y arrojado al suelo por uno de sus inmediatos perseguidores. En ese momento, Carlos y Esteban le asestaron un total de 7 golpes, que fueron vistos por Alfredo. Consistieron en golpes con la porra por parte de Carlos y patadas en la cabeza por parte de Esteban.

Inmediatamente después, Alfredo cogió a la víctima por detrás en presencia de los otros dos, y durante una distancia de 19,80 metros le condujo por la pasarela en dirección al borde del agua, siendo acompañado por sus compañeros. Ya en el borde del agua, Esteban le propinó a Darío un último golpe por detrás, en concreto, un puñetazo en la nuca, para así, y sin solución de continuidad, empujar a Darío al agua. Todo ello, en presencia, con la anuencia y el acuerdo tácito y mutuo de los otros dos. Acto seguido todos ellos se alejaron del lugar de los hechos caminando. La temperatura del agua en aquellos instantes era aproximadamente de 10 grados centígrados y la profundidad de la misma de unos 10 metros. Mientras abandonaban el lugar de los hechos una persona que había visto lo sucedido y había permanecido en el lugar de los hechos sin actuar les preguntó si éstos sabían si la persona a la que habían arrojado al agua podría nadar, respondiendo uno de ellos que "si una rata sabe correr también sabrá nadar y si no, que se ahogue". Carlos manifestó con posterioridad a uno de los agentes de la policía portuaria que acudió al lugar de los hechos que "yo por un sudaca no me tiro al agua y mojo mi móvil".

Sin conseguirlo, la víctima intentó nadar y asirse a las agarraderas de los pilares. Su muerte se produjo finalmente por asfixia, habiendo incidido en el resultado todas las circunstancias previas: la carrera, los golpes recibidos, lo pesado de la ropa y la temperatura del agua. En el momento en que fue hallado, el cadáver presentaba las siguientes lesiones: fractura de los huesos nasales, erosión longitudinal en la cara posterior del codo izquierdo de cinco centímetros, erosión en la mejilla derecha de 1,5 centímetros, contusión circular en el codo derecho de 2 centímetros de diámetro y erosión en la cara anterior de la rodilla derecha, también circular, de 1,5 centímetros, de las que habría tardado en sanar en condiciones normales no más de 14 días, sin que hubiera necesitado para ello tratamiento médico ni quirúrgico, ni más de una primera asistencia[4].

CUESTIONES DE PARTE GENERAL

ASPECTOS A ANALIZAR	PRECEPTOS DEL CÓDIGO PENAL
Comisión por omisión	Art. 11
Tipo subjetivo: límites de la imprudencia y dolo eventual	Véanse los artículos relativos a los correspondientes tipos de la Parte Especial
Autoría y participación: dominio funcional del hecho. Acuerdo implícito y sobrevenido	Arts. 27 ss.
Relación concursal entre los distintos delitos. Concurso de leyes y de delitos	Arts. 8, 73 ss.
Circunstancias agravantes genéricas: abuso de superioridad y motivos racistas	Arts. 22.2 y 22.4, 67

CUESTIONES DE PARTE ESPECIAL

ASPECTOS A ANALIZAR	PRECEPTOS DEL CÓDIGO PENAL
Homicidio doloso	Art. 138
Homicidio imprudente	Art. 142
Asesinato	Arts. 139 s.
Lesiones dolosas	Arts. 147 ss.
Lesiones imprudentes	Arts. 152
Omisión del deber de socorro	Art. 195

---

[4] Con variaciones, los hechos están basados en los enjuiciados por la Sentencia del Tribunal Supremo, número 529/2005, de 27 de abril. *(Tol 648810).*

CASO NÚMERO 5

Juan, por motivos sentimentales, concibió la idea de matar a Javier, de treinta y cinco años de edad. Para ello, adquirió en una armería una escopeta semiautomática. Con ella, fue el día de los hechos en búsqueda de Javier y una vez contactó con él, le invitó a subir a su vehículo. Javier accedió confiado por la relación de amistad que le unía con Juan, conduciéndole aquél hasta un lugar apartado y solitario.

Una vez allí encontrándose ambos fuera del automóvil, Juan sacó la escopeta que llevaba preparada y cargada, y con ánimo de causarle la muerte a Javier, le disparó a corta distancia en el pecho, sin que éste tuviera posibilidad alguna de reacción, por lo que, aún cuando trató en vano de protegerse el pecho con el brazo izquierdo, no pudo evitar el fatal desenlace. Luego lo abandonó en el lugar de los hechos.

Al día siguiente, Juan confesó los hechos a la Guardia Civil, y acompañó a una patrulla hasta el lugar donde se hallaba el cadáver[5].

CUESTIONES DE PARTE GENERAL

ASPECTOS A ANALIZAR	PRECEPTOS DEL CÓDIGO PENAL
Autoría y participación	Arts. 27 ss.
Relación concursal entre los distintos delitos. Concurso de leyes y de delitos	Arts. 8, 73 ss.
Circunstancias atenuantes genéricas	Art. 21.4

CUESTIONES DE PARTE ESPECIAL

ASPECTOS A ANALIZAR	PRECEPTOS DEL CÓDIGO PENAL
Homicidio doloso	Art. 138
Homicidio imprudente	Art. 142
Asesinato	Arts. 139 s.
Lesiones dolosas	Arts. 147 ss.
Lesiones imprudentes	Arts. 152

---

[5] Con variaciones los hechos están basados en los enjuiciados por la Sentencia del Tribunal Supremo, número 813/2013, de 16 de julio.

CASO NÚMERO 6

Manuel, Ángel, Toño y Óscar pensaban que Justo, de 80 años de edad y que vivía solo en su domicilio, tenía dinero en su casa procedente de una venta de tierras. Con ánimo de sustraerlo se trasladaron hasta la localidad en que residía Justo.

Manuel conocía los hábitos de Justo, por lo que esperó para entrar en la vivienda a que el anciano estuviera fuera. Al no encontrar el dinero, decidieron permanecer en la localidad para entrar por la noche en el domicilio del anciano y conseguir que éste les revelara el lugar en el que guardaba el dinero del que se querían apoderar.

Ya a media noche y tras cortar el cable del teléfono de la fachada principal, se desplazaron al domicilio de Justo y llamaron a su puerta, portando una plancha, un rollo de cinta adhesiva y una de las espadas que habían sustraído de otra vivienda. Justo se levantó de la cama y acudió a abrir la puerta, y cuando lo hizo, de forma sorpresiva, Manuel y sus compañeros entraron en la vivienda, golpeándole, lo que le hizo caer al suelo, momento que aprovecharon para arrastrarle desde el portal a una de las dependencias de la vivienda, al tiempo que le exigían la entrega de todo el dinero que tuviera, amenazándole con matarle si no lo hacía.

Entre todos le maniataron con la cinta adhesiva que portaban y, estando en el suelo, le propinaron numerosas patadas y puñetazos mientras persistían en su demanda de dinero, contestando la víctima que el dinero lo tenía en la Caja de Ahorros y que en la casa solo tenía 10 euros.

Ante ello, al no lograr una respuesta positiva y como aquel siguiera insistiendo en que no tenía más dinero en la casa, todos decidieron de común acuerdo continuar con el acoso al anciano, para lo cual, utilizando la plancha que habían llevado, le quemaron en distintas partes del cuerpo, como la cara, espalda y genitales.

Tras registrar la casa sin que encontraran el dinero que buscaban, abandonaron la vivienda, dejando a la víctima amordazada y maniatada, situación en la que permaneció Justo hasta el día siguiente, en que fue encontrado por un vecino, quien, ante la situación en la que se encontraba, dio aviso a los servicios médicos. Justo falleció pocos días después a consecuencia de las graves lesiones sufridas[6].

---

[6]   Con variaciones los hechos están basados en los enjuiciados por la Sentencia del Tribunal Supremo, número 901/2013, de 26 de noviembre.

CUESTIONES DE PARTE GENERAL

ASPECTOS A ANALIZAR	PRECEPTOS DEL CÓDIGO PENAL
Autoría y participación	Arts. 27 ss.
Relación concursal entre los distintos delitos. Concurso de leyes y de delitos	Arts. 8, 73 ss.

CUESTIONES DE PARTE ESPECIAL

ASPECTOS A ANALIZAR	PRECEPTOS DEL CÓDIGO PENAL
Homicidio doloso	Art. 138
Homicidio imprudente	Art. 142
Asesinato	Arts. 139 s.
Lesiones dolosas	Arts. 147 ss.
Lesiones imprudentes	Arts. 152
Delito de robo	Arts. 237 ss.

CASO NÚMERO 7

Montserrat y Leopoldo habían estado casados 28 años y tenían cuatro hijos, tres de ellos mayores de edad y que vivían autónomamente, y una, Lucía, de 7 años.

Desde el inicio del matrimonio Montserrat fue objeto de malos tratos físicos y psíquicos por parte de Leopoldo, caracterizados principalmente por actitudes violentas con frecuentes agresiones físicas, insultos y amenazas hacia Montserrat y también por actitudes violentas de Leopoldo hacia sus hijos cuando salían en defensa de su madre.

Con frecuencia Leopoldo ingería bebidas alcohólicas, y bajo ese estado amenazaba a su esposa con males directos e indirectos.

Un día Leopoldo había bebido y presentaba un grado de alcoholemia de 2,25 gramos de alcohol en sangre. Tras acostar Montserrat a su hija, Leopoldo subió a dar las buenas noches a la niña y la encontró metida en el armario asustada por una tormenta, actitud que reprochó a su mujer, que se hallaba en el porche de la casa.

Este reproche provocó que Montserrat le dijera "mírate tú, la pinta que tienes", aludiendo a su estado ebrio, lo que provocó la reacción enfurecida de Leopoldo hasta el punto de que Montserrat, absolutamente aterrada, intentó pedir ayuda. En concreto, entró en el salón para llamar por teléfono a su hija Érica (la que más cerca vivía), pero Leopoldo, que la seguía, le impidió hacerlo, al tiempo que la agarró por el cuello diciéndole: "¿a quién vas a llamar, si tus hijos no te hacen caso loca?". Tras ello abandonó el salón y la dejó, sin que Montserrat supiera ciertamente su intención.

Al salir Leopoldo de la vivienda, Montserrat, presa del pánico, con la única intención de huir de la casa, temiendo por su vida y por su hija Lucía, y ante la posibilidad de que Leopoldo se hubiera podido dirigir a buscar una escopeta que poseía, tomó un cuchillo de la cocina, momento en que regresó Leopoldo para increpar nuevamente a Montserrat. Se produjo entonces un forcejeo en cuyo transcurso Montserrat clavó el cuchillo a Leopoldo, ocasionándole en pocos minutos la muerte. A pesar del estado de embriaguez de Leopoldo, estaba en condiciones de poder defenderse del acometimiento de Montserrat.

Montserrat, al ver lo que había hecho, acudió de inmediato a pedir ayuda, dirigiéndose al interior de la vivienda para llamar por teléfono a sus hijas. También solicitó la ayuda de un vecino que en ese momento pasaba por la calle, a fin de socorrer a Leopoldo cuanto antes.

Pese al deterioro de la relación, Montserrat y Leopoldo mantenían el vínculo matrimonial y convivían en el mismo domicilio. A consecuencia de la difícil relación, Montserrat había desarrollado un estado ansioso depresivo, tratado a intervalos por su médico de cabecera. Esta situación, junto con los antecedentes de conflicto familiar violento, provocó en Montserrat un estallido emocional de ofuscación. Actuó sin ninguna capacidad de decidir sobre su acción debido al miedo y temor que sentía hacia Leopoldo[7].

CUESTIONES DE PARTE GENERAL

ASPECTOS A ANALIZAR	PRECEPTOS DEL CÓDIGO PENAL
Tipo subjetivo: animo de lesionar y ánimo de matar	Véanse los artículos relativos a los correspondientes tipos de la Parte Especial.
Causas de justificación: Legitima defensa	Art. 20.4
Culpabilidad: eximentes y atenuantes	Arts. 20.1, 20.2, 21.1, 21.2 y 21.3
Error de prohibición	Art. 14.3
Tentativa y consumación	Arts. 15 s.
Circunstancias agravantes genéricas	Art. 22.2
Circunstancias atenuantes genéricas	Art. 21.5
Relación concursal entre los distintos delitos. Concurso de leyes y de delitos	Arts. 8, 73 ss.

CUESTIONES DE PARTE ESPECIAL

ASPECTOS A ANALIZAR	PRECEPTOS DEL CÓDIGO PENAL
Asesinato	Arts. 139 s.
Homicidio doloso	Art. 138
Relación concursal de las lesiones con el resultado muerte	
Delitos contra la integridad moral	173.2 y 3

---

[7]   Con variaciones, los hechos están basados en los enjuiciados por la Sentencia de la Audiencia Provincial de Toledo, número 2/2011, de 17 de mayo. *(Tol 2105255)*.

CASO NÚMERO 8

David se aproximó a los menores que jugaban en la calle, Jesús, de ocho años de edad, y su hermana Clara, de 10 años de edad, diciéndoles que se acercaran a su vehículo, que tenía un perrito que les iba a regalar. Tras acercarse los menores, David los cogió y los introdujo en el asiento de atrás del vehículo de su propiedad. Una vez en el interior del vehículo, quitó a Clara el teléfono móvil que portaba, impidiendo que hiciera llamada de emergencia alguna; y tras trasladar a los pequeños a una parcela les bajó del vehículo. Acto seguido arrojó al niño a un pozo de unos 2 m de altura, y condujo a Clara hasta una casa abandonada. Allí la desnudó mientras le decía que la iba a violar, y que si no hacía lo que él decía iba a matarla a ella y a su hermano como había hecho antes con otros niños. Pese a las súplicas de la niña, David la tocó por todo el cuerpo y penetró vaginalmente. Tras finalizar el acto, condujo a la niña al pozo donde estaba su hermano, y la arrojó a él.

Inmediatamente después, sacó del pozo a los dos hermanos y los trasladó a unos 12 m de distancia de la edificación principal, donde se hallaba una caseta de obra a dos alturas, sin puerta, en cuyo interior se encontraba otro pozo, de mayor profundidad que el primero, de aproximadamente 8 m de alto y 0,97 cm de ancho, arrojando nuevamente a los dos menores a su interior.

Una vez tuvo a los niños en la profundidad del pozo, lanzó sobre ellos unas tablas de madera que encontró abandonándoles en dicho lugar, heridos y sin posibilidad de salir, comer o beber. El día siguiente fueron encontrados por un sujeto que pasaba por el lugar, y que escuchó voces pidiendo auxilio. Los niños fueron rescatados con vida, si bien con lesiones de distinta entidad que requirieron tratamiento médico[8].

---

[8] Con variaciones los hechos están basados en los enjuiciados por la Sentencia del Tribunal Supremo, número 835/2014, de 21 de noviembre.

CUESTIONES DE PARTE GENERAL

ASPECTOS A ANALIZAR	PRECEPTOS DEL CÓDIGO PENAL
Tipo subjetivo: animo de lesionar y ánimo de matar	Véanse los artículos relativos a los correspondientes tipos de la Parte Especial.
Tentativa y consumación	Arts. 15 s.
Circunstancias agravantes genéricas	Art. 22.2
Relación concursal entre los distintos delitos. Concurso de leyes y de delitos	Arts. 8, 73 ss.

CUESTIONES DE PARTE ESPECIAL

ASPECTOS A ANALIZAR	PRECEPTOS DEL CÓDIGO PENAL
Asesinato	Arts. 139 s.
Homicidio doloso	Art. 138
Relación concursal de las lesiones con el resultado muerte	
Delitos contra la libertad y la indemnidad sexual	Arts. 183 ss.
Delitos contra la libertad e indemnidad sexual de menores de dieciséis años	

CASO NÚMERO 9

Ramón conoció en una discoteca a Cristina, de nacionalidad francesa, que se hallaba de vacaciones en España. Tras permanecer unas horas en dicha discoteca se dirigieron al domicilio de Ramón, donde siguieron consumiendo bebidas alcohólicas. Ramón quería tener relaciones sexuales, pero a la chica no le apetecía y se quedaba dormida. Contrariado por ello, Ramón se dirigió a la cocina del piso, de donde cogió un cuchillo de sierra de cocina con puño de madera de unos 20 cm. de hoja, y al regresar al dormitorio comenzó a dar cuchilladas a Cristina de forma sorpresiva, sin que ésta pudiera defenderse al encontrarse adormilada y tumbada en la cama de costado, produciéndole hasta 10 heridas en diversas zonas del cuerpo, algunas vitales, y 4 pequeñas erosiones.

Ramón apuñaló a Cristina lentamente, aumentando su sufrimiento. A consecuencia de las heridas producidas Cristina tuvo un shock hipovolémico que le produjo la muerte instantes después.

Ramón se presentó poco después en las dependencias policiales, donde confesó los hechos[9].

CUESTIONES DE PARTE GENERAL

ASPECTOS A ANALIZAR	PRECEPTOS DEL CÓDIGO PENAL
Culpabilidad: eximentes y atenuantes	Arts. 20.2 y 21.1, 21.2
Relación concursal entre los distintos delitos. Concurso de leyes y de delitos	Arts. 8, 73 ss.
Circunstancias atenuantes genéricas	Art. 21.4
Circunstancias agravantes genéricas: abuso de superioridad. Distinción con alevosía	Arts. 22.1, 22.2, 67

CUESTIONES DE PARTE ESPECIAL

ASPECTOS A ANALIZAR	PRECEPTOS DEL CÓDIGO PENAL
Homicidio	Art. 138
Asesinato	Arts. 139 s.

---

[9]   Con variaciones, los hechos están basados en los enjuiciados por la Sentencia del Tribunal Supremo, número 74/2005, de 27 de enero. *(Tol 591059).*

CASO NÚMERO 10

Jorge, mayor de edad, condenado por un delito de robo con violencia, se hallaba en compañía de varios amigos en el aparcamiento de una discoteca a altas horas de la madrugada. Jorge se había apoderado dentro del local de una cazadora que pertenecía a un desconocido y para no ser descubierto decidió esconderla tras la rueda de uno de los coches de sus amigos, con el propósito de llevársela cuando se marcharan.

Llegada la hora del cierre de la discoteca, Ricardo que venía con otro grupo de amigos, encontró la cazadora en el suelo junto a la rueda, cogiéndola y mirando en los bolsillos. En ese momento llegó Jorge con sus amigos, y al apercibirse de lo que estaba haciendo Ricardo dio la voz de "nos están robando", instante en que la mayoría de ellos, incluido Jorge, echaron a correr hacia el punto donde se encontraba Ricardo, que se aproximó a la puerta del copiloto junto a su amigo Álvaro. Al ver la actitud agresiva del grupo, Ricardo se desprendió de la cazadora lanzándola hacia uno de ellos al tiempo que se introducía rápidamente en el vehículo de su amigo Luis, intentando tirar del brazo de su otro amigo Álvaro, pero sin conseguirlo. Pese a que Álvaro gritaba que les habían devuelto la prenda, el grupo procedió a rodearlo mientras Marcos, amigo de Jorge, le pegó un fuerte puñetazo en la cara. A partir de ahí, en una secuencia rápida, el grupo integrado por Jorge, Marco, David y Sergio, la emprendieron a puñetazos y patadas con Álvaro, aún cuando éste se hallaba ya tendido en el suelo. Los agresores lo pisaron y dirigieron los golpes hacia zonas sensibles como la cabeza, el cuello, el abdomen y testículos, con la intención de acabar con su vida. En ese mismo contexto y dinámica de ataque mortal contra Álvaro, se dirigieron también contra Luis, rodeándole cuando intentaba salir de su vehículo. Sin darle tiempo a reaccionar, se abalanzaron sobre él y comenzaron a darle puñetazos en la cabeza y en la cara, hasta el punto de que cuando cayó al suelo intentando huir por la parte delantera del coche continuaron propinándole patadas en la cabeza. No obstante, Luis logró incorporarse rápidamente y salir huyendo, siendo entonces perseguido por Marcos y David.

Por su parte, Sergio propinó una patada en el tórax a Ricardo, que se encontraba en el asiento trasero, para así impedirle que pudiera auxiliar a Álvaro, así como para asegurar la sustracción de varios efectos personales del primero. Aprovechando esta situación, Jorge entró por la puerta del copiloto y le pidió a Ricardo el reloj que llevaba, que éste le entregó. Sergio, al ver que Jorge iba también en persecución de Luis, se sentó en el asiento delantero del vehículo, y le pidió a Ricardo el anillo que llevaba, quien igualmente se lo entregó.

La persecución de Luis quedó frustrada por no poder igualar su carrera y por llegar testigos, pero Jorge antes de huir definitivamente registró la guantera del coche de Luis y se apoderó de unas gafas del mismo.

Luis, que regresaba a su coche, vio entonces tendido en el suelo, ya agonizando, a su amigo Álvaro, e intentó ayudarle, pero sin posibilidad de éxito alguno. Álvaro falleció mientras era atendido por los equipos médicos.

Como consecuencia del mismo acometimiento violento, Luis sufrió contusiones varias en el cuero cabelludo y en la región mandibular, precisando para su curación asistencia médica facultativa y medicación sintomática analgésica y antiinflamatoria. Le quedó además como secuela psíquica un trastorno por estrés postraumático, presentando distimia depresiva, con tristeza, llanto, angustia e insomnio de conciliación, trastornos que pese a ser tributarios de medida terapéutica, no han sido tratados ante la renuencia del mismo. Ricardo resultó con contusiones en el hemitórax anterior izquierdo, que no precisaron de asistencia, quedándole como secuela psíquica un estado reactivo a la vivencia experimentada, así como un estado de ánimo hipotímico, angustia, insomnio de conciliación, no precisando sin embargo tratamiento médico sino sólo control[10].

CUESTIONES DE PARTE GENERAL

ASPECTOS A ANALIZAR	PRECEPTOS DEL CÓDIGO PENAL
Tipo subjetivo: dolo directo y dolo eventual	Véanse los artículos relativos a los correspondientes tipos de la Parte Especial
Causas de justificación: legítima defensa	Art. 20.4
Culpabilidad: eximentes y atenuantes	Arts. 20.2 y 21.1, 21.2
Tentativa y consumación	Arts. 15 s.
Autoría y participación: dominio funcional del hecho. Acuerdo implícito y sobrevenido	Arts. 27 ss.
Relación concursal entre los distintos delitos. Concurso de leyes y de delitos	Arts. 8, 73 ss.
Circunstancias agravantes genéricas: abuso de superioridad. Reincidencia	Arts. 22.2, 22.8, 67

---

[10]   Con variaciones, los hechos están basados en los enjuiciados por la Sentencia del Tribunal Supremo, número 1031/2003, de 8 de septiembre. *(Tol 312054)*.

CUESTIONES DE PARTE ESPECIAL

ASPECTOS A ANALIZAR	PRECEPTOS DEL CÓDIGO PENAL
Homicidio doloso	Art. 138
Homicidio imprudente	Art. 142
Ánimo de matar/de lesionar	
Asesinato	Arts. 139 s.
Delito de lesiones. Lesiones psíquicas	Arts. 147 ss.
Robo con violencia o intimidación	Art. 242
Hurto	Arts. 234 ss.

CASO NÚMERO 11

Ana, de 27 años de edad y sin antecedentes penales, acompañaba a un amigo suyo que estaba convaleciente en el hospital. Ana era camarera y se encontraba en una precaria situación económica. Pese a que sabía que estaba embarazada, durante meses negó su estado, afirmando que tenía el vientre hinchado por una "retención de líquidos".

Durante la noche comenzó a sentir fuertes dolores, por lo que se encerró en el cuarto de baño de la habitación del hospital. El enfermo, al sentir que lloraba y dado que llevaba mucho tiempo encerrada en el servicio llamó a la enfermera de guardia, quien al abrir la puerta del baño descubrió a Ana temblorosa y asustada llorando, apoyada en la pared, con los pantalones medio bajados, el cordón umbilical desgarrado colgando y el suelo manchado con sangre y agua. Al ver lo sucedido la enfermera avisó al médico y a las auxiliares de enfermería. Una de las enfermeras encontró al recién nacido dentro de la taza del inodoro bajo una capa de papel higiénico que lo cubría e impedía verlo, en posición fetal y boca abajo, sacándolo de inmediato y procediendo a aspirarle las vías altas, limpiarle y pinzarle el cordón.

Mientras atendían al niño, Ana insistía en que no estaba embarazada, sin que preguntara en ningún momento por su hijo, que no sufrió finalmente lesión alguna, aunque de no haber sido atendido hubiera podido fallecer en una hora aproximadamente.

Ana presenta un carácter compulsivo con altos niveles de ansiedad acompañados de personalidad histeriforme como consecuencia de la falta de aceptación de su embarazo, y sufría al dar a luz una sobrecarga afectiva que condicionó fuertemente su comportamiento. Con posterioridad necesitó asistencia psiquiátrica y psicológica como consecuencia de una depresión reactiva a los hechos[11].

---

[11]   Con variaciones, los hechos están basados en los enjuiciados por la Sentencia del Tribunal Supremo, número 815/2006, de 13 de julio. *(Tol 984874).*

CUESTIONES DE PARTE GENERAL

ASPECTOS A ANALIZAR	PRECEPTOS DEL CÓDIGO PENAL
Tipo subjetivo: dolo directo y dolo eventual	Véanse los artículos relativos a los correspondientes tipos de la Parte Especial
Culpabilidad: eximentes y atenuantes	Arts. 20.1 y 21.1
Tentativa y consumación	Arts. 15 s.
Circunstancias agravantes genéricas: abuso de superioridad. Distinción con la alevosía	Arts. 22.1,22.2, 67
Circunstancia mixta de parentesco	Art. 23

CUESTIONES DE PARTE ESPECIAL

ASPECTOS A ANALIZAR	PRECEPTOS DEL CÓDIGO PENAL
Homicidio. Inicio de la vida humana independiente. Delimitación con los tipos de lesiones al feto y aborto	Arts. 138, 157, 144
Asesinato	Arts. 139 s.

ACUERDO DE PLENO DEL TRIBUNAL SUPREMO
Véase Anexo I.19. Acuerdo del día 26 de mayo de 2000

CASO NÚMERO 12

Paula y Carlos, novios, asistieron a una fiesta para celebrar el cumpleaños de la primera y la compra del nuevo piso de la pareja. En el curso de la misma Carlos, que estuvo bebiendo sin parar e ingirió también cocaína, se enfadó con su novia porque la había visto hablando con un antiguo novio. Debido al enfado, Paula decidió irse a dormir al domicilio paterno y dar por terminada la noche. Una vez allí recibió una llamada de Carlos en la que éste le comunicaba que se iba a suicidar. Preocupada porque lo hiciera, Paula acudió a verlo, encontrándolo en la bañera con heridas muy superficiales. Tras curarlo se volvió a casa de sus padres, donde se hallaba sola puesto que aquellos eran panaderos y a esas horas se habían marchado a trabajar, circunstancia conocida por Carlos. Por ello, aprovechando la situación se dirigió en busca de Paula portando un cuchillo de grandes dimensiones y con la seguridad de que su novia ya debía dormir profundamente. Tras acceder a la vivienda forzando la puerta de entrada, se dirigió al dormitorio, donde la encontró sola y dormida, y una vez allí procedió de inmediato a clavarle el cuchillo en el abdomen con la intención de causarle la muerte. Al ver lo sucedido Paula intentó en su estado de aturdimiento ir a la bañera para lavarse, siendo perseguida por Carlos quien, ya en el baño, le oprimía el cuello mientras le decía que iba a morir. La falta de respiración provocó que Paula desfalleciera y se dejara vencer. Carlos, creyendo que ya había logrado su propósito dejó de hacer fuerza; momento que Paula aprovechó para darle un golpe en los genitales y dirigirse hacia la salida. A pesar de estar gravemente herida Paula alertó a los vecinos, quienes acudieron en su ayuda.

A consecuencia de tales hechos Paula resultó con múltiples heridas incisas y penetrantes en la cavidad torácica y abdominal, neumotórax, perforación pulmonar, fractura de la octava costilla derecha, necesitando además de una primera asistencia facultativa posterior tratamiento médico y quirúrgico consistente en laparoscopia exploradora, suturas intestinales, tratamiento shock hemorrágico y otras curas, restándole como secuelas cicatrices en espalda y abdomen además de stress postraumático crónico con depresión mayor[12].

---

[12]   Con variaciones, los hechos están basados en los enjuiciados por la Sentencia del Tribunal Supremo, número 617/2006, de 7 de junio. *(Tol 961879).*

CUESTIONES DE PARTE GENERAL

ASPECTOS A ANALIZAR	PRECEPTOS DEL CÓDIGO PENAL
Tipo subjetivo: dolo directo y dolo eventual	Véanse los artículos relativos a los correspondientes tipos de la Parte Especial
Culpabilidad: circunstancias eximentes y atenuantes	Arts. 20.2, 21.1, 21.2
Tentativa y consumación	Arts. 15 s.
Relación concursal entre los distintos delitos. Concurso de leyes y de delitos	Arts. 8, 73 ss.

CUESTIONES DE PARTE ESPECIAL

ASPECTOS A ANALIZAR	PRECEPTOS DEL CÓDIGO PENAL
Homicidio	Art. 138
Asesinato	Arts. 139 s.
Delito de lesiones. Lesiones psíquicas	Arts. 147 ss.

ACUERDO DE PLENO DEL TRIBUNAL SUPREMO
Véase Anexo I.19. Acuerdo del día 26 de mayo de 2000

CASO NÚMERO 13

Ignacio, que compartía piso con su amigo Fernando, se sentía desplazado desde que se instalaron también en dicha vivienda Enrique y su mujer Maribel, que se hallaba embarazada y que ya tenía un hijo de pocos meses de edad. Debido a la tensa convivencia a menudo surgían discusiones, hasta que un día tras una disputa verbal por cuestiones domésticas Ignacio cogió un cuchillo de grandes dimensiones y un martillo y se dirigió hacia Enrique, propinándole sorpresivamente con esta última herramienta varios golpes en la cabeza hasta que el mismo cayó al suelo inconsciente y malherido. Seguidamente se precipitó sobre Maribel, a la que también golpeó en la cabeza con el martillo de manera que, vencida toda posible resistencia eficaz que pudiera provenir de la misma, la desnudó y arrastró por las dependencias de la casa y del patio anunciándole los propósitos de venganza que se disponía a llevar seguidamente a cabo. A pesar del llanto del niño, Ignacio forzó sexualmente a Maribel, penetrándola vaginal, anal y bucalmente en distintos episodios que se sucedieron hasta la madrugada y que tuvieron lugar en distintas dependencias de la casa. Tras orinarse en el rostro de Maribel, y hallándose ésta maniatada, Ignacio le asestó con el cuchillo anteriormente indicado una puñalada en la región submentoniana que penetró en la cavidad bucal. Durante el desarrollo de estos hechos ejerció reiteradamente violencia sobre el vientre de Maribel —cuyo embarazo era evidente— con el fin de acabar con la vida de la criatura que llevaba en su seno. Después se retiró a su habitación, momento que aprovechó Maribel para ocultarse en el sótano, desde donde pudo oír los gemidos de su marido que aún seguía con vida en la habitación destinada a salón. Entonces Ignacio esparció gasolina sobre el cuerpo de Enrique y le prendió fuego, causándole la muerte. Acto seguido cogió al niño y se dirigió a una Comisaría de Policía, donde entregó al menor dejando entrever que los padres del niño habían sufrido algún daño, por lo que quedó a partir de entonces a disposición de la unidad de Policía Judicial.

Debido a las agresiones de toda índole de las que fue objeto, Maribel vio interrumpido su embarazo por muerte del feto, de 26 semanas, y sufrió lesiones, quedándole como secuelas: cicatrices en el mentón, cuero cabelludo, brazo y costado derecho, que originan en su conjunto un perjuicio estético moderado, y síndrome depresivo postraumático.

Iñigo presentaba una conductopatía con notable agresividad y desprecio por las normas, que no le impedía conocer la ilicitud de sus actos ni actuar conforme a esa comprensión[13].

---

[13] Con variaciones, los hechos están basados en los enjuiciados por la Sentencia de la Audiencia Provincial de Granada, número 143/2004, de 8 de marzo.

CUESTIONES DE PARTE GENERAL

ASPECTOS A ANALIZAR	PRECEPTOS DEL CÓDIGO PENAL
Culpabilidad: circunstancias eximentes y atenuantes	Arts. 20.1, 21.1, 21.3
Relación concursal entre los distintos delitos. Concurso de leyes y de delitos.	Arts. 8, 73 ss.
Delito continuado	Art. 74
Circunstancias atenuantes genéricas	Art. 21.4

CUESTIONES DE PARTE ESPECIAL

ASPECTOS A ANALIZAR	PRECEPTOS DEL CÓDIGO PENAL
Homicidio	Art. 138
Asesinato	Arts. 139 s.
Aborto	Arts. 144 s.
Delito de lesiones	Arts. 147 ss.
Agresiones y abusos sexuales. Tipos cualificados	Arts. 178 ss.

ACUERDO DE PLENO DEL TRIBUNAL SUPREMO
Véase Anexo I.19. Acuerdo del día 26 de mayo de 2000

CASO NÚMERO 14

Angelina caminaba por la calle cuando se le acercó por la espalda un hombre desconocido que sacó de entre su ropa un cuchillo de unos 2 cms. de ancho de hoja y más de 13 cm. de longitud, y acto seguido le asestó una puñalada en la zona lumbar, causándole un herida inciso punzante profunda que afectó al riñón derecho, hígado y vena aorta. Al sufrir la agresión Angelina se giró hacia su agresor e inmediatamente echó a correr asustada. El agresor se dio a la fuga.

Ya en su casa, al percatarse Angelina de que la herida sangraba de forma moderada, dio aviso al servicio de urgencias médicas, y posteriormente fue trasladada al hospital. Allí la paciente fue asignada al Dr. Raúl, especialista en Cirugía y Aparato digestivo, quien efectuó una exhaustiva exploración física de Angelina. El examen de la herida con una cánula detectó una profundidad de solo 5 cmts., al estar ubicada en una zona lumbar con superposición de planos. Tras ordenar la realización de un TAC abdominal, una analítica de sangre, la toma de tensión arterial, y el control periódico por parte personal sanitario auxiliar, así como comprobar que la herida ya no sangraba externamente, el doctor colocó un drenaje y decidió adoptar un tratamiento conservador no quirúrgico hasta que tuviera los resultados de tales pruebas. Ya con los resultados en su poder, decidió continuar con el tratamiento conservador por estimar que resultaba innecesaria y contraindicada cualquier intervención quirúrgica urgente.

La paciente sufrió un vómito bilioso y una progresiva palidez facial, con hipotensión arterial y taquicardia así como un agudo dolor en el abdomen derecho, por lo que Raúl ordenó que se efectuara una segunda transfusión de hematíes, a pesar de lo cual la paciente no evolucionó satisfactoriamente. Ante esta situación el médico decidió no esperar más y ordenó que se preparara el quirófano para practicar una laparotomía así como avisar al urólogo por si era necesario extirpar el riñón. En el quirófano se constató que además de la lesión renal ya detectada Angelina sufría una segunda lesión asociada, consistente en laceración del hígado, que le había provocado un gran hematoma retro-peritoneal. A pesar de las maniobras quirúrgicas utilizadas para cortar dicha hemorragia y suturar la herida, la paciente entró en shock hipovolémico con parada cardiorrespiratoria irreversible, lo que le produjo la muerte. El índice estadístico de mortalidad en esta clase de laparotomías es del 85 al 90%[14].

---

[14] Con variaciones, los hechos están basados en los enjuiciados por la Sentencia del Tribunal Supremo, número 782/2006, de 6 de julio. *(Tol 984879)*.

CUESTIONES DE PARTE GENERAL

ASPECTOS A ANALIZAR	PRECEPTOS DEL CÓDIGO PENAL
Relación de causalidad e imputación objetiva	
Tipo subjetivo: dolo directo y dolo eventual	Véanse los artículos relativos a los correspondientes tipos de la Parte Especial
Autoría y participación	Arts. 27 ss.

CUESTIONES DE PARTE ESPECIAL

ASPECTOS A ANALIZAR	PRECEPTOS DEL CÓDIGO PENAL
Homicidio imprudente	Art. 142
Imprudencia profesional	Art. 142
Asesinato	Arts. 139 s.

II. ACTOS DE COLABORACIÓN AL SUICIDIO

CASO NÚMERO 15

Casandra contrajo matrimonio con Emilio, formando el núcleo familiar también las hijas de éste, nacidas de una relación anterior, Cristina y Emilia, (de 14 y 11 años respectivamente) así como las hijas de Casandra, Salud (de doce años), fruto de una relación anterior, e Irene (de tres años), nacida bajo de la unión de ambos.

Emilio tuvo que abandonar el domicilio familiar como consecuencia de una Orden de Protección que se dictó a favor de Casandra en el marco de otro procedimiento penal, quedando asignada la custodia de los cuatro menores a Casandra.

Desde el momento en que contrajeron matrimonio, pero de forma muy especial desde que Emilio abandonó el domicilio familiar como consecuencia de la ejecución de la citada Orden de Protección, Casandra ejerció sobre las menores Cristina y Emilia actos de maltrato físico y psicológico de manera habitual y reiterada. Entre ellos constan los siguientes: agresiones o golpes propinados directamente o por mediación de otros hermanos, duchas o baños fríos, dejarles desnudas en el baño, actos vejatorios o intimidatorios como la colocación de pañales, obligar a Cristina a chupar una escobilla diciéndole "prefieres sufrir o tirarte por la ventana", obligar a Emilia y a Salud a pegar a Cristina, encerrarles en habitaciones, prohibirles entrar en casa en invierno hasta altas horas de la madrugada, y en general, un trato diferenciado y discriminatorio en relación con sus hermanas Salud e Irene.

Un día Casandra recriminó a Emilia por un suspenso que había tenido en una asignatura y que había ocultado, dirigiéndole expresiones despreciativas y golpeándola en la cara y en la cabeza. Por la tarde, al regresar del colegio, Casandra la dejó desnuda en el cuarto de baño y después la obligó a permanecer encerrada en su habitación. Cuando la niña pidió ser perdonada, Casandra le dijo que se tirase por la ventana y también le indicó a los otros hermanos que le dijeran lo mismo, pretendiendo con ello que realmente la niña se quitara la vida. Emilia regresó a su habitación y escribió una nota de suicidio, que entregó a Casandra, quien la rompió diciéndole que tenía que escribir otra, lo que Emilia hizo mientras Casandra le recalcaba que no valía para nada y que lo mejor para toda la familia es que se tirara por la ventana. La niña insistió, pidiendo perdón, y diciendo que "para vivir así me quiero morir". Casandra y los hermanos, por indicación suya, le negaron el perdón o incluso le volvieron la cara cuando Emilia pretendió besarles, insistiendo en que se fuera a su habitación y que se tirara por la ventana.

Como consecuencia de la presión ejercida y de la situación de desesperación a la que había sido conducida, Emilia regresó a su habitación y se precipitó desde la ventana hasta la calle, sufriendo como consecuencia del fuerte impacto fractura conminuta del calcáneo izquierdo, epifisiolisis de la epífisis distal de la tibia izquierda, fractura suprasindesmal del peroné izquierdo, fractura talámica del calcáneo derecho, fractura diafisaria de la tibia derecha, y fractura suprasindesmal del peroné derecho.

Fue intervenida quirúrgicamente quedándole limitación en la movilidad de ambos tobillos y atrofia en la musculatura. Precisó para la estabilización de un periodo de 208 días durante los cuales recibió tratamiento médico, quirúrgico y rehabilitador estando incapacitada para sus ocupaciones habituales. Teniendo en cuenta la violencia del impacto, si su peso hubiera sido superior, las lesiones podrían haberle causado efectivamente la muerte.

La menor Cristina, como consecuencia de la situación de maltrato psicológico habitual presenta síntomas directos e indirectos de depresión mayor y de trastorno de ansiedad, asociado a alteraciones conductuales de heteroagresividad con déficit del control de los impulsos, que ha precisado para su curación tratamiento médico especializado.

La menor Emilia como consecuencia de la situación de maltrato psicológico habitual presenta un bloqueo emocional severo que le impide una normal y adecuada valoración de las emociones ajenas y una inhibición en su propia expresividad que ha precisado para su curación tratamiento médico especializado.

En ambos casos, el maltrato psicológico habitual sufrido en el ámbito familiar actuó también como un cofactor determinante y agravante de los trastornos y alteraciones psicológicas constatadas[15].

---

[15]   Con variaciones, los hechos están basados en los enjuiciados por la Sentencia del Tribunal Supremo, número 1387/2009, de 30 de diciembre. *(Tol 1781406).*

CUESTIONES DE PARTE GENERAL

ASPECTOS A ANALIZAR	PRECEPTOS DEL CÓDIGO PENAL
Comisión por omisión	Art. 11
Tipo subjetivo: dolo directo y dolo eventual	Véanse los artículos relativos a los correspondientes tipos de la Parte Especial
Culpabilidad: eximentes y atenuantes	20.1, 21.1 y 21.3
Responsabilidad penal de los menores de edad	LO 5/2000, de 12 de enero, de Responsabilidad penal de los menores
Tentativa y consumación	Arts. 15 s.
Autoría y participación	Arts. 27 ss.
Circunstancias agravantes genéricas	22.2
Relación concursal entre los distintos delitos. Concurso de leyes y de delitos	Arts. 8, 73 ss.

CUESTIONES DE PARTE ESPECIAL

ASPECTOS A ANALIZAR	PRECEPTOS DEL CÓDIGO PENAL
Homicidio	Art. 138
Actos de colaboración al suicidio	Art. 143
Delito de lesiones. Lesiones psíquicas	Arts. 147 ss.
Delitos contra la integridad moral	Art. 173

CASO NÚMERO 16

En un estado de profunda depresión, Armando subió a un coche con su amigo César. Allí le comunicó que quería morir, pues estaba pasando por una mala situación, pidiéndole además que le ayudara a realizar sus planes. Tras convencer a César para que le ayudase, éste le puso a Armando el cinturón alrededor del cuello y apretó fuertemente hasta causarle la muerte por asfixia. A continuación César cogió 27 euros que la víctima tenía en el bolsillo con el sobrevenido ánimo de obtener un beneficio, dinero que utilizó para comprar varios alimentos. Después volvió al vehículo y allí pernoctó toda la noche junto al cuerpo sin vida de Armando.

Cuando César tuvo conocimiento de que la policía había localizado el cadáver en el interior del vehículo se presentó en las dependencias de la comisaría de policía y voluntariamente confesó su participación en los hechos.

César presentaba rasgos de personalidad disocial muy marcada que determinaba un trastorno de carácter crónico pero que no alteraba sus facultades. Al cometer los hechos conservaba su capacidad de conocer y de actuar según su conocimiento[16].

CUESTIONES DE PARTE GENERAL

ASPECTOS A ANALIZAR	PRECEPTOS DEL CÓDIGO PENAL
Culpabilidad: circunstancias eximentes y atenuantes	Arts. 20.1, 21.1, 21.3
Circunstancias atenuantes genéricas	Art. 21.4

CUESTIONES DE PARTE ESPECIAL

ASPECTOS A ANALIZAR	PRECEPTOS DEL CÓDIGO PENAL
Actos de colaboración al suicidio	Art. 143

---

[16]   Con variaciones, los hechos están basados en los enjuiciados por la Sentencia de la Audiencia Provincial de Almería, número 17/2002, de 20 de febrero.

CASO NÚMERO 17

Luis, enfermero, era encargado de la vigilancia de un paciente en la Unidad de Agudos que reclamaba especial vigilancia debido a sus tendencias suicidas. A pesar de que Luis había estado pendiente de él, vigilándole y controlando sus movimientos, en un momento de descuido el interno se suicidó[17].

CUESTIONES DE PARTE GENERAL

ASPECTOS A ANALIZAR	PRECEPTOS DEL CÓDIGO PENAL
Comisión por omisión	Art. 11

CUESTIONES DE PARTE ESPECIAL

ASPECTOS A ANALIZAR	PRECEPTOS DEL CÓDIGO PENAL
Actos de colaboración al suicidio	Art. 143

---

[17] Con variaciones, los hechos están basados en los enjuiciados por la Sentencia de la Audiencia Provincial de Asturias, número 160/2001, de 7 de junio. *(Tol 109116).*

CASO NÚMERO 18

Víctor era un joven que cursaba estudios de secundaria. El primer día del curso escolar se sintió indispuesto por un problema intestinal que provocó una defecación involuntaria en la clase. Este hecho motivó que los días siguientes fuera objeto de continuadas burlas e insultos por parte de sus compañeros, todos menores de edad. Durante la estancia en un campamento a mediados de curso fue descubierto por los monitores fumando hachís junto con otros amigos. Si bien sus compañeros consiguieron interceptar las cartas que los monitores enviaron a sus respectivos padres, Víctor no logró hacerlo, por lo que sus padres tuvieron noticia de lo sucedido y lo pusieron en conocimiento de los padres del resto.

Este hecho cambió radicalmente la posición de Víctor en su cuadrilla de amigos, pues todos sentían "que los habían traicionado", iniciándose su distanciamiento y siendo objeto de reproche por lo sucedido, así como de insultos y empujones. Durante el curso, uno de sus amigos, Joaquín, insultó a Víctor y le pegó un puñetazo en la cara que le originó una herida sangrante en la boca como consecuencia del aparato de ortodoncia que llevaba colocado. Lo mismo hicieron el resto del grupo, tanto los que estaban en la misma aula como en diferentes, pues aprovechaban los términos de las clases para ir en busca de Víctor e insultarle y propinarle empujones y cachetes con la mano en la cabeza. Para evitar ser vistos por los profesores vigilaban para que nadie se acercara durante la agresión. También durante las clases de gimnasia era objeto de ataques mediante patadas por la espalda y duros balonazos.

Asimismo, coincidiendo con la fecha de la defecación involuntaria le arrojaron rollos de papel higiénico, acusándole ante los profesores de haberlos tirado él mismo. Durante un cambio de clase, le propinaron un tortazo en la cara, puñetazos e insultos. Víctor nunca se defendía de las agresiones e insultos, y tan solo decidió dejar de asistir a clase, sin que lo supieran sus padres.

Cuando sus padres descubrieron este hecho, Víctor les confesó que sus compañeros le pegaban e insultaban, circunstancia que a su vez los padres comunicaron a la Jefa de Estudios, a la orientadora educativa y al resto de los padres. Un día Víctor se marchó de su casa sin que regresara. Apareció muerto al día siguiente, al pie de las murallas de su localidad desde donde se había precipitado.

En el informe de autopsia se describieron graves hematomas haciéndose constar "que dichas lesiones se habían producido aproximadamente 8 o 10 días antes de la muerte"[18].

---

[18]   Con variaciones, los hechos están basados en los enjuiciados por la Sentencia de la Audiencia Provincial de Guipúzcoa, número 178/2005, de 15 de julio. *(Tol 677674).*

CUESTIONES DE PARTE GENERAL

ASPECTOS A ANALIZAR	PRECEPTOS DEL CÓDIGO PENAL
Comisión por omisión	Art. 11
Tipo subjetivo: dolo directo y dolo eventual	Véanse los artículos relativos a los correspondientes tipos de la Parte Especial
Responsabilidad penal de los menores de edad	LO 5/2000, de 12 de enero, de Responsabilidad penal de los menores
Autoría y participación	Arts. 27 ss.
Relación concursal entre los distintos delitos. Concurso de leyes y de delitos	Arts. 8, 73 ss.

CUESTIONES DE PARTE ESPECIAL

ASPECTOS A ANALIZAR	PRECEPTOS DEL CÓDIGO PENAL
Actos de colaboración al suicidio	Art. 143
Delito de lesiones. Lesiones psíquicas	Arts. 147 ss.
Delito contra la integridad moral	Art. 173

CASO NÚMERO 19

Una noche Mateo descubrió que su mujer, que ya había intentado suicidarse, se hallaba en el balcón y que había introducido su cabeza dentro de una bolsa de plástico con el tubo del gas. Asustado al ver que su mujer respiraba con dificultad, corrió a la cocina a apagar el gas, pero no le quitó la bolsa de plástico de la cabeza. Al cabo de unos diez minutos tornó al balcón, donde comprobó que su mujer ya no respiraba, por lo que avisó a la policía. Mateo, sufría una grave psicosis esquizofrénica[19].

CUESTIONES DE PARTE GENERAL

ASPECTOS A ANALIZAR	PRECEPTOS DEL CÓDIGO PENAL
Comisión por omisión	Art. 11
Culpabilidad: circunstancias eximentes y atenuantes	Arts. 20.1, 21.1

CUESTIONES DE PARTE ESPECIAL

ASPECTOS A ANALIZAR	PRECEPTOS DEL CÓDIGO PENAL
Actos de colaboración al suicidio	Art. 143
Homicidio imprudente	Art. 142

---

[19]   Con variaciones, los hechos están basados en los enjuiciados por la Sentencia de la Audiencia Provincial de Girona, número 184/2001, de 23 de marzo. *(Tol 307424).*

III. ABORTO

CASO NÚMERO 20

Ana, que se encontraba embarazada y había superado la 26 semanas de gestación sin que concurrieran en el feto anomalías ni alteraciones incompatibles con su vida, ingirió al menos diez píldoras del fármaco "Cytotec" (Misoprostol) con el ánimo de provocar el aborto. Como consecuencia de la ingesta tuvo que acudir al servicio de urgencias de ginecología del Hospital Donostia, donde expulsó el feto en un inodoro. Si bien fue recuperado aún con vida por los profesionales sanitarios, falleció horas más tarde, siendo la causa inmediata de la muerte la anoxia tisular y la causa fundamental el parto inmaduro"[20].

CUESTIONES DE PARTE GENERAL

ASPECTOS A ANALIZAR	PRECEPTOS DEL CÓDIGO PENAL
Tipo subjetivo: dolo directo y dolo eventual	Véanse los artículos relativos a los correspondientes tipos de la Parte Especial

CUESTIONES DE PARTE ESPECIAL

ASPECTOS A ANALIZAR	PRECEPTOS DEL CÓDIGO PENAL
Aborto doloso	Arts. 144, 145
Delito de homicidio	Arts. 138

---

[20] Con variaciones, los hechos están basados en los enjuiciados por la Sentencia de la Audiencia Provincial de Guipúzcoa, número 57/2012, de 3 de julio.

CASO NÚMERO 21

Ernestina, a causa de un accidente de tráfico, ingresó en Urgencias, con lesiones de diversa consideración. Para el tratamiento de las mismas, se le practicó en el Hospital una serie de pruebas médicas así como varias radiografías (Rx) y un TAC. Ernestina, que ignoraba su estado de embarazo, lo supo por los reconocimientos y pruebas que se le practicaron entonces en el hospital y confirmado su estado por ginecólogo, supo también, de los posibles riesgos para la salud y formación del feto que podían haberse producido a causa de las radiaciones adecuadas a sus lesiones, que recibió durante el período de permanencia y asistencia en el Hospital. Ante ello, tomó la decisión de interrumpir voluntariamente su embarazo, cuando se hallaba en un periodo de gestación de 16 semanas más tres días.

Desde el Centro de Planificación Público, se remitió a la paciente a la Clínica G. portando una carta en la que se expresaba que Ernestina solicitaba la interrupción voluntaria del embarazo y que en dicha clínica se la informase sobre todos los pormenores de la legislación vigente y se le practicara, en su caso, dicha intervención. Los responsables médicos de la clínica decidieron que la operación se realizaría en medio hospitalario. Sin embargo, el hospital público en el que generalmente se realizaban estas intervenciones estaba cerrado por obras y en el otro servicio público no se encontraba a ningún profesional de dicho Hospital dispuesto a participar en tales intervenciones. Por ello, la Dirección del Hospital General llegó a un acuerdo con la Clínica G, para que se le aportara un ginecólogo y su personal auxiliar de quirófano, quienes al efecto visitaron el quirófano y las unidades para conocerlo. El aborto fue practicado por el Doctor Cristóbal, que pertenecía a un hospital público estando en comisión de servicios, con la colaboración de otras dos ATS, llevándose a cabo con evacuación uterina instrumental (con dilatación cervical), asistida con anestesia general durante la intervención, con motorización electro-cardiográfica continua, motorización de tensión arterial, vía venosa con suero, sondaje vesical y ecógrafo intraoperatorio.

En el curso de la intervención, Ernestina comenzó a sangrar abundantemente con brusca hipotensión, por lo que se comprobó instrumentalmente una perforación uterina causante de la hemorragia, interrumpiéndose la intervención. Tras normalizarse la situación hemodinámica, Cristóbal al observar la recuperación de la enferma, que ya no sangraba, y que el útero estaba vacío y contraído, no estimó necesaria una laparatomía exploradora, aunque tampoco quedó comprobada o estudiada la integridad de los restos fetales expulsados o extraídos del útero, optando de momento por su ingreso en la UCI del Hospital. Ernestina evolucionó favorablemente, siendo visitada constantemente por Cristóbal que estuvo presente en otra serie de pruebas como ecografías, y permaneció en dicho Hospital hasta que la paciente quedó estable.

Iniciada la guardia en la UCI Ernestina comenzó a presentar fiebre y dolor generalizado en abdomen, si bien no se le encontraron daños en su aparato digestivo. Sin embargo, posteriormente empeoró y se le encontró un tumor o plastón inflamatorio, y hemoperitoneo, liberándose "asas" (sin necesidad de resección intestinal), practicándose histerectomía total (con conservación del ovario izquierdo). Se comprobó la perforación uterina así como la existencia de restos fetales, por lo que se la trasladó a "Reanimación", mejorando su estado general y siendo normales sus constantes. Sobre la medianoche Ernestina refirió bruscamente que se mareaba, con pérdida de conciencia, por lo que la atendieron el anestesista de urgencia y el médico de UCI, que procedieron a reanimación cardio-pulmonar, pese a cuyos cuidados, el cuadro empeoró bruscamente, con parada cardiaca e imposible recuperación, falleciendo Ernestina finalmente.

La autopsia del Hospital reveló una perforación de bordes anfractuosos de 6x3 cm de fondo de útero; partes fetales abdominales (hasta 4 costillas fetales de unos 3 cm de longitud); un fragmento de calota fetal de 3 cm. de diámetro máximo y de espesor inferior al milímetro; un fragmento irregular posiblemente una porción fetal no identificada, de 6,5x3, 5x3.5 cm (todos con —aspecto autolítico—). En otra autopsia posterior ordenada por el Juez Instructor se determinó que la causa de la muerte fue tromboembolismo pulmonar agudo[21].

CUESTIONES DE PARTE GENERAL

ASPECTOS A ANALIZAR	PRECEPTOS DEL CÓDIGO PENAL
Relación de causalidad e imputación objetiva	
Error de tipo	Art. 14
Error de prohibición	Art. 14
Autoría y participación	Arts. 27 ss.
Relación concursal entre los distintos delitos. Concurso de leyes y de delitos	Arts. 8, 73 ss.

CUESTIONES DE PARTE ESPECIAL

ASPECTOS A ANALIZAR	PRECEPTOS DEL CÓDIGO PENAL
Homicidio imprudente	Art. 142
Imprudencia profesional	Art. 142
Aborto doloso	Arts. 144, 145
Lesiones: tipos delictivos	Arts. 147 ss.
Lesiones al feto	Arts. 157 s.

---

[21]   Con variaciones, los hechos están basado en los enjuiciados por la Sentencia del Tribunal Supremo, número 2454/1993de 31 de mayo. *(Tol 38570).*

CASO NÚMERO 22

Luis Andrés mantuvo una relación sentimental con Emilia, fruto de la cual nació un hijo, Ismael. Ante las presiones de Luis Andrés, Emilia, que hasta el momento había vivido en casa de sus padres, aceptó convivir con él, si bien con la condición de no mantener relaciones sexuales, ya que Emilia había perdido el afecto que antes sentía por Luis Andrés. Así las cosas y, como Emilia se negase a los requerimientos de naturaleza sexual que le hacía Luis Andrés, un día, cuando salía de la ducha, Luis Andrés la arrojó sobre la cama y, tras inmovilizarla sujetándole fuertemente el cuello con uno de sus brazos al tiempo que, con el otro, le colocaba el albornoz sobre la cara, la penetró vaginalmente.

A consecuencia de dichos hechos Emilia quedó embarazada. Cuando Luis Andrés se enteró de ello concertó una cita en cierta clínica para que se le practicara un aborto. En vista de que Emilia no quería abortar, Luis Andrés se llevó a Marruecos al hijo común, y mandó a Emilia mensajes desde su móvil con el texto "sin papeles", para que entendiera que había podido pasar al niño a Marruecos a pesar de no portar documentación alguna. Asimismo procedió a llamarla varias veces diciéndole que si no abortaba no volvería a ver a su hijo. Ante el temor de que ello ocurriera, Emilia acudió a la clínica que le había indicado Luis Andrés, donde le fue practicado el aborto en la semana 16 de gestación, trasladándose a Marruecos al día siguiente para reunirse con Ismael[22].

CUESTIONES DE PARTE GENERAL

ASPECTOS A ANALIZAR	PRECEPTOS DEL CÓDIGO PENAL
Error de prohibición	Art. 14
Autoría y participación	Arts. 27 ss.
Relación concursal entre los distintos delitos. Concurso de leyes y de delitos	Arts. 8, 73 ss.

CUESTIONES DE PARTE ESPECIAL

ASPECTOS A ANALIZAR	PRECEPTOS DEL CÓDIGO PENAL
Aborto doloso	Arts. 144, 145
Amenazas	Arts. 169 ss.
Agresiones y abusos sexuales	178 ss.
Sustracción de menores	225 bis

---

[22]   Con variaciones, los hechos están basado en los enjuiciados por la Sentencia del Tribunal Supremo, número 723/2008, de 10 de noviembre. *(Tol 1413528).*

IV. LESIONES

CASO NÚMERO 23

Fermín se dirigía en metro a la manifestación que había sido convocada con el lema: "contra el racismo anti-español" por un partido vinculado a la extrema derecha, ideología que compartía. Portaba una navaja monofilo de, al menos, siete centímetros de hoja, y un puño americano. Al llegar a la estación anterior a la de su destino observó que en el andén se encontraba un grupo de jóvenes superior a cien, que por su apariencia externa identificó como de ideología antifascista, los cuales iban a tratar de boicotear la referida manifestación. Antes de que el tren se detuviese, Fermín sacó su navaja al tiempo que bostezaba, y se situó tranquilamente junto a una de las puertas del vagón, ocultando la navaja abierta y con la hoja hacia arriba en la cara posterior del antebrazo. Allí esperó a que entrasen algunos de los citados jóvenes para agredirlos con el menor pretexto por su enfrentada divergencia de pensamiento. Entre los jóvenes se encontraba el menor Teodoro, quien al acceder al vagón y percatarse de que la estética de Fermín se correspondía con la de un skin neonazi, le preguntó sobre su sudadera a la vez que se la tocaba, ante lo cual Fermín inmediatamente le asestó una fuerte puñalada en el tórax, entre el tercer y cuarto espacio intercostal izquierdo, con trayectoria de arriba-abajo, que penetró unos siete centímetros alcanzando el ventrículo izquierdo del corazón, y que le produjo la muerte poco después por un shock hipovolémico. Fermín, en vez de huir aprovechando la confusión generada, se quedó en el interior del vagón que fue desalojado por sus oponentes ideológicos ante el temor de ser agredidos, recorriéndolo de un lado a otro, blandiendo la navaja y profiriendo contra ellos las siguientes frases: "guarros de mierda, os voy a matar a todos" y "Sieg Heil", expresión empleada en la Alemania del Tercer Reich que puede traducirse como: salve/viva (la) victoria; y efectuando el saludo de las fuerzas de dicha época conocidas como las SS, consistentes en extender levantados, al menos hasta la altura del hombro, el brazo y la mano derechos hacia el frente. Al tratar de ser desarmado por Jaime y otro joven, Fermín lesionó al primero con la navaja, causándole una herida incisa superficial en el primer dedo de la mano derecha, a nivel de la primera falange, para cuya sanidad sólo necesitó de una primera asistencia facultativa, habiendo invertido en su curación 10 días no impeditivos, quedándole como secuela una pequeña cicatriz de 0,5 cm. Después Javier se dirigió hacia Fermín con la misma finalidad, entablándose entre ambos un forcejeo, en el curso del cual cuando Fermín le tenía sujeta la cabeza con su brazo izquierdo e inclinada hacia él, le clavó la navaja en el tórax izquierdo, entre el 6º y 7º espacio intercostal, ocasionándole hemoneumotórax, laceración pulmonar en língula y hematoma mediastínico con compresión extrínseca de vía aérea y atelectasia secundaria; precisando tratamiento quirúrgico para su curación, que se produjo a los 93 días, de los cuales 23 días fueron de hospitalización, y el resto estuvo impedido para sus ocupaciones habituales, quedándole como secuelas: una cicatriz vertical en línea axilar izquierda de 1,5 centímetros; otra cicatriz quirúrgica de taracotomía de 20 centímetros; y cuatro cicatrices de tubos de drenaje de 2 centímetros, cada una; todas las cuales constituyen un perjuicio estético moderado. Tras ello, aprovechando la humareda provocada por la rotura de un extintor arrojado por uno de los jóvenes que le hostigaban, Fermín salió corriendo del tren y consiguió alcanzar la calle, siendo perseguido en su huída por unos treinta jóvenes no identificados, quienes al darle alcance le golpearon, hasta que se dieron a la fuga al llegar dotaciones policiales de refuerzo. Los referidos golpes ocasionaron a Fermín un hematoma palpebral en ojo izquierdo, otro periocular en el derecho, una herida contusa de 1 centímetro en ceja derecha que precisó de dos puntos de sutura, una escoriación en tercio medio distal de la muñeca derecha, una erosión en el primer dedo de la mano derecha y otra en tercio distal del brazo izquierdo[23].

CUESTIONES DE PARTE GENERAL

ASPECTOS A ANALIZAR	PRECEPTOS DEL CÓDIGO PENAL
Causas de justificación: legítima defensa	Art. 20.4
Tentativa y consumación	Arts. 15 s.
Relación concursal entre los distintos delitos. Concurso de leyes y de delitos	Arts. 8, 73 ss.
Circunstancias agravantes genéricas: obrar por motivos racistas o discriminatorios	Art. 22.4

CUESTIONES DE PARTE ESPECIAL

ASPECTOS A ANALIZAR	PRECEPTOS DEL CÓDIGO PENAL
Ánimo de matar y de lesionar	
Homicidio/asesinato	Arts. 138 ss.
Delito de lesiones	Arts. 147 ss.

[23] Con variaciones, los hechos están basados en los enjuiciados por la Sentencia del Tribunal Supremo, número 360/2010, de 22 de abril.

CASO NÚMERO 24

Cuando en compañía de otras personas se hallaba en el recinto de la feria de Sevilla, Luis se apartó de ellas para acercarse a la barandilla de una caseta, de donde cogió para sí el chaquetón que su dueño, Pablo, había dejado allí apoyado mientras departía con su grupo de amigos.

Al darse cuenta de lo ocurrido uno de los amigos del dueño le avisó, de modo que Pablo, esa persona y otro amigo sin perder de vista a Luis le abordaron cuando se reincorporaba a su grupo portando la chaqueta, y le exigieron su devolución. Al negarse, el propietario de la prenda, que la había comprado por doscientos euros, se la arrebató de sus manos, recuperándola.

Sin solución de continuidad, se aproximaron a los jóvenes amigos de Luis iniciándose rápidamente una trifulca a la que se unieron a su vez amigos de Pablo, de modo que al menos participaron cinco personas de cada grupo, incluido Jerónimo.

Al alboroto acudió Mariano, que formaba parte del grupo de amigos de Pablo. Jerónimo, entonces, sacó un cuchillo jamonero que había mantenido hasta entonces escondido, con el que de forma inopinada propinó a Mariano un golpe en el pecho sin que nada pudiera hacer para defenderse.

El referido cuchillo tenía una hoja metálica, plana, monocortante y puntiaguda, con una longitud de 27 centímetros, una anchura de 18 milímetros, salvo en la punta y un grosor máximo de 2 milímetros. Como consecuencia de la cuchillada —la hoja introducida en 45 milímetros—, Mariano sufrió una herida punzante que le penetró en el hemitórax izquierdo a la altura de la quinta costilla en trayectoria ligeramente ascendente, y de derecha a izquierda, que le atravesó el corazón de ventrículo a ventrículo produciendo su muerte inmediata tras caer al suelo por dos veces.

A resultas del fuerte impacto contra el cuerpo de la víctima la hoja del cuchillo se separó del mango, que conservó Jerónimo hasta tirarlo poco después desde un puente cercano junto con la prenda que vestía, cuyo cuello quedó manchado de sangre de la víctima. La hoja fue hallada en el lugar de los hechos por funcionarios policiales una vez que se evacuó en ambulancia a la víctima[24].

---

[24] Con variaciones, los hechos están basados en los enjuiciados por la Sentencia del Tribunal Supremo, número 310/2012, de 8 de abril.

CUESTIONES DE PARTE GENERAL

ASPECTOS A ANALIZAR	PRECEPTOS DEL CÓDIGO PENAL
Tipo subjetivo: dolo directo y dolo eventual	Véanse los artículos relativos a los correspondientes tipos de la Parte Especial
Tentativa y consumación	Arts. 15 s.
Relación concursal entre los distintos delitos. Concurso de leyes y de delitos	Arts. 8, 73 ss.
Circunstancias agravantes genéricas	Arts. 22, 67

CUESTIONES DE PARTE ESPECIAL

ASPECTOS A ANALIZAR	PRECEPTOS DEL CÓDIGO PENAL
Ánimo de matar y de lesionar	
Homicidio/asesinato	Arts. 138 ss.
Delito de lesiones	Arts. 147 ss.

CASO NÚMERO 25

Narciso había discutido con su madre debido a que ésta no le daba dinero para comprar la heroína que necesitaba imperiosamente en ese momento para satisfacer su adicción. Como su madre reiteraba su negativa, Narciso, en un impulso de rabia, reaccionó en contra de su hijo de tres años de edad que jugaba en ese momento delante de la vivienda. Acercándose a él, lo cogió en brazos y lo arrojó encima de una hoguera, de cuarenta por cuarenta centímetros de superficie, situada en la acera próxima a la fachada de la vivienda.

Su madre extrajo de inmediato al niño de encima de la hoguera, trasladándolo junto a otros familiares a un centro hospitalario, pues presentaba quemaduras en el rostro.

Como consecuencia, el menor sufrió quemaduras en el lado derecho de la cara, de una superficie del 3% de extensión, tardando 30 días en curar, durante los que precisó asistencia médica y de las que no le han quedado secuelas.

Narciso era adicto a la heroína y a la cocaína desde hacía unos años, y también consumía habitualmente alcohol. Cuando realizó los hechos presentaba un cuadro agudo de ansiedad, producido por la falta de ingestión de sustancia estupefaciente[25].

CUESTIONES DE PARTE GENERAL

ASPECTOS A ANALIZAR	PRECEPTOS DEL CÓDIGO PENAL
Tipo subjetivo: dolo directo y dolo eventual	Véanse los artículos relativos a los correspondientes tipos de la Parte Especial
Culpabilidad: circunstancias eximentes y atenuantes	Arts. 20.2, 21.1, 21.2
Tentativa y consumación	Arts. 15 s.
Relación concursal entre los distintos delitos. Concurso de leyes y de delitos	Arts. 8, 73 ss.
Circunstancias agravantes genéricas: abuso de superioridad	Arts. 22.2, 67
Circunstancia mixta de parentesco	Art. 23

---

[25]   Con variaciones, los hechos están basados en los enjuiciados por la Sentencia del Tribunal Supremo, número 9416/1998, de 10 de noviembre. *(Tol 77328).*

CUESTIONES DE PARTE ESPECIAL

ASPECTOS A ANALIZAR	PRECEPTOS DEL CÓDIGO PENAL
Ánimo de matar y de lesionar	
Homicidio/asesinato	Arts. 138 ss.
Delito de lesiones	Arts. 147 ss.

CASO NÚMERO 26

Ana se encontraba hablando con Pablo cuando Rosa se acercó a él para pedirle un número de teléfono. Pablo se negó a darle el citado número y Rosa insistió, lo que provocó una discusión entre Ana y Rosa, en el curso de la cual se insultaron y llegaron a las manos, siendo separadas por Pablo, que las empujó con tal fuerza que hizo caer de espaldas a Rosa contra una mesa y unos taburetes cercanos al lugar de la discusión. Mientras Rosa se incorporaba del suelo, Ana lanzó un vaso hacia dicho lugar que fue a impactar en el ojo izquierdo de aquélla, causándole una grave contusión ocular que le provocó la pérdida completa de la visión del ojo[26].

CUESTIONES DE PARTE GENERAL

ASPECTOS A ANALIZAR	PRECEPTOS DEL CÓDIGO PENAL
Tipo subjetivo: dolo directo, dolo eventual e imprudencia	Véanse los artículos relativos a los correspondientes tipos de la Parte Especial

CUESTIONES DE PARTE ESPECIAL

ASPECTOS A ANALIZAR	PRECEPTOS DEL CÓDIGO PENAL
Delito de lesiones	Arts. 147 ss.
Participación en riña	Art. 154

---

[26] Con variaciones los hechos están basados en los enjuiciados por la Sentencia del Tribunal Supremo, número 1004/2013, de 20 de diciembre.

CASO NÚMERO 27

Israel abordó en la calle a su cuñada Lucía, que se hallaba en compañía de su hermana, esposa de Israel, y dirigiéndose a la primera con la que mantenía una mala relación, le propinó varios envites violentos que le causaron contusiones en el cuero cabelludo, nariz, rostro, cuello y abdomen, de las que tardó en curar dos días y para cuya sanidad no precisó más que una primera asistencia facultativa. Otra tarde Israel abordó de nuevo a las dos mujeres en la calle, acometiendo violentamente a Lucía y contusionándola en el hombro derecho y en las regiones occipital y cervical. Solo requirió una única asistencia médica[27].

CUESTIONES DE PARTE ESPECIAL

ASPECTOS A ANALIZAR	PRECEPTOS DEL CÓDIGO PENAL
Lesiones. Empleo de violencia contra personas vinculadas al agresor	Arts. 153

---

[27]   Con variaciones, los hechos están basados en los enjuiciados por la Sentencia de la Audiencia Provincial de Tarragona de 26 de julio de 2004. Recurso de apelación 661/2004.

CASO NÚMERO 28

Consuelo fue ingresada en el hospital y trasladada al paritorio por presentar síntomas evidentes de parto, y allí fue atendida por la matrona y por la auxiliar de clínica. Siguiendo el protocolo habitual de la asistencia al parto, la matrona ordenó a la auxiliar que le aplicara por el recto un enema mientras que la matrona a su vez tomaba un bote de alcohol para preparar la vía que había de colocar en el brazo a la parturienta.

Era práctica habitual en esa dependencia del Hospital utilizar los botes del referido enema vaciados para custodiar en ellos, entre otros líquidos, el alcohol, siendo su aspecto exterior idéntico, con la única salvedad de que se escribía con rotulador en el bote su contenido, lo que precisamente debido al contacto con el producto que contenía se borraba a menudo con el uso, y eso hacía difícil la diferenciación entre un bote con el producto originario y el añadido. En el preciso instante en que cada una de ellas iba a realizar su labor, Consuelo sufrió una fuerte contracción, lo que hizo a la auxiliar soltar el bote del enema en la mesa para atenderla, precisamente en el mismo lugar donde instantes antes acababa de dejar la matrona el bote que utilizaba de alcohol. Las anteriores circunstancias motivaron que, cesada la contracción, la auxiliar de Clínica tomara por error el bote que contenía alcohol, el cual fue aplicado a la parturienta. El error fue advertido por ambas poco después, por lo que la matrona decidió que se le colocara un segundo enema de suero fisiológico para proceder a un lavado de la zona tras lo cual, y debido a que el parto se presentaba sin complicaciones, no pusieron los hechos ni en conocimiento del Médico de guardia, ni lo reflejaron en el parte de incidencias del parto.

José, Jefe Médico del Servicio de Ginecología y Obstetricia, tenía conocimiento anterior de la práctica habitual del relleno de los botes de enema con otros productos tales como alcohol o vaselina líquida, circunstancia que toleró hasta que tuvo conocimiento del siniestro acaecido.

Una vez la paciente se encontraba ya en la planta, comenzó a padecer un estado febril intermitente, unido a unas deposiciones frecuentes y de gran cantidad. Los médicos que la atendían, que desconocían de los hechos que habían ocurrido en el paritorio, diagnosticaron un cuadro clínico de simple gastroenteritis. Ante la mejoría del cuadro diarréico, José ofreció a Consuelo ser dada de alta, a lo que la paciente le manifestó que preferiría quedarse porque se sentía "floja", accediendo José a su petición. A la mañana siguiente recibió el alta. Como consecuencia de un comentario casual realizado por una enfermera, Rosario, José llegó a tener conocimiento de la administración por error del enema de alcohol. José le recriminó a la matrona su actitud de silencio, expresando que afortunadamente la paciente había evolucionado favorablemente y dio órdenes para que se acabara tal práctica procediendo la mujer a ejecutar sus instrucciones inmediatamente, vaciando todos los botes de enema rellenados con otros productos.

José, confiando que con el tratamiento aplicado Consuelo había mejorado y habida cuenta que se le habían dado instrucciones a la paciente de que reingresara si tenía de nuevo diarrea o fiebre, continuó su labor habitual sin volver a preocuparse. Esa misma tarde Consuelo volvió a tener las mismas molestias, por lo que su marido se puso en contacto telefónico con un amigo médico del mismo hospital, quien le recomendó que ingresara de nuevo al día siguiente. Tras diagnosticársele "colitis aguda secundaria a la aplicación de enema de alcohol" fue sometida a un tratamiento médico constante hasta que se decidió a realizar una intervención quirúrgica urgente. Le quedaron como secuelas: una cicatriz en el abdomen de 31 centímetros de longitud y 0,5 centímetros de anchura, alteraciones intestinales funcionales y, una seria alteración emocional con síndrome depresivo postraumático. Todas las lesiones tuvieron su causa única e inmediata en la aplicación, por error, de un enema de alcohol, de tal manera que si los médicos hubiesen tenido conocimiento de esta anomalía instantes después de producirse, habrían podido aplicar medidas terapéuticas adecuadas, que hubieran evitado o al menos aminorado el daño ocurrido[28].

CUESTIONES DE PARTE GENERAL

ASPECTOS A ANALIZAR	PRECEPTOS DEL CÓDIGO PENAL
Comisión por omisión	Art. 11
Autoría y participación.	Arts. 27 ss.

CUESTIONES DE PARTE ESPECIAL

ASPECTOS A ANALIZAR	PRECEPTOS DEL CÓDIGO PENAL
Delito de lesiones. Lesiones psíquicas	Arts. 147 ss.
Imprudencia profesional	Art. 152.1
Denegación de asistencia sanitaria	Art. 196

---

[28]   Con variaciones, los hechos están basados en los enjuiciados por la Sentencia del Tribunal Supremo, número 1701/2002, de 15 de octubre. *(Tol 226013).*

CASO NÚMERO 29

José se encontraba trabajando con Andrés y Herminio en una obra de construcción de viviendas ejecutada por la empresa para la que todos ellos trabajaban. Entre ellos existía una estrecha relación de amistad desde la infancia. En la pausa para almorzar, José puso en conocimiento de Andrés y Herminio su intención de constituir una empresa, proponiéndoles que trabajaran con él en el proyecto, ofrecimiento éste que fue aceptado únicamente por Andrés, porque Herminio se mostró disconforme con las condiciones económicas, disgustándole en especial el hecho de que Andrés aceptara la propuesta. Una vez reanudada la actividad laboral, estando Andrés situado de pie sobre una correa de tablones ubicada a unos dos metros sobre el suelo, y Herminio, también de pie, en el piso inmediatamente inferior, separados por una distancia de unos cuatro metros, se inició una discusión entre ambos. En su transcurso Herminio lanzó un martillo a Andrés que éste pudo esquivar y, ante la recriminación de tal acción por parte de éste, Herminio, breves instantes después, con la intención de menoscabar su integridad física, le lanzó con cierta intensidad unas tenazas de unos veinte centímetros de longitud y 1 ó 2 kilogramos de peso hacia su cuerpo. Andrés reaccionó ante el ataque agachándose con la intención de esquivar el impacto, con tal mala suerte que las tenazas alcanzaron su rostro provocándole una perforación en el globo ocular que precisó de tratamiento médico consistente en la extirpación del ojo derecho y posterior implantación de prótesis ocular[29].

CUESTIONES DE PARTE GENERAL

ASPECTOS A ANALIZAR	PRECEPTOS DEL CÓDIGO PENAL
Tipo subjetivo: dolo directo, dolo eventual e imprudencia	Véanse los artículos relativos a los correspondientes tipos de la Parte Especial

CUESTIONES DE PARTE ESPECIAL

ASPECTOS A ANALIZAR	PRECEPTOS DEL CÓDIGO PENAL
Delito de lesiones	Arts. 147 ss.

---

[29] Con variaciones, los hechos están basados en los enjuiciados por la Sentencia del Tribunal Supremo, número 479/2013, de 2 de junio.

CASO NÚMERO 30

Gerardo y Celestina, que desde hacía años mantenían una relación sentimental, comenzaron una discusión en el vehículo de ambos, continuando el enfrentamiento cuando llegaron a su domicilio. Tras la pelea, Celestina subió a su habitación y mientras se desvestía, Gerardo, portando un cuchillo de 30 cm. de hoja recorrió el pasillo de la casa y le propinó una cuchillada en el abdomen, en el costado izquierdo, en el cuello y en la parte superior del tórax. Posteriormente Gerardo se autolesionó con el cuchillo en el cuello y la muñeca, comunicando en su detención que se había defendido de una agresión previa de su mujer.

Como consecuencia de la agresión sufrida, Celestina sufrió múltiples lesiones, precisando para su curación de tratamiento quirúrgico y transfusión sanguínea[30].

CUESTIONES DE PARTE GENERAL

ASPECTOS A ANALIZAR	PRECEPTOS DEL CÓDIGO PENAL
Tentativa y consumación	Arts. 15 s.
Circunstancias agravantes genéricas: superioridad	Art. 22
Circunstancia mixta de parentesco	Arts. 23, 67

CUESTIONES DE PARTE ESPECIAL

ASPECTOS A ANALIZAR	PRECEPTOS DEL CÓDIGO PENAL
Lesiones: tipos delictivos. Delito de empleo de violencia contra personas vinculadas al agresor	Arts. 147 ss. Art. 153
Homicidio	Art. 138
Asesinato	Arts. 139 s.

---

[30]   Con variaciones, los hechos están basados en los enjuiciados por la Sentencia del Tribunal Supremo, número 534/2014, de 2 de julio.

CASO NÚMERO 31

Antonio había mantenido una fuerte discusión con su mujer, Susana. Una vez finalizada y aprovechando que ésta se hallaba sentada en el sofá, le lanzó varias navajas abiertas, algunas de las cuales le alcanzaron en diversas partes de las piernas. Posteriormente la golpeó con las manos, tirándola al suelo y allí, utilizando cinta de embalar, le ató las manos, y le envolvió también parte de la cabeza. Entonces le manifestó que iba a quemarle sus partes íntimas, procediendo a calentar una plancha eléctrica, acción de la que desistió, cesó en su actitud agresiva e incluso curó a la lesionada.

Al día siguiente, mientras curaba las heridas de su mujer, su ánimo cambió y volvió a tornarse agresivo. De repente la pinchó con las tijeras que usaba para la cura y después la roció con un spray lacrimógeno, le pegó con el astil de un hacha y le produjo un leve corte en la cara con un cuchillo. En un momento de distracción de Antonio, Susana aprovechó para salir huyendo y llegar hasta la comisaría donde denunció los hechos. Las heridas sufridas requirieron una primera asistencia sanitaria además de tratamiento médico, consistente en el estudio y seguimiento por el servicio de traumatología por una probable lesión de partes blandas en la rodilla izquierda así como tratamiento psicológico con psicoterapia, quedándole como secuelas una cicatriz en forma de "C" en la cara externa de muslo derecho y una probable lesión en la rodilla izquierda, respecto de la que es posible que precise intervención quirúrgica en un futuro[31].

CUESTIONES DE PARTE GENERAL

ASPECTOS A ANALIZAR	PRECEPTOS DEL CÓDIGO PENAL
Tipo subjetivo: dolo directo y dolo eventual	Véanse los artículos relativos a los correspondientes tipos de la Parte Especial
Tentativa y consumación	Arts. 15 s.
Relación concursal entre los distintos delitos. Concurso de leyes y de delitos	Arts. 8, 73 ss.
Circunstancias agravantes genéricas: abuso de superioridad	Arts. 22.2, 67
Circunstancia mixta de parentesco	Arts. 23, 67

---

[31] Con variaciones, los hechos están basados en los enjuiciados por la Sentencia del Tribunal Supremo, número 556/2002, de 20 de marzo. *(Tol 162287)*.

CUESTIONES DE PARTE ESPECIAL

ASPECTOS A ANALIZAR	PRECEPTOS DEL CÓDIGO PENAL
Ánimo de matar y de lesionar	
Homicidio/asesinato	Arts. 138 ss.
Delito de lesiones. Lesiones psíquicas	Arts. 147 ss.
Amenazas	Arts. 169 ss.
Delito contra la integridad moral	Art. 173

ACUERDO DE PLENO DEL TRIBUNAL SUPREMO
Véase Anexo I.4. Acuerdo del día 21 de julio de 2009

CIRCULAR GENERAL DEL ESTADO
Véase Circular 4/2005 de la Fiscalía General del Estado relativa a los criterios de aplicación de la ley orgánica de medidas de protección integral contra la violencia de género Véase Circular 6/2012 sobre para la unidad de actuación especializada del MF en materia de violencia a la mujer

CASO NÚMERO 32

Alexander mantuvo una relación sentimental con Teodora, a la que había conocido en el hospital donde ambos habían acudido para tratar respectivamente la adicción que padecían al alcohol, iniciando su relación como pareja a los pocos meses de salir del citado centro.

A los pocos días de iniciarse la convivencia, Alexander comenzó a beber de nuevo, haciéndolo en demasía, tornándose cada vez más agresivo con Teodora lo que provocó en aquella cierto temor y desconfianza pues, además, él le había contado ciertas vivencias de su etapa de soldado de élite en Afganistán, expresando Teodora sus temores a su amiga y compañera de trabajo, Rosa.

Teodora, conocedora del estado de embriaguez de su pareja, avisó a la exmujer de éste de que no estaba en condiciones de recoger a su hija, lo que enfureció a Alexander, que volvió colérico al domicilio, por lo que Teodora, atemorizada, no le abrió la puerta.

Al día siguiente, Alexander, que ya no se encontraba embriagado, llamó por teléfono a Teodora pidiéndole perdón y diciéndole que iba a ir junto a su hija menor a recoger sus efectos personales, lo que a Teodora le pareció correcto. Sin embargo, Alexander llegó solo y una vez en el interior del domicilio, propinó golpes y empujones a Teodora mientras le decía: "nos vamos a quedar aquí encerrados los dos hasta que muramos y huelan nuestros cuerpos, no será una muerte rápida sino una muerte lenta y dura para ti". En esa situación la tiró sobre la cama y Alexander, colocado a su lado, la impidió levantarse. Allí la dejó varios días, haciendo Teodora en ocasiones sus necesidades fisiológicas en la cama al no permitirle Alexander ir al baño, y sentir ella un gran temor a contrariarle, sin proporcionarle Alexander comida ni agua ni asistencia de ningún tipo. Teodora sufrió numerosos vómitos, incluso de sangre, lo que la fue debilitando progresivamente. En tal estado el procesado tan sólo le permitió ir en una ocasión al baño, cayendo Teodora sobre restos de un vaso, lo que le produjo un corte en la mano y erosiones en rodillas. En las escasas ocasiones en que Alexander salió del domicilio a comprar whisky o algún alimento, Teodora intentó pedir auxilio, sin conseguirlo, al haberle quitado y apagado el teléfono móvil y no tener a su disposición el teléfono fijo, ni poder salir de la vivienda, dado los escasos minutos que Alexander permanecía fuera de ella y el temor que tenía a encontrarle si salía. A todo ello se sumaba el estado de debilidad de Teodora, debido a la privación de alimentos y líquidos unido a la cirrosis hepática que padecía. Cuando le pedía agua a Alexander, éste se la negaba diciéndola "tienes que sufrir todavía más, todavía no has sufrido lo suficiente".

Un día, aprovechando un descuido de Alexander, Teodora logró alertar a su familia que avisó a la policía, liberándola.

Como consecuencia de estos hechos, Teodora sufrió estado de desnutrición moderado, contusión con hematoma en región occipital, herida pretibial derecha, intenso dolor costal y dorsal, que precisaron para su sanidad de tratamiento médico para tratar su desnutrición y alteraciones electrolíticas en sangre. Si esta situación de inanición se hubiese prolongado era altamente probable que Teodora pudiera haber desarrollado alguna complicación en el propio día del rescate o al siguiente pudiendo haber llegado hasta el deceso en 24-48 horas[32]

CUESTIONES DE PARTE GENERAL

ASPECTOS A ANALIZAR	PRECEPTOS DEL CÓDIGO PENAL
Culpabilidad: circunstancias eximentes y atenuantes	Arts. 20.1, 21.1 y 21.7
Tentativa y consumación	Arts. 15 s.
Circunstancias modificativas de la responsabilidad criminal. Circunstancia mixta de parentesco	Art. 23

CUESTIONES DE PARTE ESPECIAL

ASPECTOS A ANALIZAR	PRECEPTOS DEL CÓDIGO PENAL
Homicidio y asesinato	Arts. 138 ss.
Delito de lesiones	Arts. 147 ss.
Delito de detención ilegal	Arts. 163 ss.
Delitos de amenazas	Arts. 169 ss.
Delito contra la integridad moral	Art. 173

ACUERDO DE PLENO DEL TRIBUNAL SUPREMO
Véase Anexo I.4. Acuerdo del día 21 de julio de 2009

CIRCULAR GENERAL DEL ESTADO
Véase la Circular 4/2005 de la Fiscalía General del Estado relativa a los criterios de aplicación de la ley orgánica de medidas de protección integral contra la violencia de género

---

[32]　Con variaciones, los hechos se refieren a los enjuiciados por la Sentencia del Tribunal Supremo, número 484/2013, de 4 de junio.

CASO NÚMERO 33

Hugo, casado con Julia, había mostrado un carácter agresivo y testarudo, queriendo imponer su criterio, siendo además solitario y obsesivo. Desde los primeros momentos de su matrimonio manifestó una actitud agresiva y hostil hacia su esposa, a la que hacía objeto de frecuentes malos tratos psíquicos, tales como decirle que no estaba enamorado de ella, y que la razón de su matrimonio era la de aproximarse a su hermana, María, de la que decía estar realmente enamorado.

Tras su separación de Julia, y aprovechando un fin de semana en el que tenía a sus hijos en su domicilio, llamó al mayor, Juan Jesús, que contaba 11 años de edad, y le explicó que le querían quitar todo y que iba a tener que hacer una cosa que sentía mucho por ellos, por los niños, pidiéndole que se tendiera en la piedra de mármol que formaba la tapa de la cómoda. Juan Jesús reaccionó con miedo, retrocediendo para ocultarse entre la cómoda y la mesilla. Los ruidos alertaron a María Esperanza, la otra hija de Hugo y Julia, la cual ajena a todo, a sus tres años de edad, entró en la habitación y al advertirle su padre de que estaban jugando, se dirigió hacia éste. El padre la cogió y la sentó sobre sus piernas para inmediatamente, con deliberado propósito de matarla para así causar daño a su esposa, sin atender los ruegos de su hijo mayor que le solicitaba que la dejara, le apretó el cuello y el pecho, mientras que la niña pataleaba, y así siguió apretando hasta que la niña venció su cabeza. Posteriormente obligó a su hermano a que comprobara el pulso a la niña para ver si estaba muerta, cosa que hizo éste indicando a su padre que sí lo estaba, pese a que realmente estaba aún viva.

Al recibir la respuesta, el padre se acercó a cerciorarse, y al advertir que no era correcto lo expresado por su hijo, asió de nuevo el cuello de la niña con ambas manos para efectuar una nueva maniobra de estrangulamiento. Todo ello lo contempló de nuevo el menor, quien fue obligado una vez más a cerciorarse del estado del pulso. Estos hechos se repitieron una tercera vez. A continuación se sentó en la cama con su hijo Juan Jesús, a quien explicó ante el cadáver de su hermana que si su madre quería una niña que la tuviese con otro y que no había de preocuparse por él, pues como estaba enfermo saldría pronto de la cárcel.

Tras limpiar un poco la habitación y aproximar su cara a la de su hija muerta pidiéndole que le perdonara y se acordara de él, se encaminó hacia la Jefatura de Policía local donde se presentó con su hijo. Allí con absoluta frialdad explicó que había estrangulado a su hija, declaración a la que tan sólo dieron crédito los agentes cuando advirtieron, acto seguido, cómo el niño se echaba a llorar y pedía que no pegaran a su padre[33].

---

[33]   Con variaciones, los hechos están basados en los enjuiciados por la Sentencia del Tribunal Supremo, número 785/1998, de 9 de junio. *(Tol 223946)*.

CUESTIONES DE PARTE GENERAL

ASPECTOS A ANALIZAR	PRECEPTOS DEL CÓDIGO PENAL
Culpabilidad: circunstancias eximentes y atenuantes	Arts. 20.1, 21.1, 21.3
Relación concursal entre los distintos delitos. Concurso de leyes y de delitos	Arts. 8, 73 ss.
Circunstancias atenuantes genéricas	Art. 21.4
Circunstancia mixta de parentesco	Art. 23

CUESTIONES DE PARTE ESPECIAL

ASPECTOS A ANALIZAR	PRECEPTOS DEL CÓDIGO PENAL
Homicidio/asesinato	Arts. 138 ss.
Delito de lesiones. Lesiones psíquicas	Arts. 147 ss.
Delito contra la integridad moral	Art. 173

ACUERDO DE PLENO DEL TRIBUNAL SUPREMO
Véase Anexo I.4. Acuerdo del día 21 de julio de 2009

CIRCULAR GENERAL DEL ESTADO
Véase la Circular 4/2005 de la Fiscalía General del Estado relativa a los criterios de aplicación de la ley orgánica de medidas de protección integral contra la violencia de género. Véase la Circular 6/2012 sobre para la unidad de actuación especializada del MF en materia de violencia a la mujer

V. PARTICIPACIÓN EN RIÑA

CASO NÚMERO 34

Bartolomé regañó a su mujer, estando presente Benedicto, quien le reprochó su comportamiento. En el transcurso de la discusión Benedicto propinó una bofetada a Bartolomé. Una hora después aproximadamente, Benedicto se encontraba junto a un kiosco junto con varios miembros de su familia, entre ellos su sobrino Alexander; y hasta ese lugar llegaron Bartolomé, su hermano Fernando, y otros miembros de su familia, teniendo todos ellos el propósito de pedir cuentas a Benedicto.

Bartolomé y sus familiares por una parte, y Benedicto y los suyos por otra, discutieron hasta producirse un tiroteo en el que participaron varias personas por ambos bandos. Bartolomé y Fernando dispararon con pistolas. Un proyectil de calibre 9 milímetros disparado con una de ellas, rebotó en un lugar no determinado y luego penetró en el glúteo derecho de Alexander, quedando alojado en el canal medular a nivel de la vértebra lumbar quinta por debajo de la apófisis espinosa, sin perforar el saco dorsal y sin producir afectación neurológica ni sensitiva. Alexander fue intervenido quirúrgicamente para la extracción del proyectil, tardó en curar sesenta días durante los que estuvo impedido para sus ocupaciones habituales. Le quedó en la región lumbar una cicatriz redondeada de dos centímetros de diámetro, de la que parten dos cicatrices de diez y quince centímetros de longitud[34].

CUESTIONES DE PARTE GENERAL

ASPECTOS A ANALIZAR	PRECEPTOS DEL CÓDIGO PENAL
Autoría y participación	Arts. 27 ss.
Relación concursal entre los distintos delitos. Concurso de leyes y de delitos	Arts. 8, 73 ss.

CUESTIONES DE PARTE ESPECIAL

ASPECTOS A ANALIZAR	PRECEPTOS DEL CÓDIGO PENAL
Participación en riña	Art. 154
Delito de lesiones	Arts. 147 ss.

---

[34] Con variaciones, los hechos están basados en los enjuiciados por la Sentencia del Tribunal Supremo, número 862/2007, de 29 de octubre.

CASO NÚMERO 35

Con motivo de la solemnidad del Corpus, una población celebra cada año su fiesta mayor. En el programa de festejos estaba prevista la celebración de un concierto al que acudió una multitud de personas. Un grupo de unas 15 se situó en un lugar próximo a la rotonda detrás del escenario, comenzando a cantar y tocar una guitarra, y, ante la ausencia policial, increparon y provocaron a quienes se hallaban en las cercanías.

Dicho grupo estaba compuesto por mayores y menores de edad, entre los que se encontraban Imanol, Tomás, Rómulo, Obdulio, Bernardo y Leoncio, y al que se incorporaron con posterioridad, entre otros, Juan Enrique y Álvaro. En un momento determinado una parte del grupo, principalmente integrado por menores de edad, se desplazó a la zona donde estaban instaladas las atracciones, en actitud chulesca y provocadora hacia quienes allí se encontraban, exhibiendo incluso algunos de sus miembros las navajas que portaban.

En uno de los desplazamientos a la zona de las atracciones se dirigieron a Severiano, y sin motivo alguno lo empujaron contra la pared y formando un corro a su alrededor le golpearon usando los cinturones que llevaban, lo tiraron al suelo y le propinaron puñetazos y patadas, siendo auxiliado Severiano por un amigo suyo.

Como consecuencia de los golpes Severiano sufrió una herida contusa en el párpado superior izquierdo, contusión frontal derecha con erosiones y rotura parcial de los incisivos superiores, precisando para su curación de sutura en la herida del párpado, tardando 14 días en sanar de los cuales 3 estuvo incapacitado para sus actividades habituales y quedándole como secuela discreta dificultad para morder alimentos duros.

Tras acabar la actuación del primer grupo musical, el citado grupo de menores y mayores de edad, ya mucho más numeroso, sobre unas 20 a 25 personas y entre las cuales se encontraban todos los citados, se dirigieron a la parte trasera izquierda del escenario, donde comenzaron a increpar y a empujar a distintas personas. Una vez que comenzó a tocar el segundo conjunto musical, rodearon, acorralaron y agredieron sin motivo alguno a cuantos alcanzaban o intentaban auxiliar a los golpeados, de tal manera que formando dos círculos, los integrantes del más próximo a una de las víctimas la empujaron, tiraron al suelo y la agredieron mientras que el resto formaba una barrera externa para impedir tanto que pudiera huir como que terceras personas pudieran auxiliarla, moviéndose y trasladándose por la zona de forma unida y coordinada sobre las diferentes personas a las que atacaban. El mismo grupo, y por el mismo sistema, fue cercando, golpeando y propinando patadas indiscriminadamente a todo aquél que intentaba ayudar a sus sucesivas victimas[35].

CUESTIONES DE PARTE GENERAL

ASPECTOS A ANALIZAR	PRECEPTOS DEL CÓDIGO PENAL
Autoría y participación	Arts. 27 ss.
Responsabilidad penal del menor	LO 5/2000, de 12 de enero, de Responsabilidad penal de los menores
Relación concursal entre los distintos delitos. Concurso de leyes y de delitos	Arts. 8, 73 ss.

CUESTIONES DE PARTE ESPECIAL

ASPECTOS A ANALIZAR	PRECEPTOS DEL CÓDIGO PENAL
Participación en riña	Art. 154
Delito de lesiones	Arts. 147 ss.

---

[35] Con variaciones, los hechos están basados en los enjuiciados por la Sentencia del Tribunal Supremo, número 989/2009, de 29 de septiembre.

CASO NÚMERO 36

Cuando a altas horas de la mañana Cristóbal, su hermano y varios amigos, se retiraban y marchaban en pequeños grupos de una zona de ocio, coincidieron con otro grupo similar que también se retiraba más agrupado, del que formaba parte Isidro, mayor de edad y sin antecedentes penales. En un momento dado Isidro y sus compañeros arremetieron contra los del otro grupo que circulaban en cabeza. Al apercibirse sus compañeros se acercaron, produciéndose entonces un alboroto entre todos ellos, en el curso del cual y como consecuencia de los golpes que le propinaron los que actuaban conjuntamente con Isidro, Cristóbal sufrió la pérdida de dos incisivos centrales superiores, erosiones faciales y policontusiones, precisando para su curación tratamiento odontoestomatológico. Le quedó como secuelas cicatrices en ambos codos[36].

CUESTIONES DE PARTE GENERAL

ASPECTOS A ANALIZAR	PRECEPTOS DEL CÓDIGO PENAL
Tipo subjetivo: dolo directo y dolo eventual	Véanse los artículos relativos a los correspondientes tipos de la Parte Especial
Autoría y participación	Arts. 27 ss.
Relación concursal entre los distintos delitos. Concurso de leyes y de delitos	Arts. 8, 73 ss.

CUESTIONES DE PARTE ESPECIAL

ASPECTOS A ANALIZAR	PRECEPTOS DEL CÓDIGO PENAL
Participación en riña	Art. 154
Delito de lesiones	Arts. 147 ss.

ACUERDO DE PLENO DEL TRIBUNAL SUPREMO
Véase Anexo I.17. Acuerdo del día 19 de abril de 2002

---

[36] Con variaciones, los hechos están basados en los enjuiciados por la Sentencia del Tribunal Supremo, número 513/2005, de 22 de abril. *(Tol 648795).*

CASO NÚMERO 37

Antonio, Diego, Ramón, Pedro, Oscar, David y Daniel, se encontraban en las inmediaciones de una discoteca cuando se les aproximó un numeroso grupo de jóvenes encabezado por Emilio, de diecisiete años y sin antecedentes penales, y Víctor Manuel, de diecisiete años de edad e igualmente sin antecedentes penales, entablándose una discusión entre ambos grupos, en el transcurso de la cual, aquel en el que se integraban los últimos golpeó a los primeros utilizando palos, piedras, trozos de goma y cadenas, causando heridas de diversa consideración a Oscar y David, sin que pudieran identificarse los concretos autores de las mismas, y sin que constara que Emilio y Víctor Manuel utilizasen o empuñasen los objetos antes descritos que emplearon los que formaban parte de su grupo. Sin embargo, en el transcurso de la pelea y guiados por el ánimo de menoscabar la propiedad ajena, ambos propinaron diversos golpes y patadas en un vehículo por valor de 600 euros[37].

CUESTIONES DE PARTE GENERAL

ASPECTOS A ANALIZAR	PRECEPTOS DEL CÓDIGO PENAL
Tipo subjetivo: dolo directo y dolo eventual	Véanse los artículos relativos a los correspondientes tipos de la Parte Especial
Responsabilidad penal de los menores de edad	LO 5/2000, de 12 de enero, de Responsabilidad penal de los menores
Autoría y participación	Arts. 27 ss.
Relación concursal entre los distintos delitos. Concurso de leyes y de delitos	Arts. 8, 73 ss.

CUESTIONES DE PARTE ESPECIAL

ASPECTOS A ANALIZAR	PRECEPTOS DEL CÓDIGO PENAL
Participación en riña	Art. 154
Delito de lesiones	Arts. 147 ss.
Daños	Arts. 263 ss.

---

[37] Con variaciones, los hechos están basados en los enjuiciados por la Sentencia de la Audiencia Provincial de A Coruña de 25 de enero de 2000. Recurso de apleación número 1481/1999.

VI. LESIONES AL FETO

CASO NÚMERO 38

Basilio, nacido en 2006, presentaba síndrome de abstinencia a opiáceos a las 24 horas siguientes a su nacimiento debido al consumo de sustancias estupefacientes durante la gestación por parte de su madre, Maite, mayor de edad. La sintomatología fue tratada médicamente en el mismo hospital que atendió el parto hasta dos días antes del alta médica del recién nacido. Desde entonces el niño era cuidado durante el día por su padre, Cesar, mayor de edad así como por la abuela paterna, Pilar. Ambos progenitores eran toxicómanos, dedicándose Maite durante el día a sustraer bienes ajenos para sufragar las dosis de ambos.

Una noche Maite regresó al domicilio y mantuvo una discusión con su compañero sentimental y en ese momento u otro posterior el niño lloró, provocando en sus progenitores tal enojo que lo zarandearon y golpearon contra algún objeto contundente en reiteradas ocasiones, así como lo sentaron bruscamente sobre sus nalgas. La muerte sobrevino al menor por hemorragia cerebral traumática. Los acusados padecían una leve afectación de su capacidad volitiva a consecuencia de la drogodependencia que padecían[38].

CUESTIONES DE PARTE GENERAL

ASPECTOS A ANALIZAR	PRECEPTOS DEL CÓDIGO PENAL
Tipo subjetivo: dolo e imprudencia	Véanse los artículos relativos a los correspondientes tipos de la Parte Especial
Culpabilidad: eximentes y atenuantes	Arts. 20.2, 21.1, 21.2
Autoría y participación	Arts. 27 ss.
Circunstancias agravantes genéricas: abuso de superioridad	Art. 22.2
Circunstancia mixta de parentesco	Art. 23
Relación concursal entre los distintos delitos. Concurso de leyes y de delitos	Arts. 8, 73 ss.

---

[38] Con variaciones, los hechos están basados en los enjuiciados por la Sentencia de la Audiencia Provincial de Valencia, número 185/2009, de 25 de marzo.

CUESTIONES DE PARTE ESPECIAL

ASPECTOS A ANALIZAR	PRECEPTOS DEL CÓDIGO PENAL
Homicidio	Art. 138
Asesinato	Arts. 139 s.
Delito de lesiones	Arts. 147 ss.
Lesiones al feto	Arts. 157 s.

CASO NÚMERO 39

Fátima acudió a Diana, mayor de edad y sin antecedentes penales, para que, como profesional de la medicina y especialista en ginecología, controlará el período de gestación y, posteriormente, el parto. El período de gestación transcurrió normalmente.

Tras romper aguas, acudió a la clínica, donde la matrona apreció la presencia de líquido amniótico teñido (meconio) y una dilatación de 2,5 cm, procediendo a aplicarle anestesia intradural cuando había dilatado no más de 5 cm, sin que se realizara un control estricto mediante cardiografía continua, a fin de poder detectar la existencia de bradicardias (asfixia intraparto).

Durante el transcurso del parto el feto sufrió al menos media hora de bradicardia fetal, motivada porque en lugar de realizar una cesárea, Diana utilizó ventosas que alargaron la duración del parto, sin que consiguiera el nacimiento dada la posición del feto, por lo que tuvo que utilizar finalmente forceps para lograrlo.

El niño nació en un estado de muerte aparente, asistiéndole Diana durante 30 minutos y consiguiendo que empezara a respirar espontáneamente.

Como consecuencia de la asfixia intraparto sufrida, el niño presentó al nacer lesiones consistentes en una parálisis cerebral que le afecta a la movilidad de los cuatro miembros y a la postura, siendo imposible que llegue a caminar con independencia. También es improbable que llegue a ser capaz de comunicarse verbalmente, necesitando asistencia continua[39].

CUESTIONES DE PARTE GENERAL

ASPECTOS A ANALIZAR	PRECEPTOS DEL CÓDIGO PENAL
Tipo subjetivo: imprudencia	Véanse los artículos relativos a los correspondientes tipos de la Parte Especial
Relación concursal entre los distintos delitos. Concurso de leyes y de delitos	Arts. 8, 73 ss.

CUESTIONES DE PARTE ESPECIAL

ASPECTOS A ANALIZAR	PRECEPTOS DEL CÓDIGO PENAL
Delito de lesiones. Lesiones psíquicas	Arts. 147 ss.
Lesiones al feto	Arts. 157 s.
Imprudencia profesional	Art. 158.2

---

[39] Con variaciones, los hechos están basados en los enjuiciados por la Sentencia del Tribunal Supremo, número 2139/2001, de 15 de noviembre. *(Tol 103086).*

CASO NÚMERO 40

Marta, de 38 años de edad, primigesta y primípara, cuyo embarazo había evolucionado con total normalidad, se dirigió a la Clínica al romper aguas, donde fue examinada por la matrona. Con autorización de ésta el Médico anestesista le aplicó anestesia epidural y fue monitorizada, siendo posteriormente reconocida por el ginecólogo en funciones de guardia, Felipe, quien se hizo cargo del parto al estar ausente el director del área, que se había marchado a un congreso.

El doctor procedió a la utilización de una ventosa para extraer el feto, a pesar de encontrarse éste en primer plano de Hodge y haberle dicho la matrona que el niño estaba algo alto y que la madre tenía una dilatación incompleta.

Al necesitar vencer una fuerte resistencia, la ventosa derrapó al menos una vez, y finalmente el niño nació con una vuelta prieta del cordón alrededor del cuello, presentando mal estado general, hipotómico y fláccido, debido a una hipoxia-isquemia, lo que a su vez dio lugar a una parada respiratoria y a la reanimación cardiopulmonar con ventilación asistida.

Posteriormente el recién nacido fue trasladado a la Unidad de Cuidados Intensivos, donde falleció a las nueve horas y cuarenta y cinco minutos de su ingreso.

Las circunstancias de tratarse del parto de una primípara de 38 años de edad, distócico, con anestesia epidural, encontrándose el feto alto, en primer plano de Hodge, hacían arriesgado el sistema de la vacuoextracción, que causó la hemorragia subaponeurótica epicraneal y favoreció la presión del cordón umbilical sobre el cuello del feto[40].

CUESTIONES DE PARTE GENERAL

ASPECTOS A ANALIZAR	PRECEPTOS DEL CÓDIGO PENAL
Tipo subjetivo: imprudencia	Véanse los artículos relativos a los correspondientes tipos de la Parte Especial
Relación concursal entre los distintos delitos. Concurso de leyes y de delitos	Arts. 8, 73 ss.

---

[40]   Con variaciones, los hechos están basados en los enjuiciados por la Sentencia de la Audiencia Provincial de Murcia, número 25/2000, de 1 de marzo.

CUESTIONES DE PARTE ESPECIAL

ASPECTOS A ANALIZAR	PRECEPTOS DEL CÓDIGO PENAL
Estudio de la posible responsabilidad por el resultado de muerte	Arts. 142
Lesiones al feto	Arts. 157 s.
Imprudencia profesional	Art. 158.2

CASO NÚMERO 41

Clara, que se hallaba en el quinto mes de embarazo de gemelas, visitó a su ginecóloga, Claudia, afirmando que se encontraba muy hinchada, tenía la tripa enorme y las piernas y pies como globos. Claudia le diagnosticó un exceso de líquido amniótico y le instauró un tratamiento con indometacina a fin de que las niñas no nacieran demasiado pronto, indicándole que debía volver a los quince días. Clara así lo hizo, y en esa visita al médico comprobó que el exceso de líquido había remitido.

En el séptimo mes de gestación la Dra. Claudia indicó a Clara que una de las niñas estaba atravesada y que por ello habría de practicar una cesárea. Semanas más tarde Clara le manifestó que apenas notaba a las niñas, por lo que se le realizó una ecografía y se le remitió para que fuera monitorizada por la matrona. Esta realizó dicha monitorización sin avisar a la doctora a pesar de saber que ella se hallaba en el centro médico. Clara se personó al día siguiente en la consulta para ser reconocida por Claudia, preguntándole esta desde cuando no notaba a las niñas, a lo que Clara respondió que desde la última visita que tuvo con ella.

En ese momento la Dra. Claudia le indicó que las niñas estaban muertas, pero después cambió de opinión y manifestó que podía escuchar los dos corazones y que las niñas estaban perfectamente, diciéndole que se fuera a su casa y que preparase todo para el ingreso, puesto que por la tarde le harían una cesárea. La Dra. Claudia constató la muerte de una de las niñas pero no se lo manifestó a Clara para que no se pusiera nerviosa. En la cesárea se extrajo primero a la niña viva y a continuación al feto muerto. La niña presentaba una encefalopatía muy severa por anoxia intrauterina, destrucción parenquimatosa muy severa, parálisis cerebral, minusvalía que se va agravando conforme pasa el tiempo[41].

---

[41]   Con variaciones, los hechos están basados en los enjuiciados por la Sentencia de la Audiencia Provincial de Valladolid, número 26/2006, de 24 de enero. *(Tol 824891).*

CUESTIONES DE PARTE GENERAL

ASPECTOS A ANALIZAR	PRECEPTOS DEL CÓDIGO PENAL
Tipo subjetivo: imprudencia	Véanse los artículos relativos a los correspondientes tipos de la Parte Especial
Relación concursal entre los distintos delitos. Concurso de leyes y de delitos	Arts. 8, 73 ss.

CUESTIONES DE PARTE ESPECIAL

ASPECTOS A ANALIZAR	PRECEPTOS DEL CÓDIGO PENAL
Estudio de la posible responsabilidad por lesiones	Arts. 147 ss.
Estudio de la posible responsabilidad por un Aborto	Arts. 144 ss.
Lesiones al feto	Arts. 157 s.
Imprudencia profesional	Art. 158.2

CASO NÚMERO 42

Sandra acudió a una clínica privada para el seguimiento de su embarazo, donde le practicaron una serie de ecografías que fueron interpretadas por su médico, Israel, como normales, sin apreciar signo alguno que le alertara o revelara ninguna complicación en la gestación, tanto respecto del feto como de la madre. También se le realizaron pruebas analíticas, de sangre y orina, que no revelaron ninguna anormalidad. Sin embargo en dichas ecografías no se estudió la placenta o el cordón umbilical, cuando la primera era de localización baja. El Viernes Santo, Sandra comenzó a sentir un malestar que ella (secundípara) consideró que se debía al inicio del parto, lo que motivó que al sentir contracciones se dirigiera a la clínica. A su llegada, fue reconocida manualmente por la Matrona, Feliciana, quien escuchó los latidos fetales, manifestando a la gestante que no había dilatación pero que el feto estaba un poco acelerado. Sin embargo no avisó al ginecólogo de guardia, ni tampoco a Israel, no anotando observación alguna en la hoja de enfermería, si bien dejó ingresada a la paciente en una habitación de la clínica sin que la volviera a visitar o controlar durante el tiempo que duró su turno de guardia. La también matrona María relevó en el turno a la anteriormente citada, si bien no atendió a la paciente hasta horas más tarde, cuando se personó en la habitación y la reconoció manualmente. Entonces apreció que el feto estaba encajado y por ello se habían producido desgarros, por lo que contactó telefónicamente con Israel para exponerle la situación. Israel autorizó que le diera el alta sin personarse en la clínica y valorando únicamente lo que la matrona le había dicho.

Durante todo el tiempo que la paciente estuvo ingresada no se le realizó monitorización cadiotográfica (CTG) a fin de comprobar la actividad o frecuencia cardiaca fetal (FCF) y la actividad uterina (RRF), en definitiva, el bienestar fetal. Tampoco se valoró por qué se había interrumpido el parto iniciado.

Cuando Sandra volvió a su domicilio, persistieron los síntomas que le habían llevado a acudir a la clínica: además de malestar general, mareos, pérdida de visión y pérdida de líquido sanguinolento, por lo que acudió a la consulta del ginecólogo. Éste se limitó a practicarle un reconocimiento manual y a escuchar al feto, diciéndole a la gestante que no le avisara hasta que tuviera contracciones continuadas. Israel no sólo no le practicó ninguna prueba encaminada a comprobar el estado del feto (monitorización, amnioscopia u otra), sino que tampoco la citó para realizarla en días sucesivos o posterior consulta.

Los síntomas antedichos persistieron en los días siguientes, pero como el médico le había manifestado que no lo llamara hasta que no tuviera contracciones continuadas durante al menos dos horas, la paciente no lo avisó. A los tres días, Sandra sintió una contracción, expulsando seguidamente un líquido muy denso de color mostaza y que después se oscurecía, tomando un tono verde o negro. Decidió llamar al ginecólogo, quien tras describirle el líquido, le dijo que fuera inmediatamente a la clínica. Una vez allí le enseñó al acusado una compresa teñida con el líquido expulsado, quien al verla la llevó al quirófano, sin explorarla siquiera, para practicarle una cesárea. Practicada la cesárea de urgencia, pudo comprobarse que el feto se hallaba muy encajado, en el último canal del parto, por lo que hubo de usarse fórceps (palas) para extraerlo, no sin antes producirse hasta tres derrapes. Una vez extraído, comprobó que se hallaba completamente teñido de meconio, necesitando inmediata asistencia de reanimación, así como intubación orotraqueal, debiendo ser trasladado urgentemente, mediante incubadora y dentro de una ambulancia, a la unidad de Neonatología del Hospital Infantil. Al niño se le diagnosticó encefalopatía multiquística de origen perinatal grave por causa de sufrimiento fetal, con repercusiones neurológicas, digestivas y respiratorias, presentando una minusvalía del 99%.

El menor padece parálisis cerebral infantil tipo tetraparesia espástica severa, asociada a retraso psicomotor grave, como consecuencia de lo expuesto, y presenta un déficit visual, epilepsia y retraso madurativo. El niño ha sufrido varios ingresos de urgencia, y necesita permanentemente la asistencia de una persona que pueda atender sus necesidades más básicas y se halle en todo momento a su lado. Igualmente requiere de profesionales especializados en su enfermedad que puedan atender su evolución. Si bien se desconoce exactamente su expectativa de vida, ésta puede situarse en doce años de vida. Requiere continua medicación, además de material e instrumentos ortopédicos especializados para garantizar su subsistencia[42].

CUESTIONES DE PARTE GENERAL

ASPECTOS A ANALIZAR	PRECEPTOS DEL CÓDIGO PENAL
Tipo subjetivo: imprudencia	Véanse los artículos relativos a los correspondientes tipos de la Parte Especial
Autoría y participación	Arts. 27 ss.
Relación concursal entre los distintos delitos. Concurso de leyes y de delitos	Arts. 8, 73 ss.

CUESTIONES DE PARTE ESPECIAL

ASPECTOS A ANALIZAR	PRECEPTOS DEL CÓDIGO PENAL
Delito de lesiones	Arts. 147 ss.
Lesiones al feto	Arts. 157 s.
Imprudencia profesional	Art. 158.2

---

[42] Con variaciones, los hechos están basados en los enjuiciados por la Sentencia de la Audiencia Provincial de Sevilla, número 205/2002, de 13 de mayo.

VII. DELITOS CONTRA LA INTEGRIDAD MORAL

CASO NÚMERO 43

Fernando y Consuelo, mayores de edad y sin antecedentes penales, eran representante y gerente de la mercantil J, concesionario de automóviles en la que trabajaba como auxiliar administrativo Martina, sobrina y prima respectivamente.

Martina había solicitado repetidamente que le concretaran por escrito el horario de su jornada laboral, le comunicaran el turno de vacaciones, y otros extremos relativos a su categoría profesional, sin que recibiera contestación alguna. En una ocasión acudió a la Inspección Provincial de Trabajo y Seguridad Social, girándose visita por la Inspección al centro de trabajo.

A partir de este momento se incrementaron los insultos y los gritos hacia Martina por parte de Fernando y Consuelo, manteniendo una permanente conducta de vejación y menosprecio hacia ella con frases por parte de Fernando como "jodida fea... te machaco, tienes la cabeza loca, te trituro, te vas sin paro, sin papeles, sin nada y encima juicio, eres tonta...". Justo después de la Inspección, la empresa notificó a la trabajadora despido disciplinario por haber usado para llenar combustible en una gasolinera una tarjeta de crédito de la empresa, despido que posteriormente fue declarado nulo por el Juzgado de lo Social. Fernando y Consuelo tras verse obligados judicialmente a readmitir a Martina en su puesto de trabajo, de común acuerdo, la trasladaron a un local pequeño, sucio, sin ventilación, calefacción ni ordenador, aislándola de los demás trabajadores, y le encomendaron tareas inútiles y sin contenido. Además la insultaban y obligaban a mantener la puerta que daba al taller abierta para que entrara el humo y el ruido de los coches.

A causa de todos estos hechos Martina sufrió un trastorno adaptativo mixto con cuadros de depresión y ansiedad que precisaron para su curación tratamiento médico con ansiolíticos y antidepresivos pautados por un psiquiatra, causándole una baja laboral prolongada y con sometimiento a psicoterapia individual, restándole como secuelas una situación de estrés postraumático de entidad moderada[43].

---

[43] Con variaciones, los hechos están basados en los enjuiciados por la Sentencia del Tribunal Supremo, número 945/2010, de 28 de octubre 2002.

CUESTIONES DE PARTE GENERAL

ASPECTOS A ANALIZAR	PRECEPTOS DEL CÓDIGO PENAL
Tipo subjetivo: dolo e imprudencia	Véanse los artículos relativos a los correspondientes tipos de la Parte Especial
Autoría y participación	Arts. 27 ss.
Relación concursal entre los distintos delitos. Concurso de leyes y de delitos	Arts. 8, 73 ss.

CUESTIONES DE PARTE ESPECIAL

ASPECTOS A ANALIZAR	PRECEPTOS DEL CÓDIGO PENAL
Delito de lesiones. Lesiones psíquicas	Arts. 147 ss.
Delitos contra la integridad moral	Art. 173
Delito contra los derechos de los trabajadores	Arts. 311 ss.

CASO NÚMERO 44

Los menores Imanol, León y Ovidio, puestos de común acuerdo, dieron varios empujones al menor Teodoro, propinándole León un puñetazo en el vestuario masculino del Instituto.

En la ejecución de los hechos participaron de modo diverso cada uno de los menores, pues mientras que León y Ovidio agredían a Teodoro, Imanol grababa los hechos con su teléfono móvil. A consecuencia del puñetazo propinado por León, el menor Teodoro sufrió una contusión que necesitó de una primera asistencia facultativa, tardando en sanar cinco días que fueron de baja no impeditiva.

Los menores Imanol, León, Carla y Ovidio, durante un periodo de tiempo sometieron al menor Teodoro a constante escarnio y vejaciones, lanzándole papeles, zancadilleándole, y dirigiéndole insultos como "gilipollas", "subnormal", "tonto", o "imbécil", con ánimo de menoscabar su integridad física y moral[44].

CUESTIONES DE PARTE GENERAL

ASPECTOS A ANALIZAR	PRECEPTOS DEL CÓDIGO PENAL
Autoría y participación	Arts. 27 ss.
Responsabilidad penal del menor	LO 5/2000, de 12 de enero, de Responsabilidad penal de los menores
Relación concursal entre los distintos delitos. Concurso de leyes y de delitos	Arts. 8, 73 ss.

CUESTIONES DE PARTE ESPECIAL

ASPECTOS A ANALIZAR	PRECEPTOS DEL CÓDIGO PENAL
Delito de lesiones. Lesiones psíquicas	Arts. 147 ss.
Delitos contra la integridad moral	Art. 173
Delitos contra el honor	Arts. 205 ss.

---

[44]   Con variaciones, los hechos están basados en los enjuiciados por la Sentencia de la Audiencia Provincial de Barcelona, número 812/2010, de 25 de octubre.

CASO NÚMERO 45

Juan, uno de los propietarios de un inmueble dividido en viviendas separadas, pretendía hacerse con la totalidad de la finca, correspondiente a otros tres vecinos, quienes no estaban dispuestos a venderle sus respectivas partes.

Al ver frustradas de este modo sus expectativas, Juan decidió echarlos por la fuerza. Para la ejecución de sus designios entró en contacto con Rafael y Dolores, un matrimonio muy humilde a cuyo cargo está una numerosa progenie y que vivían en la vía pública, ya que habían sido desahuciados de su anterior domicilio.

Todos ellos concertaron un plan, que consistía en que Juan albergaría a Rafael y a una extensa porción de su familia en la zona del inmueble de la casa que le pertenecía. Aunque se instalarían como arrendatarios, no pagarían más que un euro al mes. A cambio, los inquilinos perpetrarían cuantos daños fueren menester en el patrimonio de los otros vecinos hasta que estos, cansados, cedieran a los propósitos de Juan.

En ejecución de lo convenido, se instalaron junto con sus hijos y otros familiares, y ese mismo día embalsaron una importante cantidad de agua en uno de los cuartos de baño de su vivienda, de tal suerte que se filtraba hacia el piso inferior. Asimismo, en uno de los cuartos de baño, la mangueta del retrete estaba corroída. A esta concreta circunstancia se debe que buena parte del agua que iba a parar a la vivienda de abajo estuviese mezclada con materia fecal[45].

CUESTIONES DE PARTE GENERAL

ASPECTOS A ANALIZAR	PRECEPTOS DEL CÓDIGO PENAL
Autoría y participación	Arts. 27 ss.
Relación concursal entre los distintos delitos. Concurso de leyes y de delitos	Arts. 8, 73 ss.

CUESTIONES DE PARTE ESPECIAL

ASPECTOS A ANALIZAR	PRECEPTOS DEL CÓDIGO PENAL
Delitos contra la integridad moral	Art. 173
Coacciones	Arts. 172 ss.
Delitos de daños	Arts. 263 ss.

---

[45]   Con variaciones, los hechos están basados en los enjuiciados por el Auto del Juzgado de Instrucción, número 6 de Getxo (Vizcaya) de 3 de mayo de 2004. Número de diligencias previas 777/2003.

CASO NÚMERO 46

Leonardo, que estaba divorciado de su mujer Raquel, le había recriminado durante años que no era una "mujer normal" porque no le había dado hijos. A pesar de tener posteriormente dos hijos, cuando Raquel se hallaba todavía en el hospital la amenazó diciéndole que la iba a matar. Cuando Leonardo salía de viaje no hablaba con su mujer y le preguntaba a sus hijos si su madre salía con otros hombres, y continuamente le decía que no servía para nada y que tenía que mantenerla. Otras veces la insultaba llamándola "basura", "mierda" o "gallina", a veces en presencia de sus hijos, a los que en ningún momento mostraba cariño. Cuando Raquel le anunció su intención de separarse aumentaron los insultos y comenzaron los golpes. Le daba puñetazos en la cabeza, en la espalda y en el costado, algunas veces delante de los niños. En una ocasión el procesado la agarró del cuello y le dijo a sus hijos que "viniesen a ver cómo iba a matar a su madre". En otra ocasión, golpeó la cabeza de Raquel contra un armario porque se había pintado los labios. Ella sólo pudo acudir al médico un día entre semana, ya que los fines de semana Leonardo no le dejaba salir de casa. Le diagnosticaron una contusión a nivel de la articulación metacarpofalángica del primero y segundo dedos de la mano derecha, contusión deltoidea derecha y contusión en cuero cabelludo, así como hematomas costales y hematomas en cuero cabelludo, precisando una primera asistencia médica.

Una noche Leonardo entró en el dormitorio de sus hijos muy agresivo, cogió de las manos a su mujer y a empujones la llevó a la cocina insultándola y anunciándole que iba a dormir allí. Sin embargo, finalmente la llevó al dormitorio conyugal, donde mantuvo relaciones sexuales con ella diciéndole que le gustaba "verla humillada", repitiéndose esta conducta durante varios fines de semana. Asimismo, le dijo que no sabía si matarla o dejarla en una silla de ruedas, minusválida, para que siguiera sufriendo y los niños también. A consecuencia de los hechos relatados Raquel sufrió trastornos de ansiedad generalizada, necesitando tratamiento farmacológico y de psicoterapia. Los hijos del matrimonio sufrieron altos niveles de ansiedad, teniendo que seguir un programa especial de adaptación controlado por especialistas[46].

---

[46] Con variaciones, los hechos están basados en los enjuiciados por la Sentencia del Tribunal Supremo, número 761/2006, de 10 de julio. *(Tol 979538)*.

CUESTIONES DE PARTE GENERAL

ASPECTOS A ANALIZAR	PRECEPTOS DEL CÓDIGO PENAL
Culpabilidad: circunstancias eximentes y atenuantes	Arts. 20.1, 21.1, 21.3
Relación concursal entre los distintos delitos. Concurso de leyes y de delitos	Arts. 8, 73 ss.
Circunstancia mixta de parentesco	Arts. 23, 67

CUESTIONES DE PARTE ESPECIAL

ASPECTOS A ANALIZAR	PRECEPTOS DEL CÓDIGO PENAL
Delito de lesiones. Lesiones psíquicas	Arts. 147 ss.
Empleo de violencia contra personas vinculadas al agresor	Art. 153
Amenazas y coacciones	Arts. 169 ss.
Delitos contra la integridad moral	Art. 173

ACUERDO DE PLENO DEL TRIBUNAL SUPREMO
Véase Anexo I.4. Acuerdo del día 21 de julio de 2009 Véase la Circular 6/2012 sobre para la unidad de actuación especializada del MF en materia de violencia a la mujer.

CIRCULAR GENERAL DEL ESTADO
Véase la Circular 4/2005 de la Fiscalía General del Estado relativa a los criterios de aplicación de la ley orgánica de medidas de protección integral contra la violencia de género

CASO NÚMERO 47

Iñigo decidió irse a vivir con su novia Jacinta, que era menor de edad. Nada más iniciar la convivencia, Iñigo, movido por los celos, comenzó a tratarla mal, y con el deseo de provocarle un especial sufrimiento y dolor, la agredió propinándole fuertes golpes en el brazo izquierdo, muslo, pierna izquierda y glúteo izquierdo, con un cable de goma de los que se utilizan como manguera eléctrica, de un metro y cuarenta centímetros de longitud, causándole extensos hematomas para cuya curación precisó además de la primera asistencia facultativa, de ulterior tratamiento médico.

A pesar de ello Jacinta continuó conviviendo con Iñigo, quien volvió a agredirla dándole diversas bofetadas y tirones de pelo, golpeándola por diversas partes de su cuerpo con una varilla metálica de 55 centímetros de longitud con un extremo saliente en ángulo recto de 5,5 centímetros, con el cable de goma reseñado, además, con un carburador de motocicleta y también con un bote de cristal de conservas, empleando con estos dos últimos utensilios un mecanismo mixto de presión y torsión, que aplicó fundamentalmente en el dorso de las manos, en el antebrazo izquierdo, en ambos pechos y en las mejillas, cesando la agresión cuando Jacinta le manifestó que no quería marcharse con su madre. Las heridas causadas habrían precisado para su eventual curación, además de la primera asistencia facultativa, de ulterior tratamiento médico y quirúrgico.

Al día siguiente, Iñigo dejó encerrada a su novia, colocando para ello en la única puerta de acceso a la casa una cadena y un candado. Cuando regresó de nuevo empezó a agredirla brutalmente, propinándole varias patadas por todo el cuerpo, puñetazos, mordiscos y golpes, para lo que empleó otra vez el cable de goma y la varilla metálica hasta que, al percatarse Iñigo del estado en que se encontraba su víctima como consecuencia de los golpes, y pensando que podía acabar con su vida, la dejó sentada en el suelo, apoyada en su sillón. Acto seguido se ausentó de la casa, colocando otra vez el candado por el exterior de la puerta para que su compañera no pudiese salir. Una vez en la calle, fumó dos cigarros de hachís, y al poco regresó a la casa, quedándose dormido. Posteriormente, con el propósito deliberado de acabar con la vida de Jacinta y de provocarle un especial sufrimiento, le propinó varias patadas por todo el cuerpo, puñetazos, mordiscos y golpes con el cable de goma ya referido, que empleó en las piernas y glúteos, muslo izquierdo y el abdomen, apreciándose en la espalda, en zonas mamarias y pectorales, marcas redondeadas producidas, sobre hematomas anteriores, por presión y torsión con un bote de legumbres y con el carburador de una motocicleta (de 5 centímetros y 3 centímetros de diámetro respectivamente), apreciándose hasta 20 heridas de estas características. Como consecuencia de la abundancia e intensidad de los golpes recibidos, la joven cayó al suelo, pese a lo cual intensificó su ataque. De nuevo la golpeó con la varilla metálica, y cogiéndola del cuello la arrojó con violencia contra la pared, recibiendo un fuerte impacto en la cabeza, por lo que la agredida inmóvil quedó tendida en el suelo. Después de este episodio Iñigo se fue a dormir. Jacinta falleció a las pocas horas. Iñigo confesó los hechos en la Comisaría de Policía, antes del inicio del procedimiento judicial contra el mismo[47].

CUESTIONES DE PARTE GENERAL

ASPECTOS A ANALIZAR	PRECEPTOS DEL CÓDIGO PENAL
Culpabilidad: circunstancias eximentes y atenuantes	Arts. 20.2, 21.1, 21.2
Relación concursal entre los distintos delitos. Concurso de leyes y de delitos	Arts. 8, 73 ss.
Circunstancias atenuantes genéricas	Art. 21.4
Circunstancia mixta de parentesco	Arts. 23, 67

CUESTIONES DE PARTE ESPECIAL

ASPECTOS A ANALIZAR	PRECEPTOS DEL CÓDIGO PENAL
Homicidio/asesinato	Arts. 138 ss.
Delito de lesiones. Lesiones psíquicas	Arts. 147 ss.
Empleo de violencia contra personas vinculadas al agresor	Art. 153
Detención ilegal	Arts. 163 ss.
Amenazas y coacciones	Arts. 169 ss.
Delitos contra la integridad moral	Art. 173

ACUERDO DE PLENO DEL TRIBUNAL SUPREMO
Véase Anexo I.4. Acuerdo del día 21 de julio de 2009

CIRCULAR GENERAL DEL ESTADO
Véase la Circular 4/2005 de la Fiscalía General del Estado relativa a los criterios de aplicación de la ley orgánica de medidas de protección integral contra la violencia de género Véase la Circular 6/2012 sobre para la unidad de actuación especializada del MF en materia de violencia a la mujer.

---

[47]   Con variaciones, los hechos están basados en los enjuiciados por la Sentencia de la Audiencia Provincial de Murcia, número 27/2006, de 6 de junio. *(Tol 994879)*.

CASO NÚMERO 48

Doroteo inició una relación afectiva de pareja con Salvadora, que duró unos dos años. Pasados unos seis meses desde su inicio y a lo largo del resto de la relación, Doroteo humillaba y vejaba a Salvadora. Le repetía que no valía para nada, y con frecuencia le dirigía insultos como "guarra" o "puta", prohibiéndole salir con sus amigas e incluso sus hermanas, así como vestir aquellas prendas que él consideraba demasiado atrevidas. Además, la conminaba a que dejara el trabajo y en reiteradas ocasiones llegó a golpearla y propinarle bocados, todo ello con el solo propósito de someterla a sus dictados. De hecho, en una ocasión Salvadora manifestó su deseo de no acudir a una barbacoa y Doroteo la sacó violentamente del turismo en que viajaban. En otra ocasión en que se encontraban de viaje en Almería, Doroteo consideró que el vestido con que se proponía salir a la calle Salvadora era demasiado corto y la empujó e insultó hasta que la obligó a cambiárselo por otro.

Finalmente Salvadora puso fin a la relación, si bien posteriormente mantuvieron algún contacto que ella aceptaba por miedo a que su negativa provocara nuevas reacciones violentas en Doroteo, motivo que también la llevaba a no rechazar frontalmente los intentos y propuestas de éste de reanudar tal relación.

Un día Doroteo se personó en un establecimiento que también frecuentaba Salvadora y allí supo que ésta se había marchado con un amigo común, por lo que decidió buscarla. Tras localizar el vehículo en que se encontraba Salvadora junto con Antonio, abrió la puerta de éste y de forma violenta la obligó a salir tirándole del brazo, al punto de que ni siquiera pudo calzarse los zapatos que en ese momento no tenía puestos. Antonio le gritaba que no se fuera con él, y a fin de evitar que se enfrentaran ambos varones, Salvadora le dijo que no pasaba nada, que iba a hablar con Doroteo y efectivamente subió al asiento del copiloto del turismo de éste último.

Doroteo condujo el turismo hasta un descampado sito en un Polígono Industrial. Durante el trayecto empujó a Salvadora hasta hacer que se golpeara con la ventanilla de su lado, llegando a detener en un momento dado el vehículo y a golpearla nuevamente. Incluso llegó a propinarle un bocado en un pecho, al tiempo que exhibía tanto un cuchillo como un destornillador mientras le exigía que le mostrara el contenido de su teléfono móvil, sin conseguirlo por la negativa de ella. Doroteo llegó a introducir su mano por el pantalón y la ropa interior de Salvadora hasta palparle la vagina con el propósito de comprobar si había tenido relaciones sexuales con el amigo en cuestión. A resultas de estos hechos Salvadora sufrió equimosis en el ángulo inferior de mama derecha, dolor a la palpación en cuero cabelludo, región temporal derecha e izquierda y occipital derecha, hombro derecho doloroso y un pequeño hematoma en espina tibial derecha, de todo lo cual sanó en tres días habiendo precisado tan sólo la primera asistencia facultativa.

Seguidamente, y tras pasar de nuevo por el lugar en que la había encontrado para tratar sin éxito de localizar algún vestigio de la relación sexual, y pese a que Salvadora le manifestaba que quería irse a su casa, Doroteo la condujo hasta su propio domicilio, donde mantuvieron relaciones sexuales completas por vía vaginal, relación que Salvadora aceptó con el propósito de no enojar a Doroteo y poderse marchar a casa[48].

CUESTIONES DE PARTE GENERAL

ASPECTOS A ANALIZAR	PRECEPTOS DEL CÓDIGO PENAL
Relación concursal entre los distintos delitos. Concurso de leyes y de delitos	Arts. 8, 73 ss.
Circunstancia mixta de parentesco	Arts. 23, 67

CUESTIONES DE PARTE ESPECIAL

ASPECTOS A ANALIZAR	PRECEPTOS DEL CÓDIGO PENAL
Delito de lesiones.	Arts. 147 ss.
Empleo de violencia contra personas vinculadas al agresor	Art. 153
Delito de detención ilegal	Arts. 163 ss.
Amenazas y coacciones	Arts. 169 ss.
Delito contra la integridad moral	Art. 173
Delitos contra la libertad sexual	Arts. 178 ss.

ACUERDO DE PLENO DEL TRIBUNAL SUPREMO
Véase Anexo I.4. Acuerdo del día 21 de julio de 2009 Véase la Circular 6/2012 sobre para la unidad de actuación especializada del MF en materia de violencia a la mujer.

CIRCULAR GENERAL DEL ESTADO
Véase la Circular 4/2005 de la Fiscalía General del Estado relativa a los criterios de aplicación de la ley orgánica de medidas de protección integral contra la violencia de género

---

[48]   Con variaciones, los hechos están basados en a los enjuiciados por la Sentencia del Tribunal Supremo, número 132/2013, de 19 de febrero.

CASO NÚMERO 49

Luis Alberto, que tenía reconocida una minusvalía en base a un diagnóstico de discapacidad por inteligencia límite, vivía en su domicilio conjuntamente con su hermana Estíbaliz y su sobrina Jacinta, las cuales tenían una minusvalía del 95 por ciento y del 85 por ciento respectivamente, por inteligencia límite.

Luis Alberto entabló amistad con Aníbal, el cual, siendo conocedor de su discapacidad, lo convenció para que él se instalara en su domicilio conjuntamente con una pareja de novios amigos suyos, Jesús y Flor, con el pretexto de que le abonarían una cantidad mensual cuando encontraran trabajo, hecho que nunca llegó a suceder.

Jesús y Aníbal vivían a expensas de los ingresos que por su incapacidad cobraban Luis Alberto y su sobrina. Abusando de su credulidad lograron no solo que les pagasen la manutención sino que también les financiasen las compras de consolas de videojuegos, juegos y material de ordenador por costes muy superiores a lo que sería normal, atendidas las necesidades de la familia y su nivel de ingresos, siempre con falsas promesas de abono.

Posteriormente la situación de convivencia se fue progresivamente deteriorando, comenzando a ejercer Jesús —cuya personalidad presentaba rasgos psicopáticos—, el dominio y control sobre el resto de los moradores, con la participación activa y consentida de Aníbal, que era su hombre de confianza. Jesús y Aníbal se apoderaron de las tarjetas de crédito de Jacinta y de Estíbaliz, cuyos números clave les exigieron que les facilitasen y con ellas cada uno o dos días realizaban diversas disposiciones en los cajeros automáticos. Asimismo, mediante distintas intimidaciones, lograron que éstas les financiasen compras en varios centros comerciales por valor de cinco mil euros.

En los meses siguientes fueron frecuentes y diarios los malos tratos consistentes en golpes y puñetazos no solo a Jacinta sino también a su hermano Luis Alberto y a Estíbaliz por motivos banales y en muchas ocasiones por simple diversión, llegando a prohibirles que les mirasen a la cara o que hablasen entre ellos, e incluso ordenaban a Luis Alberto que golpease a su sobrina y a su hermana. En una ocasión y con motivo de una discusión, Jesús cogió a Estíbaliz por el cuello y le apretó fuertemente hasta casi asfixiarla.

Luis Alberto y su hermana denunciaron los hechos a la policía, pero tras falsas promesas de Jesús y Aníbal de que cesarían los malos tratos retiraron la denuncia, manifestando que se trataba de un simple error.

A partir del regreso al domicilio la situación de dominación y maltrato se agravó, obligando a Estíbaliz su hija Jacinta y a Luis Alberto a hacerles entrega de las llaves de la casa y sus teléfonos móviles. Les impidió abandonar solos la casa, pudiendo salir a la calle únicamente custodiados y vigilados por Aníbal o Jesús.

Jesús y Aníbal comenzaron a inventar y maquinar "juegos macabros", participando en estos Luis Alberto que era forzado a participar. Consistían en golpear a Estibaliz o Jacinta, no darle alimentos, obligarlas a cantar y luego golpear a quién decían que no había cantado, obligar a Estíbaliz y a su hermano Luis Alberto a realizar actos sexuales consistentes en masturbarse mutuamente o que le practicara una felación. Asimismo, obligaron a Jacinta a cortarse en los antebrazos y a meterlos en agua para que se desangrase, si bien, como los cortes que se hizo aquélla no eran profundos, desistieron de su propósito.

Una noche Jesús, Aníbal y Flor obligaron a Estíbaliz, que estaba impedida de las piernas, a tenerse en pie durante horas, a pesar de sus constantes caídas. Luego Jesús y Aníbal le colocaron una barra de pesas al cuello con la que le presionaban y le dijeron a Luis Alberto que tenía que acabar de estrangular a su hermana poniéndole las manos al cuello y apretar. Este les obedeció, pero como Jesús creía que Luis Alberto no apretaba bastante, ordenó a Aníbal que trajese una botella de whisky. Jesús se la introdujo en la garganta a Jacinta, sujetando la botella con la mano y luego con el pie hasta que su contenido se vació, produciendo la muerte por la acción conjunta del estrangulamiento y la intoxicación etílica aguda, actuando la intoxicación etílica como causa principal de la muerte y el estrangulamiento como coadyuvante de la misma con unas cifras potencialmente mortales de alcohol detectado en sangre 4,43 gr/l de alcohol etílico.

Debido al terror que aún sentía, Luis Alberto se autoinculpó como único autor de la muerte de su hermana cuando fue detenido, siguiendo así las instrucciones de Jesús[49].

---

[49] Con variaciones, los hechos se refieren están basados en los enjuiciados por la Sentencia del Tribunal Supremo, número 689/2013, de 26 de julio.

CUESTIONES DE PARTE GENERAL

ASPECTOS A ANALIZAR	PRECEPTOS DEL CÓDIGO PENAL
Culpabilidad: circunstancias eximentes y atenuantes	Arts. 20.1, 21.1, 21.7
Autoría y participación	Arts. 27 ss.
Circunstancias modificativas de la responsabilidad penal: superioridad. Ensañamiento	Arts. 22.2, 22.5, 67.
Relación concursal entre los distintos delitos. Concurso de leyes y de delitos	Arts. 8, 73 ss.
Circunstancia mixta de parentesco	Art. 23 CP

CUESTIONES DE PARTE ESPECIAL

ASPECTOS A ANALIZAR	PRECEPTOS DEL CÓDIGO PENAL
Homicidio. Asesinato	Arts. 138 ss.
Delito de lesiones	Arts. 147 ss.
Delitos de detenciones ilegales y secuestro	Arts. 163 ss.
Delitos contra la integridad moral	Art. 173
Delitos contra la libertad e indemnidad sexuales	Arts. 178 ss.
Delitos contra el patrimonio: robo	Arts. 237 ss.
Delitos contra el patrimonio: estafa	Arts. 248 ss.

CASO NÚMERO 50

Ángel y Francisco, agentes de la policía local, se hallaban de servicio cuando vieron a Cristóbal, a quien conocían como delincuente habitual, y sin razón alguna que lo justificase, ambos agentes le dijeron que se introdujera en un vehículo policial, con el que le llevaron a un lugar no determinado, despoblado y fuera del casco urbano. Allí le hicieron bajar del coche, le quitaron las gafas graduadas que llevaba, valoradas en 167,95 euros, las rompieron y acto seguido le propinaron una serie de golpes con las defensas o porras reglamentarias, diciéndole que le iban a matar y que si no se iba del pueblo iba a aparecer tirado en un carril. Seguidamente, se fueron con el coche policial, dejándolo en el lugar de la agresión.

Como consecuencia de los golpes recibidos, Cristóbal sufrió heridas abrasivas de forma longitudinal en el muslo derecho, en la zona dorsal de la espalda y en la zona lumbar, de las que sanó con cura local, profilaxis antitetánica y antiinflamatorios[50].

CUESTIONES DE PARTE GENERAL

ASPECTOS A ANALIZAR	PRECEPTOS DEL CÓDIGO PENAL
Autoría y participación	Arts. 27 ss.
Relación concursal entre los distintos delitos. Concurso de leyes y de delitos	Arts. 8, 73 ss.

CUESTIONES DE PARTE ESPECIAL

ASPECTOS A ANALIZAR	PRECEPTOS DEL CÓDIGO PENAL
Delito de lesiones	Arts. 147 ss.
Delitos de detenciones ilegales y secuestro	Arts. 163 ss.
Delitos contra la integridad moral y torturas	Arts. 173 ss.

ACUERDO DE PLENO DEL TRIBUNAL SUPREMO
Véase Anexo I.7. Acuerdo del día 27 de enero de 2009

---

[50]   Con variaciones, los hechos están basados en los enjuiciados por él la Sentencia del Tribunal Supremo, número 625/2005, de 5 mayo. *(Tol 667639)*.

CASO NÚMERO 51

José Francisco, funcionario de un Centro Penitenciario, tras efectuar el recuento de los internos se dirigió a la celda núm. 48, ocultando entre su chaqueta una porra de goma. Allí se encontraba el interno Luis Alberto, en calidad de preso. José Francisco sacó la porra y le propinó varios golpes en la espalda y muslo, ocasionándole un hematoma de 12 centímetros de diámetro en la cara lateral externa de raíz del muslo izquierdo; contusión de 4 por 3 centímetros en región superior izquierda de la espalda; contusión de 5 por 5 centímetros en región superior derecha de la espalda; contusión de 4 por 3 centímetros en la región media-izquierda de la espalda y otra contusión de 10 por 3 centímetros en la región inferior izquierda de la espalda. Tardó en curar 15 días con una sola asistencia médica. Dado que José Francisco tardaba en bajar a la cabina de control del modulo para dar los datos del recuento efectuado, Lucio, también funcionario de Instituciones penitenciarias, subió a la planta superior para comprobar si ocurría algo anormal, observando que estaba abierta la celda 48. Allí encontró a José Francisco, a quien preguntó si ocurría algo, diciéndole éste que no pasaba nada, que hablaba con Luis Alberto y que el recuento estaba bien. Posteriormente bajaron los dos hacia el control, sin que Lucio observase nada anormal en el interno, ni que José Francisco portase la defensa de goma[51].

CUESTIONES DE PARTE GENERAL

ASPECTOS A ANALIZAR	PRECEPTOS DEL CÓDIGO PENAL
Autoría y participación	Arts. 27 ss.
Relación concursal entre los distintos delitos. Concurso de leyes y de delitos	Arts. 8, 73 ss.

CUESTIONES DE PARTE ESPECIAL

ASPECTOS A ANALIZAR	PRECEPTOS DEL CÓDIGO PENAL
Delito de lesiones	Arts. 147 ss.
Delitos contra la integridad moral y torturas	Arts. 173 ss.

---

[51]   Con variaciones, los hechos están basados en los enjuiciados por la Sentencia de la Audiencia Provincial de Granada, número 30/2006, de 20 de enero.

VIII. DELITOS RELATIVOS A LA TRATA DE SERES HUMANOS

CASO NÚMERO 52

Fernando, Claudio, Elvira, y Elsa, todos ellos de nacionalidad rumana, se pusieron de acuerdo para captar mujeres en su país de origen con la finalidad de que éstas se trasladaran con ellos a España y una vez aquí obligarlas a trabajar como prostitutas y a entregarles las ganancias que obtuvieran con esa actividad.

Fernando, que se encontraba, al igual que su suegra, Elsa, en su ciudad natal, Harsova (Rumania), fue el encargado de entrar en contacto con Rocío, de veintitrés años, a quien le propuso viajar con él a España, ofreciéndole un trabajo bien remunerado como camarera en un bar-restaurante, y le aseguró que una vez en España le tramitaría y proporcionaría los debidos permisos para residir y trabajar legalmente en nuestro país, Igualmente se comprometió a proporcionarle el dinero necesario para realizar el viaje, que ella le devolvería una vez estuviera trabajando en España.

También se encargó Fernando de entrar en contacto con Luz, a quien en distintas conversaciones le ofreció un trabajo en un restaurante, primero como camarera y después en la cocina, manifestándole que su cuñada trabajaba ya en ese restaurante y su jefe necesitaba chicas para la cocina. Como a la joven anterior, le aseguró que él le tramitaría y le proporcionaría los debidos permisos para residir y trabajar legalmente en nuestro país, ofreciéndose a adelantarle el dinero necesario para realizar el viaje, que luego ella devolvería una vez estuviera trabajando en España.

Con esta oferta y bajo esas premisas Rocío y Luz, que no se conocían entre sí, emprendieron con Fernando el viaje hacia España en autobús, entrando como turistas en el territorio Shengen por la frontera de Alemania.

Llegados a Madrid les esperaban Claudio y Elvira, quienes comunicaron a las jóvenes que comenzarían a trabajar para ellos prostituyéndose. Cuando las dos mujeres manifestaron que ellas no querían trabajar de prostitutas, que no habían venido a eso, sino a trabajar en un bar, Elvira les dijo que de aquí no iban a escapar, que se acostumbraran. Fernando en un tono de agresividad que las jóvenes no le habían visto hasta ese momento, les dijo que como no hicieran lo que les decían las matarían a ellas o a sus familias y las rajarían, haciendo exhibición de la navaja que les dijo que siempre iba con él. Las amenazó diciéndoles que no podrían escapar, puesto que siempre estarían vigiladas aunque ella no se dieran cuenta, que ellas no conocían a nadie aquí, que no sabían hablar ni moverse, pero ellos sabrían lo que comían, lo que bebían, con quien hablaban, con cuántos hombres iban, y si decían algo les quemarían la casa a sus familias, las cortarían la cara y les sacarían el hígado para mandárselo a su familia. Como demostración de que sus advertencias eran ciertas, Fernando, mantuvo relaciones sexuales con Rocío en tres ocasiones, y como ella manifestó su oposición y resistencia, la empujó, y le gritó que tenía que obedecer a lo que ellos les decían, que tenía una navaja y la rajaba con ella, que tenía derecho a "catar la mercancía".

Elsa, madre de Elvira y suegra de Fernando, asumió la vigilancia de Rocío y Luz, encargándose de recoger la recaudación de lo que aquéllas obtenían ejerciendo la prostitución, y les exigía que le dieran todo el dinero y que obtuvieran más si no querían vérselas con Claudio. El dinero recaudado era entregado posteriormente a Fernando.

Rocío y Luz se mantuvieron en estas circunstancias hasta que ésta fue hallada en la calle llorando por un hombre que hablaba su idioma, la ayudó a escapar, y le informó de que podía denunciar todo lo que le había sucedido. A partir de ese momento, tanto Rocío como Luz, han de vivir ocultas, habiendo recibido sus familias en Rumania ofertas económicas para que facilitaran su paradero y advertencias firmes de que les matarían a ellos y a las jóvenes cuando las encontraran[52].

CUESTIONES DE PARTE GENERAL

ASPECTOS A ANALIZAR	PRECEPTOS DEL CÓDIGO PENAL
Autoría y participación	Arts. 27 ss.
Relación concursal entre los distintos delitos. Concurso de leyes y de delitos	Arts. 8, 73 ss.
Delito continuado	Art. 74

---

[52]   Con variaciones, los hechos están basados en los enjuiciados por la Sentencia del Tribunal Supremo, número 605/2007, de 26 de junio.

CUESTIONES DE PARTE ESPECIAL

ASPECTOS A ANALIZAR	PRECEPTOS DEL CÓDIGO PENAL
Amenazas y coacciones	Arts. 169 ss.
Agresiones y abusos sexuales. Tipos cualificados	Arts. 178 ss.
Delitos relativos a la prostitución de mayores de edad	Art. 187
Delito de trata de seres humanos	Art. 177 bis
Delitos contra los derechos de los ciudadanos extranjeros	Art. 318 bis

ACUERDO DE PLENO DEL TRIBUNAL SUPREMO
Véase Anexo I.11. Acuerdo del día 29 de mayo de 2007

CASO NÚMERO 53

Ángel recogía en el aeropuerto a jóvenes de nacionalidad colombiana y las trasladaba hasta su club donde debían mantener relaciones sexuales con los clientes que acudían al establecimiento. Se quedaba con el dinero correspondiente a los servicios sexuales prestados por estas mujeres, quienes debían pagar la deuda adquirida en Colombia por la compra del billete de avión y, además, el hospedaje y la manutención en el local. Trinidad trabajaba como encargada del local, e indicaba a las mujeres que debían ejercer la prostitución para pagar la deuda que habían asumido. Leonardo se encargaba en el club de entregar a las jóvenes los pases por cada cliente con el que mantenían relaciones sexuales[53].

CUESTIONES DE PARTE GENERAL

ASPECTOS A ANALIZAR	PRECEPTOS DEL CÓDIGO PENAL
Autoría y participación	Arts. 27 ss.
Relación concursal entre los distintos delitos. Concurso de leyes y de delitos	Arts. 8, 73 ss.
Delito continuado	Art. 74

CUESTIONES DE PARTE ESPECIAL

ASPECTOS A ANALIZAR	PRECEPTOS DEL CÓDIGO PENAL
Amenazas y coacciones	Arts. 169 ss.
Agresiones y abusos sexuales. Tipos cualificados	Arts. 178 ss.
Delito de trata de seres humanos	Art. 177 bis
Delitos relativos a la prostitución de mayores de edad	Art. 187
Delitos contra los derechos de los ciudadanos extranjeros	Art. 318 bis

---

[53]   Con variaciones, los hechos corresponden a los enjuiciados por la Sentencia de la Audiencia Provincial de Cuenca, número 74/2006, de 5 de julio. *(Tol 1017038).*

CASO NÚMERO 54

Emma, de nacionalidad rumana y residente en dicho país, contactó con un compatriota suyo quien le ofreció la posibilidad de trasladarla a España para trabajar como camarera. Como la situación económica de Emma no era buena aceptó, adelantándole aquél el importe de trescientos euros para los gastos de autobús y comida.

Una vez en España, fue recogida por Bartolomé, quien la trasladó a un piso y le indicó que tenía que trabajar en un club ejerciendo la prostitución hasta pagarle la deuda que había contraído, a lo que ella se negó. Entonces Bartolomé le dio una bofetada en la cara, y le manifestó que tendría que prostituirse durante un año. Emma fue trasladada al club bajo amenaza de que si no lo hacía matarían a su familia en Rumania, por lo que accedió a ejercer la prostitución y a entregar el importe que obtenía, una vez descontado el importe de manutención y de alojamiento en el club.

Posteriormente Bartolomé la informó de que tenía que cambiar de club, y la trasladó a otra ciudad en compañía de otras mujeres. Bartolomé le volvió a decir que tenían que trabajar mucho y evitar salir del local "pues si no tendría problemas". Asimismo Gema, novia de Bartolomé, le dijo que si los denunciaba a la policía Bartolomé mataría a todas las chicas que había en el piso[54].

CUESTIONES DE PARTE GENERAL

ASPECTOS A ANALIZAR	PRECEPTOS DEL CÓDIGO PENAL
Autoría y participación	Arts. 27 ss.
Relación concursal entre los distintos delitos. Concurso de leyes y de delitos	Arts. 8, 73 ss.
Delito continuado	Art. 74

---

[54] Con variaciones, los hechos están basados en los enjuiciados por la Sentencia de la Audiencia Provincial de Navarra, número 76/2006, de 6 de junio.

CUESTIONES DE PARTE ESPECIAL

ASPECTOS A ANALIZAR	PRECEPTOS DEL CÓDIGO PENAL
Amenazas y coacciones	Arts. 169 ss.
Detenciones ilegales y secuestros	Arts. 163 ss.
Agresiones y abusos sexuales. Tipos cualificados	Arts. 178 ss.
Delitos relativos a la prostitución de mayores de edad	Art. 187
Delito de trata de seres humanos	Art. 177 bis
Delitos contra los derechos de los trabajadores. Distinción con los delitos contra los derechos de los ciudadanos extranjeros	Arts. 311 ss., 318 bis

ACUERDO DE PLENO DEL TRIBUNAL SUPREMO
Véase Anexo I.11. Acuerdo del día 29 de mayo de 2007

ACUERDO DE PLENO DEL TRIBUNAL SUPREMO
Véase Anexo I.13. Acuerdo del día 30 de mayo de 2006

IX. DELITOS CONTRA LA LIBERTAD E INDEMNIDAD SEXUAL

CASO NÚMERO 55

Dionisio, mayor de edad y sin antecedentes penales, creó en Messenger una cuenta de correo electrónico que registró con el nombre de "Jesús". A través del chat contactó con chicas menores de edad, a las que ocultaba su verdadera identidad y edad, para lo que utilizaba una fotografía de un chico de unos 19 años que se bajó de Internet. En estos chats charlaba con las jóvenes de cosas diversas y también de temas sentimentales y sexuales, llegando a pedirles que, en el caso de tener WebCam, la conectaran y posaran ante la cámara sin ropa y enseñaran pechos o genitales, o bien le enviaran fotografías en que se les viera desnudas.

Dionisio contactó por este medio con la menor María del Pilar, de catorce años, con la que entabló una relación sentimental, y le solicitó que le mandara fotografías en bikini y desnuda, enviándole María del Pilar una fotografía suya en bañador y otras en que enseñaba sus genitales. Como María del Pilar luego se negó a mandar más fotografías de ella desnuda, así como de su hermana de 9 años que Dionisio también le había solicitado, éste le amenazó con colgar en Internet las fotografías que tenía de ella desnuda y distribuirlas a otras personas, por lo que María del Pilar accedió a las pretensiones de aquél y le mandó nuevas fotos de ella desnuda. Tras negarse posteriormente María del Pilar a seguir mandando fotos de ella y de su hermana, y haber decidido cortar la relación, Dionisio aprovechó que tenía conocimiento de la clave de acceso de la cuenta de correo electrónico, que había obtenido gracias a conversaciones con otras menores. De este modo accedió al espacio reservado de Messenger de la titular de dicha cuenta, Adelaida de 14 años, y envió a dicho espacio las imágenes de María del Pilar en bañador y totalmente desnuda mostrando sus genitales, para que así pudieran ser observadas por cuantos usuarios accedieran a dicho espacio de Messenger, bajo los diversos títulos de "Fóllame" y similares.

Asimismo Dionisio procedió a enviar a la red las imágenes de María del Pilar en bañador y totalmente desnuda mostrando sus genitales. En virtud de mandamiento judicial se procedió a practicar diligencia de entrada y registro en el domicilio de Dionisio, hallándose el ordenador portátil que había utilizado para sus chats en Messenger con las menores.

En el disco duro de dicho ordenador se encontraron multitud de ficheros que guardaban las conversaciones mantenidas vía chat con menores en las que, simulando el acusado ser un adolescente, indagaba sobre su vida sexual, les solicitaba

que se masturbaran y les requería fotografías en las que ellas aparecieran desnudas o mostrando sus pechos o partes genitales. Igualmente guardaba en el disco
duro de dicho ordenador imágenes obtenidas de Internet en las que aparecían
chicas menores de edad, en algún caso de edad notoriamente inferior a los trece
años, desnudas o realizando actos de contenido sexual[55].

CUESTIONES DE PARTE GENERAL

ASPECTOS A ANALIZAR	PRECEPTOS DEL CÓDIGO PENAL
Relación concursal entre los distintos delitos. Concurso de leyes y de delitos	Arts. 8, 73 ss.
Delito continuado	Art. 74

CUESTIONES DE PARTE ESPECIAL

ASPECTOS A ANALIZAR	PRECEPTOS DEL CÓDIGO PENAL
Agresiones y abusos sexuales. Tipos cualificados	Arts. 178 ss.
Abusos y agresiones sexuales a menores de dieciséis años.	Art. 183
Delito de *grooming*	Art. 183 ter
Prostitución y corrupción de menores	Arts. 188,183 bis
Delitos de amenazas y coacciones	Arts. 169 ss.
Delitos contra la intimidad	Arts. 197 ss.

ACUERDO DE PLENO DEL TRIBUNAL SUPREMO
Véase Anexo I.3 Acuerdo del día 27 de octubre de 2009

---

[55]   Con variaciones, los hechos están basados en los enjuiciados por la Sentencia del Tribunal
Supremo, número 1107/2009, de 12 de noviembre.

CASO NÚMERO 56

Julián vivía en una residencia de estudiantes con Sara, con la que había mantenido en una ocasión una relación sexual consentida. Una noche acudió a la habitación de Sara y cuando ésta le abrió la puerta la empujó e intentó penetrarla por vía bucal, lo que no consiguió por la constante negativa de su compañera, que se defendió dándole una patada y se encerró en el baño. Al tiempo de cometer estos hechos Julián se encontraba influenciado por la ingesta de alcohol, que le mermaba ligeramente sus facultades volitivas.

Otra madrugada Julián llamó a la puerta de la habitación de Sara, y ésta abrió sin mirar. De nuevo Julián intentó besarla a la fuerza, y al negarse su compañera con insistencia, abandonó la habitación. En otra ocasión Julián, aprovechando que su compañero de habitación había dejado dormir en su cuarto a una amiga que se encontraba bastante bebida y que se hallaban solos, la accedió carnalmente por vía vaginal. Su compañera despertó y a gritos le conminó a que se detuviese, ignorándola Julián, que finalizó su acción[56].

CUESTIONES DE PARTE GENERAL

ASPECTOS A ANALIZAR	PRECEPTOS DEL CÓDIGO PENAL
Tentativa y consumación	Arts. 15 s.
Culpabilidad: eximentes y atenuantes	Arts. 20.2 y 21.1, 21,2
Relación concursal entre los distintos delitos. Concurso de leyes y de delitos	Arts. 8, 73 ss.
Delito continuado	Art. 74

CUESTIONES DE PARTE ESPECIAL

ASPECTOS A ANALIZAR	PRECEPTOS DEL CÓDIGO PENAL
Delito de lesiones	Arts. 147 ss.
Agresiones y abusos sexuales	Arts. 178 ss.

---

[56] Con variaciones, los hechos están basados en los enjuiciados por la Sentencia del Tribunal Supremo, número 775/2006, de 22 de mayo. *(Tol 945173).*

CASO NÚMERO 57

Estefanía habitaba en una caravana, a la que solían acudir Sergio y Marco, mayores de edad y sin antecedentes penales a departir y beber con ella, pues los tres eran consumidores habituales de bebidas alcohólicas.

Una tarde se encontraban los tres en ese lugar comiendo, tras ingerir abundante cantidad de bebidas alcohólicas. Sergio y Marco sacaron fuera de la caravana a Estefanía, a la que ataron las manos y pies y desnudaron, procediendo a realizarle una serie de agresiones consistentes en arrastrarla por el suelo. Marco le cortó en el brazo con un cuchillo y Sergio le quemó el vello del pubis y le introdujo un palo por el ano y por la vagina, mientras Marco daba saltos y gritos alrededor imitando el comportamiento que se atribuye a los indios americanos. Tras ello la introdujeron de nuevo en la caravana, donde volvieron a quemarla.

Estefanía sufrió lesiones que precisaron para su curación, además de la primera asistencia, control posterior con curas seriadas, tardando en sanar quince días, de los cuales siete estuvo impedida para sus ocupaciones habituales, quedándole como secuelas cicatrices en las zonas que ha tenido quemaduras de segundo grado.

Sergio padece un grado de minusvalía por retraso mental, teniendo un coeficiente intelectual del 70% que le provoca una ligera disminución de la inteligencia, que limita ligeramente sus capacidades volitiva e intelectual, aunque distingue la transcendencia de sus actos.

Ambos acusados se encontraban influidos por la elevada dosis de bebidas alcohólicas que habían ingerido, que afectaba profundamente su capacidad de discernimiento y de decisión[57].

---

[57]   Con variaciones los hechos están basados en los enjuiciados por la Sentencia del Tribunal Supremo, número 644/2013, de 19 de julio.

CUESTIONES DE PARTE GENERAL

ASPECTOS A ANALIZAR	PRECEPTOS DEL CÓDIGO PENAL
Relación concursal entre los distintos delitos. Concurso de leyes y de delitos	Arts. 8, 73 ss.
Delito continuado	Art. 74
Culpabilidad: eximentes y atenuantes	Arts. 20.2 y 21.1, 21.2

CUESTIONES DE PARTE ESPECIAL

ASPECTOS A ANALIZAR	PRECEPTOS DEL CÓDIGO PENAL
Agresiones y abusos sexuales. Tipos cualificados	Arts. 178 ss.
Delitos de lesiones	Arts. 147 ss.
Delitos contra la integridad moral	Art. 173

CASO NÚMERO 58

Epifanio, mayor de edad y sin antecedentes penales, mantenía una relación de vecindad y amistad con la madre de la menor Sonsoles. Aprovechándose de tal situación, hizo a la menor objeto de numerosos tocamientos y actos de carecer sexual desde los 6 hasta los 9 años. Los actos solían tener lugar en el domicilio del acusado, aprovechando que la madre de la menor se la confiaba en numerosas ocasiones, así como que la niña acudía a veces a la casa para jugar con el hijo menor de Epifanio. Este aprovechaba tal situación para sentar a la niña en su regazo y allí realizarle tocamientos de naturaleza sexual, acariciándole los genitales por encima de la ropa, hechos que se repitieron en múltiples ocasiones.

En una de ellas el acusado, aprovechando que su hijo menor se encontraba en el baño, llevó a la menor Sonsoles a su habitación y tras colocarla boca abajo se tumbó sobre ella, comenzando a frotar sus genitales contra los glúteos de la menor. Sólo cesó en su acción al oír que su hijo menor salía del baño.

En una ocasión, cuando Sonsoles ya había cumplido ocho años de edad y se encontraba sola en el domicilio de Epifanio, éste la sentó en sus rodillas frente al ordenador y allí le tocó la zona vaginal por encima de la ropa, como había hecho en otras ocasiones, mientras en el ordenador se sucedían imágenes pornográficas de menores, conminándola a que le realizara una felación[58].

CUESTIONES DE PARTE GENERAL

ASPECTOS A ANALIZAR	PRECEPTOS DEL CÓDIGO PENAL
Relación concursal entre los distintos delitos. Concurso de leyes y de delitos	Arts. 8, 73 ss.
Delito continuado	Art. 74

CUESTIONES DE PARTE ESPECIAL

ASPECTOS A ANALIZAR	PRECEPTOS DEL CÓDIGO PENAL
Agresiones y abusos sexuales. Tipos cualificados	Arts. 178 ss.
Agresiones y abusos sexuales a menores de dieciséis años	Art. 183
Exhibicionismo	Art. 185

---

[58] Con variaciones, los hechos están basados en los enjuiciados por la Sentencia del Tribunal Supremo, número 988/2013, de 23 de diciembre.

CASO NÚMERO 59

Esteban aprovechaba su condición de policía local para abordar a chicas menores, ofreciéndoles dinero para así ganar su confianza y sobre todo su interés económico. De ese modo entabló relación con la menor Miranda cuando ésta tenía unos quince años de edad, por medio de Paula, amiga un año menor que ella, que la acompañaba y se la presentó con la intención de que les diese dinero.

Pocos meses después, Esteban fue entregando a Miranda cantidades que oscilaban entre los 6 y 30 euros a cambio de que lo masturbara. Asimismo pagó dinero a otra compañera de Miranda, Patricia, también menor de edad, a cambio de que le permitiese realizarle tocamientos de carácter sexual. Sin embargo Esteban no sabía que otros amigos de las menores lo estaban grabando mientras mantenía dicho contacto sexual. Patricia rechazó posteriores ofrecimientos de Esteban, llegando éste incluso a acudir a su casa cuando no estaban sus padres. Cuando Esteban supo de la existencia de la grabación en una cinta de video quiso obtenerla a cambio de dinero, sin poder conseguirlo[59].

CUESTIONES DE PARTE GENERAL

ASPECTOS A ANALIZAR	PRECEPTOS DEL CÓDIGO PENAL
Autoría y participación	Arts. 27 ss.
Relación concursal entre los distintos delitos. Concurso de leyes y de delitos	Arts. 8, 73 ss.
Delito continuado	Art. 74
Circunstancias agravantes genéricas: prevalimiento del carácter público. Estudio de su compatibilidad con el principio del *non bis in ídem*	Arts. 22.7, 67

CUESTIONES DE PARTE ESPECIAL

ASPECTOS A ANALIZAR	PRECEPTOS DEL CÓDIGO PENAL
Agresiones y abusos sexuales. Tipos cualificados	Arts. 178 ss.
Prostitución y corrupción de menores	Arts. 188, 183 bis
Delitos contra la intimidad	Arts. 197 ss.

---

[59] Con variaciones, los hechos están basados en los enjuiciados por la Sentencia del Tribunal Supremo, número 992/2005, de 28 de julio. *(Tol 697836).*

CASO NÚMERO 60

Eusebia, de cincuenta años de edad, convenció a Irina que en aquella fecha contaba con 15 años de edad —amiga de uno de sus hijos—, con complejos por su físico y con una capacidad mental límite, para que mantuviera relaciones sexuales a cambio de dinero con hombres mayores del pueblo, conocedores todos ellos de su minoría de edad. Luis, Vicente y Rubén pagaban por ello cantidades que oscilaban entre los doce y cien euros. Los encuentros entre dichos hombres e Irina se producían en ocasiones en el propio domicilio de Eusebia, consistiendo tales relaciones sexuales en penetración vaginal en unos casos y, en otros, en actos de masturbación. Tal situación se prolongó hasta que los padres de Irene denunciaron la desaparición de su hija y fue hallada, al día siguiente, en el domicilio de Eusebia por agentes de la Guardia civil, reintegrándola a la casa de sus padres.

Igualmente, Eusebia llevó a su hija Mónica, que presentaba un grado de minusvalía psíquica del 56%, aprovechando su superioridad y su total indefensión, a encontrarse con Carlos, trasladándose los tres a una zona de monte en el coche de aquel, y dentro del mismo, Carlos conocedor de su inferioridad mental e indefensión, realizó tocamientos de carácter sexual sobre Mónica, dándole por ello 12 euros[60].

CUESTIONES DE PARTE GENERAL

ASPECTOS A ANALIZAR	PRECEPTOS DEL CÓDIGO PENAL
Autoría y participación	Arts. 27 ss.
Relación concursal entre los distintos delitos. Concurso de leyes y de delitos	Arts. 8, 73 ss.
Delito continuado	Art. 74
Circunstancias agravantes genéricas: Estudio de su compatibilidad con el principio del *non bis in idem*.	Arts. 22, 67

CUESTIONES DE PARTE ESPECIAL

ASPECTOS A ANALIZAR	PRECEPTOS DEL CÓDIGO PENAL
Abusos sexuales. Tipos cualificados	Arts. 181 ss.
Prostitución y corrupción de menores	Art. 188, art. 183 bis
Inducción de menores al abandono de domicilio	Art. 224

---

[60]   Con variaciones, los hechos están basados en los enjuiciados por la Sentencia del Tribunal Supremo, número 809/2006, de 18 de julio. *(Tol 986870).*

CASO NÚMERO 61

Mari Luz, de trece años, no recibió el afecto y atención que necesitaba, debido a las enfermedades que padecían su abuela, madre y hermana. Esa carencia originó en Mari Luz una sensación de abandono emocional, conducta rebelde y oposicionista por lo que fue atendida en el Servicio de Salud Mental Infantil.

A través de Internet, conoció a Blas, mayor de edad, sin antecedentes penales y con domicilio en Madrid. Inicialmente, comenzaron a comunicarse mediante chat y transcurrido un mes el procesado consiguió que Mari Luz le diera su dirección de correo electrónico y teléfono móvil. Después, mantuvieron sus conversaciones por teléfono y por el Messenger.

Con el paso de los días y de las conversaciones entre ambos la relación se fue haciendo más estrecha e íntima. Mari Luz, ante la insistencia de Blas para que le mandase fotos de ella, le puso una videocámara para que pudiera verla y el procesado, por su parte, le mandó una foto que era de otra persona.

En el curso de las conversaciones, Mari Luz le comentó al procesado que la relación con sus padres era un poco tensa, que se sentía sola, situación que aquél aprovechó para conseguir su afecto y confianza mediante alabanzas a su físico, diciéndole que era muy guapa y que estaba enamorado de ella.

En una ocasión Blas llamó al número de teléfono que le había dado Mari Luz, cogiéndolo el padre de ésta, a quien le dijo que su hija tenía 13 años de edad, que la dejara en paz. En sus conversaciones Blas incitó a Mari Luz a que abandonase su domicilio familiar y que fuera a verlo a Madrid, para lo cual organizó el viaje. Mari Luz, sin el consentimiento ni conocimiento de sus padres se trasladó a Madrid, y allí se dirigió al domicilio de Blas, donde éste, prevaliéndose de la diferencia de edad, del estado emocional que presentaba Mari Luz en aquél momento y que se encontraba lejos de su domicilio familiar, logró que la menor aceptara mantener relaciones sexuales plenas, con penetración vaginal, que se fueron repitiendo varias veces hasta el día en que la llevó a la Comisaría de Ventas porque se enteró que la policía la estaba buscando por haber denunciado sus padres la desaparición.

Blas, después de que Mari Luz regresara a su domicilio familiar, comenzó a enviarle a ella y a sus padres cartas, mensajes y a llamarla por teléfono, con la finalidad de que Mari Luz volviese con él, yendo incluso a verla al instituto donde cursaba estudios.

A consecuencia de los hechos descritos Mari Luz presenta una sintomatología caracterizada por un estado emocional de tristeza y ansiedad, sentimiento de malestar, culpabilidad e impotencia con grave deterioro de las relaciones familiares, habiendo precisado tratamiento psicológico[61].

CUESTIONES DE PARTE GENERAL

ASPECTOS A ANALIZAR	PRECEPTOS DEL CÓDIGO PENAL
Autoría y participación	Arts. 27 ss.
Relación concursal entre los distintos delitos. Concurso de leyes y de delitos	Arts. 8, 73 ss.
Delito continuado	Art. 74
Circunstancias agravantes genéricas: Estudio de su compatibilidad con el principio del *non bis in idem*.	Arts. 22, 67

CUESTIONES DE PARTE ESPECIAL

ASPECTOS A ANALIZAR	PRECEPTOS DEL CÓDIGO PENAL
Abusos sexuales. Tipos cualificados	Arts. 181 ss.
Delito de *grooming*	Art. 183 ter.
Delito de corrupción de menores	Art. 183 bis.
Delito de lesiones. Lesiones psíquicas	Arts. 147 ss.
Inducción de menores al abandono de domicilio	Art. 224

---

[61]   Con variaciones los hechos están basados en los enjuiciados por la Sentencia del Tribunal Supremo, número 667/2013, de 16 de julio.

CASO NÚMERO 62

Carlos, que trabajaba como monitor de deportes infantil en un centro deportivo, contactaba con menores para invitarles a formar parte de un grupo dedicado a prácticas esotéricas relacionadas con Satán. En concreto, llevaba a cabo un ritual de iniciación consistente en un juramento con una fórmula común que era escrita y sellada con la sangre de cada menor con alusiones a ser admitido entre sus elegidos, pudiendo disponer de su cuerpo entre otros extremos. Al afirmar Carlos que era el enviado de Satán, creó en los menores, por su corta edad, doce y trece años, un entorno de miedo y temor a la superstición acompañado de manifestaciones consistentes en causarles a ellos mismos y a sus familiares graves daños y perjuicios e incluso la muerte si no accedían a sus pretensiones sexuales, que relacionaba con transmisiones o intercambios de energía. Bajo este clima de gran desasosiego y temor, que anuló las facultades de resistencia de los menores, mantuvo relaciones sexuales no consentidas que incluían en muchos casos la penetración. Asimismo ofrecía alcohol a los menores; les permitía presenciar, en algunos casos, sus actividades sexuales con otros menores, les sugería relaciones sexuales entre ellos y, finalmente, utilizaba a algunos de dichos menores para que reclutasen otros nuevos para continuar con su actividad sexual. Toda esta conducta provocó en los menores una alteración psicológica que incidió de modo gravemente negativo en su desarrollo pisco-sexual y en su personalidad[62].

CUESTIONES DE PARTE GENERAL

ASPECTOS A ANALIZAR	PRECEPTOS DEL CÓDIGO PENAL
Relación concursal entre los distintos delitos. Concurso de leyes y de delitos	Arts. 8, 73 ss.
Delito continuado	Art. 74

CUESTIONES DE PARTE ESPECIAL

ASPECTOS A ANALIZAR	PRECEPTOS DEL CÓDIGO PENAL
Delito de lesiones. Lesiones psíquicas	Arts. 147 ss.
Agresiones y abusos sexuales. Tipos cualificados	Arts. 178 ss.
Agresiones y abusos sexuales a menores de dieciséis años	Art. 183
Prostitución y corrupción de menores	Arts. 188, 183 bis.

---

[62] Con variaciones, los hechos están basados en los enjuiciados por la Sentencia del Tribunal Supremo, número 637/2005, de 17 de mayo. *(Tol 667683).*

CASO NÚMERO 63

José, mayor de edad, se valía de sus conocimientos informáticos para contactar con personas, casi todas chicas y menores de edad a través de distintas páginas de internet, ocultando su edad y sexo. En las conversaciones que mantenía con ellas les pedía que le enviasen fotos o videos de ellas desnudas así como les exigía que conectasen la webcam para obtener sus imágenes. Si se negaban les profería insultos y amenazas, les bloqueaba las cuentas de correo y se apoderaba de las mismas así como de sus contactos, datos personales, fotografías y videos que aquellas tenían en el escritorio o en carpetas de sus ordenadores, y no solo de las que las víctimas habían colgado en sus perfiles. Tras ponerle de manifiesto a las víctimas (cincuenta) el control que tenía sobre sus cuentas y contactos, consiguió en varias ocasiones que aquellas les mandasen fotografías y videos mostrando sus cuerpos desnudos y adoptando posturas y actitudes de claro contenido pornográfico. Para conseguirlo las amenazaba, insultaba y vejaba gravemente, llegando en algunos casos a acosarlas durante horas, e incluso meses, con el fin de obtener una permanencia en el tiempo de dichas conductas[63].

CUESTIONES DE PARTE GENERAL

ASPECTOS A ANALIZAR	PRECEPTOS DEL CÓDIGO PENAL
Autoría y participación	Arts. 27 ss.
Delito continuado	Art. 74

CUESTIONES DE PARTE ESPECIAL

ASPECTOS A ANALIZAR	PRECEPTOS DEL CÓDIGO PENAL
Difusión y posesión de material pornográfico	Art. 189
Delito de *grooming*	Art. 183 ter.
Delito de corrupción de menores	Art. 183 bis.
Delito de amenazas	Arts. 169 ss.
Delito de coacciones	Arts. 172 ss.
Delito contra la intimidad	Arts. 197 ss.
Delitos contra el honor. Injurias	Art. 208

[63] Con variaciones los hechos están basados en los enjuiciados por la Sentencia del Tribunal Supremo, número 342/2013, de 17 de abril.

CASO NÚMERO 64

En las inmediaciones de un campo de fútbol, Pablo abordó a una chica que se dirigía a su casa, empujándola contra un transformador e impidiéndole huir. Allí la agarró fuertemente del pelo y le golpeó la cabeza contra la pared de cemento al tiempo que le decía que se estuviera quieta, ya que si gritaba sacaría una navaja que llevaba en el bolsillo y la mataría allí mismo. Cuando logró inmovilizarla le exigió que le entregara el dinero que llevara, dándole la joven 2,50 euros, y luego la accedió carnalmente. Cuando terminó la amenazó diciéndole que si le denunciaba mandaría a un amigo para matarla, y le regaló un colgante y un pendiente. La chica acudió al hospital para que le curasen una contusión en el labio izquierdo y un hematoma en el parietal derecho, causados en la agresión previa al despojo del dinero.

Otro día en las mismas inmediaciones, Pablo aprovechó que una chica se hallaba sola en la parada del autobús para sujetarla fuertemente del brazo y arrastrarla hasta la rampa de un garaje particular. Allí le golpeó la cara y le arrebató un cordón, un pendiente y el dinero —unos diez euros—, accediéndola carnalmente después por vía bucal, vaginal y anal. Finalmente, la agarró de forma que no podía escaparse, y diciéndole en todo momento que mantuviera la boca cerrada, la condujo andando durante un kilómetro a un club situado en las inmediaciones de la autovía, donde pidió un taxi con el que se dirigieron a una pensión. Allí de nuevo intimidó a la joven con un arma y la penetró anal y vaginalmente en repetidas ocasiones, amenazándola también con que tenía una pistola. Posteriormente la llevó a buscar una sucursal para sacar el dinero que tuviera en la cuenta de la tarjeta de crédito. A consecuencia de los hechos descritos la joven sufrió lesiones consistentes en contusión cervical, bucal y sintomatología ansiosa depresiva que ha ido remitiendo con el tiempo, sin requerir tratamiento médico quirúrgico, si bien en la actualidad continúa en tratamiento psicológico[64].

---

[64] Con variaciones, los hechos están basados en los enjuiciados por la Sentencia del Tribunal Supremo, número 820/2005, de 23 de junio. *(Tol 697781).*

CUESTIONES DE PARTE GENERAL

ASPECTOS A ANALIZAR	PRECEPTOS DEL CÓDIGO PENAL
Relación concursal entre los distintos delitos. Concurso de leyes y de delitos	Arts. 8, 73 ss.
Delito continuado	Art. 74

CUESTIONES DE PARTE ESPECIAL

ASPECTOS A ANALIZAR	PRECEPTOS DEL CÓDIGO PENAL
Delito de lesiones. Lesiones psíquicas	Arts. 147 ss.
Detenciones ilegales y secuestros	Arts. 163 ss.
Amenazas y coacciones	Arts. 169 ss.
Agresiones sexuales. Tipos cualificados	Arts. 178 ss.
Robo con violencia o intimidación	Art. 242

ACUERDO DE PLENO DEL TRIBUNAL SUPREMO
Véase Anexo I.16. Acuerdo del día 10 de octubre de 2003

CASO NÚMERO 65

Marino y Encarnación, ambos mayores de edad, contactaron con la menor Milagrosa (nacida en Rumanía), aprovechando el transcurso de un viaje en autocar desde Rumanía a Italia. Los acusados ofrecieron a la menor trabajo si los acompañaba hasta Roma para, a cambio de una retribución económica, hacerse cargo allí del cuidado de un hijo menor de edad que le manifestaron tenían ambos. Ambos sujetos conocían que Milagrosa era menor, puesto que durante el viaje se apoderaron de la documentación acreditativa de la identidad que ésta portaba.

Confiada la menor en la bondad de las palabras de los dos individuos, accedió a acompañarlos hasta Roma, pero una vez allí, mediante agresiones reiteradas y bajo amenaza de agredirla, conminaron a la menor Milagrosa a ejercer la prostitución en la calle, obligándola a que les entregara íntegramente el dinero que así obtenía de las relaciones sexuales que mantuvo, cantidad no bien precisada pero en todo caso el producto de haber mantenido una media de 10 relaciones sexuales/día.

Posteriormente, los tres se trasladaron a España. Marino, con ánimo de menoscabar la integridad física y psíquica de Milagrosa, la golpeó reiteradamente, propinándole tirones, puñetazos, patadas y bofetadas. Llegó a golpearla con un palo y desnudarla íntegramente, le arrojó agua fría y la golpeó con un cable y con un rodillo de cocina, causándole con estas acciones diversas lesiones; entre otras, diversas excoriaciones en espalda, en las nalgas, en ambos muslos y en ambas piernas, tardando estas lesiones en curar 12 días tras una primera asistencia.

Encarnación, con ánimo igualmente de menoscabar la integridad física de la menor Milagrosa, en una ocasión le clavó un lápiz en el ojo izquierdo causándole una lesión consistente en hiposfagma que precisó para su curación una primera asistencia facultativa y que sanó transcurridos 12 días. En otra ocasión, le quemó en el dorso de la mano derecha con un cigarrillo, causándole lesiones que precisaron únicamente una primera asistencia facultativa y que habrían de sanar transcurridos 15 días.

Tras estas agresiones conminaron nuevamente a la menor para que ejerciera la prostitución y les entregara el dinero que obtuviera diciéndole que, de no hacerlo la matarían y la enterrarían en un bosque para que se pudriera. La menor, atemorizada por las diversas y repetidas agresiones físicas que los acusados le habían inferido y sin otros recursos familiares y sociales a los que acudir, accedió a los requerimientos y durante un periodo de tiempo no bien precisado pero alrededor de dos semanas mantuvo un número no concretado de relaciones sexuales vaginales con distintas personas a cambio de unos 30 euros por cada intercambio sexual, cantidad que entregó íntegramente a los acusados conforme le exigieron.

En el ejercicio de esta actividad, fue sorprendida Milagrosa por la policía, con un cliente, Bernabé[65].

CUESTIONES DE PARTE GENERAL

ASPECTOS A ANALIZAR	PRECEPTOS DEL CÓDIGO PENAL
Autoría y participación	Arts. 27 ss.
Relación concursal entre los distintos delitos. Concurso de leyes y de delitos	Arts. 8, 73 ss.
Delito continuado	Art. 74

CUESTIONES DE PARTE ESPECIAL

ASPECTOS A ANALIZAR	PRECEPTOS DEL CÓDIGO PENAL
Delito de lesiones	Arts. 147 ss.
Detenciones ilegales y secuestros	Arts. 163 ss.
Amenazas y coacciones	Arts. 169 ss.
Agresiones sexuales. Tipos cualificados	Arts. 178 ss.
Delitos contra los derechos de los ciudadanos extranjeros	Art. 318 bis
Delitos de prostitución de menores	Art. 188 CP

---

[65] Con variaciones los hechos están basados en los enjuiciados por la Sentencia del Tribunal Supremo, número 610/2013, de 15 de julio.

CASO NÚMERO 66

Tras enviudar Ignacio, alcalde de una localidad, inició una relación sentimental y sexual con Ariadna, concejal de su mismo ayuntamiento. Dichas relaciones se mantuvieron con normalidad durante cuatro meses hasta que se inició un deterioro progresivo debido a la diferencia de edad y de personalidad entre ambos.

Tras producirse la ruptura surgieron situaciones de tensión con trascendencia en la vida personal y profesional de ambos, derivada de la negativa de Ariadna a continuar las relaciones sexuales y a la persistencia de su ex novio en sentido contrario. Desde el momento en que se produjo la ruptura definitiva Ignacio cambió de aptitud y comenzó a criticar públicamente a Ariadna, e incluso durante un pleno del Ayuntamiento Ignacio le recriminó que no llevaba bien preparada la reunión, tirando los papeles de Ariadna al suelo. Asimismo, Ignacio desconvocó una junta de los organismos municipales presididos por Ariadna, con el pretexto de un inadecuado orden del día. Ariadna, cuyo deterioro era notoriamente perceptible, no podía soportar más las presiones psicológicas sufridas, por lo que desapareció de su localidad. Fue atendida en el servicio de urgencias, donde se le diagnosticó un trastorno adaptativo con estado de ansiedad[66].

CUESTIONES DE PARTE GENERAL

ASPECTOS A ANALIZAR	PRECEPTOS DEL CÓDIGO PENAL
Concurso de leyes y de delitos	Arts. 8, 73 ss.

CUESTIONES DE PARTE ESPECIAL

ASPECTOS A ANALIZAR	PRECEPTOS DEL CÓDIGO PENAL
Delito de lesiones. Lesiones psíquicas	Arts. 147 ss.
Delito contra la integridad moral	Art. 173.1
Acoso sexual	Art. 184

---

[66]   Con variaciones, los hechos están basados en los enjuiciados por la Sentencia del Tribunal Supremo, número 1460/2003, de 7 de noviembre. *(Tol 324665).*

CASO NÚMERO 67

Amadeo, vigilante jurado, prestaba sus servicios en un centro comercial, donde trabajaba también Estela, de categoría profesional guarda de seguridad, jerárquicamente inferior a la del acusado. Estela fue objeto de comentarios de Amadeo y actos que implicaban un sentimiento de atracción sexual, como "dame un beso", "vamos a tu casa", e incluso en una ocasión le tocó una nalga con la mano y otras veces llamaba a la puerta del vestuario donde se cambiaba, llegando a darle un beso. Estela soportó estos hechos durante meses, sin ponerlos en conocimiento de la dirección de la empresa por cuenta de la cual trabajaba por temor a sufrir represalias de Amadeo, como superior jerárquico de la misma[67].

CUESTIONES DE PARTE ESPECIAL

ASPECTOS A ANALIZAR	PRECEPTOS DEL CÓDIGO PENAL
Acoso sexual	Art. 184

---

[67]   Con variaciones, los hechos están basados en los enjuiciados por la Sentencia del Tribunal Supremo, número 1135/2000, de 23 de junio. *(Tol 272666).*

CASO NÚMERO 68

Benita y Adolfina salieron con una amiga, Eugenia, a cenar y ya de madrugada acudieron a varios locales de copas con Antonio, que invitó además a las chicas a tomarse unas copas, entablando una conversación con ellas. Tanto Benita como Adolfina comenzaron a encontrarse mal, perdiendo la noción del tiempo y del espacio, hasta el punto de que, sin saber cómo, se vieron en el interior de una especie de almacén de bebidas en compañía de Antonio, recordando Adolfina que se encontraba sentada sobre unas cajas mientras Antonio, desnudo de cintura para abajo, bajó los pantalones y las bragas a Benita, que se encontraba contra la pared. Antonio les introducía a ambas, de vez en cuando, el dedo en la boca impregnado con una sustancia que había esparcida sobre las cajas de bebidas y que les restregaba por la encía. En un momento dado, Antonio cogió fuertemente a Benita del pelo y colocándose delante de ella trató de introducirle el pene en la boca, no quedando acreditado que llegara a conseguirlo. Mientras esto sucedía entró en el almacén Celestino, amigo de Antonio, y una vez Benita había sido sacada del lugar, se dirigió a Adolfina, a la cual, aprovechando el estado de se-miinconsciencia en el que se encontraba fruto del alcohol y de la cocaína ingerida, trató de introducirle el pene en la vagina, no quedando acreditado que llegara a penetrarla, saliendo posteriormente del almacén[68].

CUESTIONES DE PARTE GENERAL

ASPECTOS A ANALIZAR	PRECEPTOS DEL CÓDIGO PENAL
Culpabilidad: eximentes y atenuantes	Arts. 20.2 y 21.1, 21,2
Tentativa y consumación	Arts. 15 s
Autoría y participación	Arts. 27 ss.
Relación concursal entre los distintos delitos. Concurso de leyes y de delitos	Arts. 8, 73 ss.
Delito continuado	Art. 74

CUESTIONES DE PARTE ESPECIAL

ASPECTOS A ANALIZAR	PRECEPTOS DEL CÓDIGO PENAL
Agresiones y abusos sexuales	Arts. 178 ss.

---

[68] Con variaciones, los hechos están basados en los enjuiciados por la Sentencia del Tribunal Supremo, número 833/2009, de 28 de julio.

CASO NÚMERO 69

Una tarde se reunieron en una finca un grupo de amigos y conocidos entre los que se encontraban Teófilo, quien actuaba de anfitrión, pues la vivienda pertenece a sus padres, y como invitados Amelia mayor de edad, y el novio de ésta, Esteban.

Antes de la cena los reunidos consumieron bebidas alcohólicas —sangría y cerveza— compartiendo un cigarro de marihuana, y cuando se disponían a cenar Amelia se sintió indispuesta, retirándose a una habitación, situada en la planta superior, que había asignado Teófilo para ella y su novio.

Algún tiempo después Teófilo, que había seguido ingiriendo bebidas alcohólicas y visitado la casa vecina, donde se celebraba una fiesta, encontrándose semiembriagado y con significativa disminución de su capacidad intelectiva y volitiva, regresó a la vivienda y se introdujo en la habitación de Amelia sabiendo que se encontraba sola, pues había visto a su pareja en el salón de la planta baja. Teófilo, con propósito de satisfacer sus deseos sexuales y consciente de que la chica dormía, procedió a desvestirla de cintura para abajo y a penetrarla vaginalmente, momento en que la joven se despertó por el dolor, aturdida, pensando que quien se encontraba con ella era su novio, extremo desmentido al encenderse la luz y ver a Teófilo, quien salió de la estancia sin decir palabra.

Minutos después Amelia contó lo ocurrido a Esteban y ambos abandonaron la vivienda sin hablar con nadie; acudieron a un centro médico y ella formuló denuncia de forma inmediata.

A consecuencia de estos hechos Amelia sufrió síndrome de stress postraumático quedándole como secuelas trastorno del humor con reexperimentación del hecho traumático, acompañado de malestar psicológico y cuadro neuro-vegetativo con síntomas de ansiedad, pensamientos recurrentes e intrusivos y labilidad emocional[69].

---

[69]   Con variaciones, los hechos están basados en los enjuiciados por la Sentencia del Tribunal Supremo, número 195/2009, de 29 de enero.

CUESTIONES DE PARTE GENERAL

ASPECTOS A ANALIZAR	PRECEPTOS DEL CÓDIGO PENAL
Tentativa y consumación	Arts. 15 s.
Culpabilidad: eximentes y atenuantes	Arts. 20.2 y 21.1, 21,2
Relación concursal entre los distintos delitos. Concurso de leyes y de delitos	Arts. 8, 73 ss.
Delito continuado	Art. 74

CUESTIONES DE PARTE ESPECIAL

ASPECTOS A ANALIZAR	PRECEPTOS DEL CÓDIGO PENAL
Delito de lesiones. Lesiones psíquicas	Arts. 147 ss.
Agresiones y abusos sexuales	Arts. 178 ss.

ACUERDO DE PLENO DEL TRIBUNAL SUPREMO
Véase Anexo I.3 Acuerdo del día 27 de octubre de 2009

X. DELITOS CONTRA LA LIBERTAD. COACCIONES, AMENAZAS, DETENCIONES ILEGALES Y SECUESTROS

CASO NÚMERO 70

Celso entró en unión de otros cinco individuos en la vivienda del matrimonio formado por la Evangelina y Samuel, arrendatarios del piso, fingiendo preguntar por la identidad del presidente de la comunidad de vecinos.

Una ven en el interior, los individuos, que llevaban pasamontañas colocados en sus cabezas, chalecos de color amarillo fluorescente con la palabra "Policía" en su parte posterior, así como revólveres (al menos dos de los individuos) y otros instrumentos que se asemejaban a porras, cogieron de los brazos a Samuel y a su esposa, arrastrándolos por la fuerza hasta el salón mientras proferían gritos con la frase "policía, policía".

Ya en el salón comedor los hombres golpearon a Samuel y a continuación echaron al suelo a los dos moradores de la vivienda, procediendo entonces a atar sus manos a la espalda con unas bridas de plástico que llevaban al efecto, quedando ambos tumbados boca abajo. En esa situación los cuerpos de los moradores de la vivienda quedaron pegados entre sí, de manera que uno de los brazos de Evangelina quedó atado a una de las piernas de su marido, Samuel. Los asaltantes procedieron al registro de los moradores, haciéndose con la cartera de Samuel así como con 10 euros que Evangelina portaba en uno de sus bolsillos.

Minutos después se presentó en el domicilio Otilia, propietaria de la casa. Uno de los individuos que estaban en el interior de la vivienda abrió la puerta y cogiendo por el brazo a aquella la introdujo en el domicilio. Una vez en su interior Celso llevó a Otilia a una habitación contigua, haciendo que se sentara en una silla y tras colocarle unas bridas de plástico en sus muñecas le dijo que aquello era una operación policial para incautar droga. La situación se prolongó unos minutos más, durante los cuales Celso iba de un lado a otro de la vivienda, acercándose hasta la altura de sus moradores (que continuaban en el suelo yaciendo en la misma posición vigilados por un miembro del grupo) y exigiéndoles de nuevo la entrega de dinero y droga, pisando incluso la cabeza de Samuel.

Tras colocar los teléfonos móviles de los ocupantes en el horno, abandonaron la vivienda. Samuel pudo desatarse por sus propios medios y liberar a las dos mujeres, denunciando los hechos a la policía[70].

CUESTIONES DE PARTE GENERAL

ASPECTOS A ANALIZAR	PRECEPTOS DEL CÓDIGO PENAL
Autoría y participación	Arts. 27 ss.
Tentativa y consumación	Arts. 15 s.
Circunstancias agravantes genéricas	Art. 22
Relación concursal entre los distintos delitos. Concurso de leyes y de delitos	Arts. 8, 73 ss.

CUESTIONES DE PARTE ESPECIAL

ASPECTOS A ANALIZAR	PRECEPTOS DEL CÓDIGO PENAL
Coacciones	Arts. 172 ss.
Amenazas	Arts. 169 ss.
Detenciones ilegales y secuestros	Arts. 163 ss.
Delito de robo	Arts. 237 ss.

---

[70] Con variaciones, los hechos están basados en los enjuiciados por la Sentencia del Tribunal Supremo, número 609/2013, 28 de junio.

CASO NÚMERO 71

María sospechaba que Gracia, que efectuaba labores domésticas en su domicilio, le había sustraído del mismo una notable cantidad de dinero en días anteriores (a pesar de lo cual no había interpuesto denuncia). Por ello, cuando ésta había concluido sus tareas y se aprestaba a marcharse la acusó de la sustracción y la instó a que devolviera todo. Con expresiones amenazantes la conminó a permanecer en la casa hasta tanto no llegara un amigo, miembro de la policía autonómica, para tomarle las huellas, desatendiendo sus protestas de inocencia, sus lloros y su petición de que llamara a la policía y la denunciara si la creía autora de la sustracción. Gracia, acobardada ante la situación creada, no insistió en abandonar la casa para evitar un incidente mayor, pero logró llamar a una hija con su teléfono móvil y ésta, a su vez, a su esposo, quien avisó a la policía que se personó en el domicilio de María[71].

CUESTIONES DE PARTE GENERAL

ASPECTOS A ANALIZAR	PRECEPTOS DEL CÓDIGO PENAL
Cumplimiento de un deber o ejercicio legítimo de un derecho.	Arts. 20.7, 21.1
Error sobre la concurrencia de los presupuestos objetivos de una causa de justificación	Art. 14.3
Autoría y participación	Arts. 27 ss.
Relación concursal entre los distintos delitos. Concurso de leyes y de delitos	Arts. 8, 73 ss.

CUESTIONES DE PARTE ESPECIAL

ASPECTOS A ANALIZAR	PRECEPTOS DEL CÓDIGO PENAL
Delito de coacciones. Distinción con el delito de detenciones ilegales	Arts. 172 ss.
Detenciones ilegales y secuestros	Arts. 163 ss.
Realización arbitraria del propio derecho	Art. 455

---

[71] Con variaciones, los hechos están basados en los enjuiciados por la Sentencia del Tribunal Supremo, número 731/2006, de 3 de julio. *(Tol 964534)*.

CASO NÚMERO 72

Raúl cambió la cerradura de su casa sin que le diera las llaves a su esposa, por lo que esta no puedo salir del domicilio una vez que Raúl cerró la puerta. Al día siguiente Raúl realizo la misma operación. Su mujer llamó a su vecina para que avisara a la Policía. Antes de que se personasen los agentes, regresó Raúl, quien abrió la puerta por lo que su mujer pudo salir a la calle, donde ya fue encontrada por los agentes[72].

CUESTIONES DE PARTE GENERAL

ASPECTOS A ANALIZAR	PRECEPTOS DEL CÓDIGO PENAL
Circunstancias atenuantes genéricas	Arts. 21.5
Circunstancia mixta de parentesco	Art. 23

CUESTIONES DE PARTE ESPECIAL

ASPECTOS A ANALIZAR	PRECEPTOS DEL CÓDIGO PENAL
Detenciones ilegales y secuestros	Arts. 163 ss.

---

[72]　Con variaciones, los hechos están basados en los enjuiciados por la Sentencia del Tribunal Supremo, número 519/2006, de 5 de mayo. *(Tol 945166)*.

CASO NÚMERO 73

Ernesto, con intención de eludir su captura al tener en vigor varias requisitorias judiciales, decidió asumir la identidad de su hermano Paulino, que había fallecido, y para ello elaboró un DNI con número correspondiente a su hermano, al que le puso su fotografía e imitó la firma, haciéndose pasar por él desde entonces, incluso solicitó el permiso de conducir a nombre de Paulino, firmando los documentos necesarios para ello bajo la identidad de su hermano, el cual le fue expedido.

Ernesto, al suplantar la identidad de su hermano Paulino, inició una serie de actividades comerciales siendo apoderado de varias empresas. No obstante, a consecuencia de la difícil situación económica por la que atravesaban, decidió planificar y ejecutar el secuestro de una persona adinerada para pedir un rescate por su liberación.

Para ello contó con la participación, a cambio de una parte del rescate, de Baltasar, a quien conocía y con el que tenía amistad desde hacía mucho tiempo, decidiéndose por la persona de Jesús, empresario, sabedor de que su familia poseía negocios inmobiliarios. Para la elección del lugar de custodia del secuestrado Ernesto se decidió por el chalet propiedad de Íñigo.

A cambio de una importante compensación económica —en torno a los 100.000 euros—, Jacinto e Íñigo aceptaron el encargo de custodiar en la finca al futuro secuestrado y, previamente, bajo las órdenes de Ernesto, acondicionaron uno de los boxes de caballos que existía en dicha finca, a fin de que resultara herméticamente cerrado, colocando un techo de uralita y un segundo techo de corcholina, y colocando una argolla para la ocasión a un metro de altura, con la que amarrar las cadenas del futuro secuestrado, además de tapar los huecos de la puerta de acceso con una chapa adherida y recubierta con enfoscado.

Victorino, hijo de Ernesto, participaría como persona de confianza de su padre durante toda la ejecución del secuestro y, a tal efecto, controlaría las entradas y salidas del empresario. Igualmente, acordaron que Jacinto no se quedara sólo en el chalet durante el cautiverio, turnándose en la custodia tanto Ernesto como Íñigo. Ernesto acordó con Jacinto abastecerlo de hachís y cocaína durante el secuestro, para que no tuviera que abandonar la finca o hacerlo lo menos posible.

Una vez que se llevase a cabo el secuestro, Victorino se desplazaría a Madrid, y bajo las instrucciones de Ernesto mantendría contacto con el futuro mediador de la familia de Jesús sobre la cantidad de dinero que tenían que entregar para que liberasen a Jesús, para lo que fijaron inicialmente la cantidad de diez millones de euros.

Para la ejecución material del secuestro Ernesto contrató a tres personas, que no han resultado identificadas, a las que pagó un precio de unos 30.000 euros a cada una de ellas.

En ejecución del plan trazado esperaron a que Jesús saliera de una de las gasolineras de su propiedad al término de su jornada laboral portando un sobre con 12.000 euros, fruto de la liquidación de la recaudación del día. En ese momento fue atracado por detrás por dos personas corpulentas que, tras inmovilizarlo, lo introdujeron a la fuerza en una furgoneta estacionada frente a las oficinas, en la que había una tercera persona en el puesto del conductor. Una vez dentro del vehículo los dos captores le ataron los pies y manos con presillas plásticas y con cinta de embalar, le colocaron una capucha en la cabeza y le metieron un pañuelo en la boca para que no gritara.

Tras unos 15 minutos en que la furgoneta estuvo circulando se detuvo, sacaron a Jesús de la furgoneta y lo introdujeron en el maletero de un coche, haciéndose uno de ellos cargo del sobre con los 12.000 euros. Después continuaron un viaje de unas dos horas hasta llegar al chalet, donde, en presencia de Ernesto, al menos dos personas lo sacaron del maletero y lo introdujeron en el box que habían preparado, en el que se había puesto un colchón sucio y amarillento y un cubo con una bolsa de plástico para que hiciese sus necesidades, colocándole encima de la capucha un precinto a la altura de los ojos, así como una mordaza en la boca, y unas esposas en la muñeca izquierda, que a su vez ataron a la argolla de la pared a la altura de un metro, quedando la otra mano amarrada a la anterior a través de cinta de embalar. Con cuerda de nylon le ataron las manos y las piernas, quedando en una postura sumamente forzada e incómoda, sin poder siquiera tumbarse. En esa situación le introdujeron tres pastillas de tranquimazin en la boca y le abandonaron en el habitáculo, cerrando la puerta metálica con dos cerrojos. La víctima se quedó dormida como consecuencia de los efectos de las pastillas.

Al amanecer Jacinto le quitó las presillas de los pies y lo ató con unas cadenas que a su vez ató a las esposas, pudiéndose mantener tumbado, pero le recolocó la capucha de forma que se la puso a la altura de la nariz, fuertemente atada, oprimiéndole e impidiéndole abrir los ojos. De esta forma permaneció tres días, siendo el citado el encargado de darle de comer directamente en la boca, y teniendo que hacer sus necesidades en un cubo en una postura sumamente dificultosa, lo que dio lugar a que en alguna ocasión se vaciara el contenido del cubo en el colchón. Jesús, durante esos tres días pidió incesantemente que le aflojaran la capucha, a lo que Jacinto le dijo que eso lo tenía que decidir una persona de más entidad.

Victorino le preguntó a Jesús quién era la persona de más confianza que tenía, diciéndoles el nombre de su mejor amigo, cuyo móvil conocía de memoria, Victoriano. Le pidió que escribiera tres cartas, una de ellas para Victoriano, solicitando el pago de 2 millones de euros por su liberación, y las otras dos para su padre, comunicándole el acuerdo de pago de esa cantidad y advirtiéndole que no dijera nada a la policía.

Durante el cautiverio la rutina diaria era de 3 comidas al día, siempre atado, llegó a pasar sed, y tuvo que hacer las necesidades en un cubo con una bolsa de basura, siendo en una ocasión amenazado con el traslado a un zulo bajo tierra, y tan solo en una ocasión le permitieron asearse para hacerle una fotografía. Durante todos los días que lo mantuvieron encerrado Jacinto, de acuerdo con las órdenes de Ernesto, y con pleno conocimiento por parte de Victorino y Íñigo, le suministró medio comprimido de tranquimazin de 2 mg. al medio día y uno entero por la noche. En el interior del box durante el día hacía un calor insoportable, ya que el techo era de uralita y la puerta de chapa, llegándose a alcanzar temperaturas de más de 40 grados, pasando mucho frío por las noches, y durante todos los días, desde que amanecía hasta que anochecía, le ponían en el box de al lado un CD de unos 48 minutos de duración de música árabe con el volumen muy fuerte en la función de repetición, por lo que nunca cesó la música durante el cautiverio. En ocasiones, durante la noche, José María se despertaba con picores en la cara y el cuerpo dándose cuenta de que eran las hormigas las que le despertaban atraídas por sus propios restos de comida, escamas de piel y heces.

Tras veinte días de cautiverio, Jesús fue liberado por la policía.

Como consecuencia de estos hechos Jesús sufrió trastorno por estrés postraumático crónico, con cuadro de estado de ánimo depresivo, fatiga y pérdida de energía, enlentecimiento psicomotor, disminución acusada del interés por actividades cotidianas, problemas de concentración, somatizaciones, pesadillas, pensamientos recurrentes, miedos, hipervigilancia, esfuerzos por evitar situaciones relacionadas con los hechos denunciados, miedo al futuro, sensación de desolación e indefensión acompañado por miedo por su integridad física y su familia, sintomatología ésta que por la severidad de la persistencia es causa de un significativo distrés o alteración en lo social, en lo laboral, en lo biológico y en el funcionamiento psicológico, constitutivo de secuelas importantes en su desempeño actual y futuro y, aunque ha seguido tratamiento durante un año y tiene indicada la reanudación de tratamiento médico psiquiátrico, psicológico y psicoterapéutico en fechas próximas, dichas secuelas quedarán, en mayor o menor grado, de por vida[73].

---

[73]   Con variaciones, los hechos están basados en los enjuiciados por la Sentencia del Tribunal Supremo, número 331/2012, de 4 de mayo.

CUESTIONES DE PARTE GENERAL

ASPECTOS A ANALIZAR	PRECEPTOS DEL CÓDIGO PENAL
Autoría y participación	Arts. 27 ss.
Circunstancias agravantes genéricas	Art. 22

CUESTIONES DE PARTE ESPECIAL

ASPECTOS A ANALIZAR	PRECEPTOS DEL CÓDIGO PENAL
Detenciones ilegales y secuestros	Arts. 163 ss.
Amenazas	Arts. 169 ss.
Delitos contra la integridad moral	Arts. 173 ss.
Lesiones	Arts. 147 ss.
Falsedades documentales	Arts. 390 ss.

CASO NÚMERO 74

Tomás y Daniel decidieron encerrar a una persona que residía en una urbanización de lujo para pedir una cuantiosa suma a cambio de su liberación. Cuando se hallaban en dicha urbanización vieron a una chica que hacia footing por las inmediaciones, y bruscamente la introdujeron en el vehículo y la amordazaron y maniataron. Llegados al destino, los acusados situaron a la víctima en una de las dependencias. Después, en una estancia contigua, Tomás y Daniel preocupados de que pudieran haber sido vistos en su huida, discutieron sobre los inconvenientes de liberarla, y llegaron a la conclusión de que debían de acabar con su vida, lo cual hicieron mediante ahorcamiento.

Al día siguiente, y una vez puestos de acuerdo sobre la cantidad que iban a reclamar, Tomás efectuó una llamada telefónica al domicilio de la víctima, y tras identificarse como uno de los secuestradores, exigió como condición para liberarla la entrega de 900.000 euros. A partir de entonces, realizaron diversas llamadas al mismo domicilio, dos de las cuales tuvieron por finalidad dar instrucciones y fijar el lugar exacto para la entrega del dinero. Accediendo a lo exigido, se desplazó un enviado de la familia a los lugares indicados, pero Tomás y Daniel pese a encontrarse en las proximidades, no se presentaron a recoger el dinero por miedo a ser sorprendidos. Al comprender que para obtener el dinero debían ofrecer una prueba de que la víctima permanecía con vida, Tomás convenció a su esposa, mayor de edad y sin antecedentes penales, para que grabara en una cinta magnetofónica un mensaje fingiendo ser la víctima. Una vez grabado, enviaron el mensaje a la familia, sin realizar posteriormente ninguna otra llamada telefónica al convencerse de que era imposible ofrecer una prueba fidedigna de que la víctima se encontrara con vida y conseguir sus propósitos sin ser descubiertos. Practicada la detención de Tomás y Daniel, y una vez informados del motivo de la misma, indicaron a los agentes policiales el sitio donde habían dejado el cadáver de la chica, y relataron su versión de lo ocurrido[74].

---

[74] Con variaciones, los hechos están basados en los enjuiciados por la Sentencia del Tribunal Supremo, número 332/1999, de 5 de marzo. (*Tol 272156*).

CUESTIONES DE PARTE GENERAL

ASPECTOS A ANALIZAR	PRECEPTOS DEL CÓDIGO PENAL
Autoría y participación	Arts. 27 ss.
Circunstancias atenuantes genéricas	Art. 21.4

CUESTIONES DE PARTE ESPECIAL

ASPECTOS A ANALIZAR	PRECEPTOS DEL CÓDIGO PENAL
Asesinato	Arts. 139 s.
Detenciones ilegales y secuestros	Arts. 163 ss.
Encubrimiento	Arts. 451 ss.

CASO NÚMERO 75

Matías era mayor de edad, natural de Estonia, y con antecedentes penales computables a efectos de reincidencia. Tomás era natural de Bulgaria, sin antecedentes penales. Camilo era mayor de edad, natural de España. Los tres sujetos, puestos de común acuerdo y actuando con la finalidad de obtener un beneficio patrimonial ilícito, se dirigieron al garaje del domicilio de Carlos y Soledad.

Una vez en el garaje, los tres asaltantes esperaron la llegada de Carlos y Soledad. Cuando éstos llegaron golpearon a Carlos en la cabeza y otras partes del cuerpo, dejándolo temporalmente inconsciente, y golpearon también a Soledad. Carlos fue introducido en el maletero del automóvil que llevaron hasta allí los asaltantes y Soledad en la parte trasera del mismo, vehículo que conducía Tomás.

En un momento dado y con una duración indeterminada, Daniel fue atado con bridas y Soledad con cintas. Tras abandonar el domicilio de Carlos y Soledad, los tres asaltantes condujeron a la pareja a un lugar donde introdujeron a Carlos en una furgoneta utilizada por Camilo, y a Soledad en otro vehículo, siendo conducidos ambos a un lugar no determinado de la misma localidad. Una vez allí, con ánimo de obtener un enriquecimiento ilícito, le pidieron a Carlos que les entregase un dinero cuyo paradero creían que Carlos debería conocer y que pertenecería a un narcotraficante. Tras una un largo interrogatorio efectuado a Carlos y una búsqueda infructuosa, y sin que se haya podido demostrar que obtuviesen el botín pretendido, los atacantes dejaron en libertad a Carlos y a Soledad aproximadamente transcurridas dos horas. Por la realización de estos hechos, Camilo, Tomás y Matías obtuvieron una remuneración, sin que se haya podido determinar quién efectuaba el pago, surgiendo problemas entre ellos respecto a la cantidad que les correspondía por su participación.

A resultas de los hechos Soledad sufrió ansiedad leve, que sólo requirió, para su sanidad de una primera asistencia facultativa, invirtiendo en su curación cinco días no impeditivos, sin secuelas. Carlos sufrió policontusiones cráneo-faciales, erosiones múltiples y trauma flanco abdominal izquierdo, que sólo requirió para su sanidad de una primera asistencia facultativa, invirtiendo en su curación cuatro días no impeditivos, sin que resten secuelas[75].

---

[75]   Con variaciones, los hechos están basados en los enjuiciados por la Sentencia del Tribunal Supremo, número 1022/2012, de 19 de diciembre.

CUESTIONES DE PARTE GENERAL

ASPECTOS A ANALIZAR	PRECEPTOS DEL CÓDIGO PENAL
Relación concursal entre los distintos delitos. Concurso de leyes y de delitos	Arts. 8, 73 ss.

CUESTIONES DE PARTE ESPECIAL

ASPECTOS A ANALIZAR	PRECEPTOS DEL CÓDIGO PENAL
Delito de lesiones. Lesiones psíquicas	Arts. 147 ss.
Detenciones ilegales y secuestros	Arts. 163 ss.
Coacciones	Arts. 172 ss.
Extorsión	Art. 243
Delito de robo	Arts. 237 ss.

CASO NÚMERO 76

Varios miembros del denominado Comité Central de la organización terrorista Grupo de Resistencia Antifascista Primero de Octubre (GRAPO), entre los que se encontraban Baldomero, Florencio, Camino y Benedicto, mantuvieron una reunión en un lugar indeterminado, en la que se habló de la financiación del grupo y de la necesidad de llevar a cabo el secuestro de un financiero con la finalidad de allegar fondos para la banda terrorista a cambio de su liberación, eligiéndose como víctima propicia a la persona del empresario D. Pedro.

En el curso de la precitada reunión, se distribuyeron los distintos roles necesarios para el éxito descrito, unos para el operativo, otros para la retención y otros para el cobro del rescate, asumiendo Baldomero la responsabilidad máxima de la citada acción en su conjunto, reservando las funciones de custodia y vigilancia posterior del secuestrado a Benedicto, así como la labor de cobro del rescate.

En ejecución del plan proyectado, y aprovechando que, según su costumbre, D. Pedro salió a practicar "footing" en compañía de tres perros de su propiedad, en las inmediaciones de su residencia fue abordado en un punto concreto de su trayecto en el que se perdía toda visibilidad por Florencio y por Benedicto, mientras que Baldomero permanecía al volante de la furgoneta, conminando al Sr. Pedro a introducirse en el vehículo, trasladándolo hasta un lugar en un polígono industrial.

A partir de este momento, la organización comenzó la negociación con la familia de D. Pedro, al objeto de cobrar el rescate que se habían propuesto obtener. Para ello, Baldomero efectuó una llamada telefónica al domicilio familiar reivindicando la autoría del secuestro, al igual que hizo en sendas cartas, que incorporaban el anagrama GRAPO, dirigidas a los periódicos "Las Provincias" de Valencia, la "Voz de Galicia" de Pontevedra y "Heraldo de Aragón" de Zaragoza, exigiendo a cambio de su liberación la cantidad de tres millones de euros, y estableciendo como medio para contactar con la banda la inserción de un anuncio en la sección correspondiente del diario "El País" con un número de teléfono móvil.

La cantidad del rescate, tras diversas negociaciones, quedó finalmente fijada, pactando de igual modo con los familiares de D. Pedro la ciudad como lugar escogido para la entrega de la citada suma de dinero en efectivo que fue finalmente realizada.

Logrado su inicial propósito de percepción del dinero y pese a su reiterada manifestación de que liberarían a D. Pedro, precisando hora y lugar de la liberación del detenido, no se verificó la aparición de la persona secuestrada, ni que esta se hubiere intentado poner en contacto con la familia, siendo todavía a día de hoy desconocido su paradero[76].

CUESTIONES DE PARTE GENERAL

ASPECTOS A ANALIZAR	PRECEPTOS DEL CÓDIGO PENAL
Autoría y participación	Arts. 27 ss.
Relación concursal entre los distintos delitos. Concurso de leyes y de delitos	Arts. 8, 73 ss.

CUESTIONES DE PARTE ESPECIAL

ASPECTOS A ANALIZAR	PRECEPTOS DEL CÓDIGO PENAL
Detenciones ilegales y secuestros	Arts. 163 ss.
Delitos de terrorismo	Arts. 571 ss.

---

[76] Con variaciones, los hechos están basados en los enjuiciados por la Sentencia del Tribunal Supremo, número 257/2009, de 30 de marzo.

CASO NÚMERO 77

Miguel, con la intención de que Felipe y su esposa, María Rosario, abandonaran la vivienda que ocupaban, realizó los siguientes hechos: tiró varias piedras y botellas de cristal a la fachada de la vivienda y, dirigiéndose a sus moradores, dijo: "en el momento que salga a la calle tu mujer la echo el perro para que la muerda de una puta vez; cabrones, hijos de puta, sois valientes cuando llamáis a la Guardia Civil y cuando se va no tenéis cojones para venir a por mí".

Otro día disparó con una carabina de comprimido contra en perro propiedad de Felipe y María Rosario y le dijo a aquel: "te mato, me como diez años de cárcel, pero de la cárcel se sale", luego volvió a efectuar disparos con la indicada carabina contra la puerta y la fachada de la repetida vivienda.

Como consecuencia de los hechos narrados, en dicha vivienda se causaron daños tasados en 718,56 euros.

A consecuencia de los hechos narrados, Felipe y María Rosario decidieron trasladar su residencia a otro lugar.

Miguel padece trastorno mental y del comportamiento debido al consumo de opiodes y otras drogas, así como trastorno de inestabilidad emocional de la personalidad de tipo impulsivo[77].

CUESTIONES DE PARTE GENERAL

ASPECTOS A ANALIZAR	PRECEPTOS DEL CÓDIGO PENAL
Culpabilidad: eximentes y atenuantes	Arts. 20.1, 20.2, 21.1, 21.2, 21.3
Relación concursal entre los distintos delitos. Concurso de leyes y de delitos	Arts. 8, 73 ss.

CUESTIONES DE PARTE ESPECIAL

ASPECTOS A ANALIZAR	PRECEPTOS DEL CÓDIGO PENAL
Delito de coacciones	Arts. 172 ss.
Delito de amenazas	Arts. 169 ss.

---

[77] Con variaciones, los hechos están basados en los enjuiciados por la Sentencia de la Audiencia Provincial de Valladolid, número 68/2006, de 17 de marzo.

XI. DELITOS CONTRA LA INTIMIDAD

CASO NÚMERO 78

Bernardo, mayor de edad, tenía en su poder correos electrónicos acreditativos de una relación mantenida entre su hermana Sandra y Luis, con contenido sexual explícito. Con la intención de que Sandra renunciara a la legítima que le correspondía tras el fallecimiento del padre de ambos, entregó dichos correos a sus abogados Cesar y Cristóbal. Éstos, siguiendo las instrucciones dadas por Bernardo, convocaron a los abogados de Sandra a una reunión en el despacho del primero de ellos, supuestamente para inventariar los bienes de la herencia, y a ella acudieron los letrados en representación de Sandra, quienes fueron informados de la existencia de los correos electrónicos que acreditaban una relación fuera de matrimonio entre Sandra y Luis, se leyeron algunos párrafos de contenido sexual explícito, y se instó a los letrados de ésta a que la convencieran para que desistiera de sus derechos legitimarios o en otro caso se harían llegar al esposo de Sandra y a la esposa de Luis, ante lo que dieron por finalizada la reunión.

Sandra, tras ser informada por sus abogados de la existencia de estos correos electrónicos y la seriedad de la posible divulgación, sufrió un síndrome ansioso-depresivo que exigió tratamiento por seis meses con recaídas cada vez que tiene noticias del avance del procedimiento penal[78].

CUESTIONES DE PARTE GENERAL

ASPECTOS A ANALIZAR	PRECEPTOS DEL CÓDIGO PENAL
Tentativa y consumación	Arts. 15 s.
Circunstancia mixta de parentesco	Art. 23
Relación concursal entre los distintos delitos. Concurso de leyes y de delitos	Arts. 8, 73 ss.

CUESTIONES DE PARTE ESPECIAL

ASPECTOS A ANALIZAR	PRECEPTOS DEL CÓDIGO PENAL
Delito de lesiones	Arts. 147 ss.
Descubrimiento y revelación de secretos	Arts. 197 ss.
Delito de coacciones	Arts. 172 ss.
Delito de extorsión	Art. 243 CP

---

[78] Con variaciones, los hechos están basados en los enjuiciados por la Sentencia del Tribunal Supremo 302/2008, de 27 de mayo.

CASO NÚMERO 79

Durante un periodo de un año Gema mantuvo una relación de carácter sexual con Guillermo, sin que la misma llegase a tener formalidad pública debido a que aquél mantenía en paralelo una relación de noviazgo con otra chica, viéndose, por tanto, sólo esporádicamente y comunicándose habitualmente a través de internet.

Un día apareció colgado en internet un fichero, que podía descargarse a través del programa e-mule, con el nombre "chica sexo" que contenía la grabación en vídeo de un desnudo integral, de contenido sexual, realizado por la mencionada Gema.

Como consecuencia de la aparición de dicho vídeo en internet, Gema sufrió una situación de estrés postraumático, necesitando para su sanidad además de una primera asistencia facultativa, tratamiento médico consistente en apoyo psicoterapéutico y tratamiento farmacológico, precisando veintiún días para alcanzar la sanidad, durante los cuales estuvo impedida para sus ocupaciones habituales, quedándole como secuela trastorno por estrés postraumático de alta intensidad.

No pudo demostrarse que el mencionado vídeo fuera la grabación que realizara Guillermo, sin consentimiento de la citada Gema, de un desnudo a través de una web-cam, en alguna de sus habituales comunicaciones por internet usando el programa de mensajería instantánea Messenger[79].

CUESTIONES DE PARTE GENERAL

ASPECTOS A ANALIZAR	PRECEPTOS DEL CÓDIGO PENAL
Relación concursal entre los distintos delitos. Concurso de leyes y de delitos	Arts. 8, 73 ss.

CUESTIONES DE PARTE ESPECIAL

ASPECTOS A ANALIZAR	PRECEPTOS DEL CÓDIGO PENAL
Delito de lesiones	Arts. 147 ss.
Descubrimiento y revelación de secretos	Arts. 197 ss.
Delitos contra el honor	Arts. 205 ss.

---

[79] Con variaciones, los hechos están basados en los enjuiciados por la Sentencia de la Audiencia Provincial de Málaga, número 2/2009, de 9 de enero.

CASO NÚMERO 80

Cesar, como empleado de la empresa "Grupo SL", encargada del mantenimiento de los equipos informáticos del "Bufete A Abogados", con motivo de la prestación de sus servicios como informático y haciendo uso de las claves y contraseñas de acceso de las que tenía conocimiento por razón de su actividad laboral, accedió al ordenador personal de Julio, socio del referido bufete de abogados, visionando sin su autorización documentos personales de éste, en concreto, varias fotografías de explícito contenido lúbrico en las que aparecían las partes íntimas de Julio, junto a otras dos personas, Fidela y Zaira, en actitud inequívocamente sexual. Tras visionar las mencionadas imágenes, el acusado, sin autorización alguna, procedió a su grabación en soporte informático, y una vez en su domicilio, desde su ordenador personal, y con ánimo de menoscabar la imagen pública de las personas que aparecían en las fotografías, procedió a difundirlas a través de Internet a la vez que enviaba correos electrónicos masivos conteniendo las aludidas imágenes a distintas entidades y empresas de la localidad, lo que determinó que tuvieran una enorme repercusión pública.

Como consecuencia de estos hechos, y habida cuenta del contenido explícitamente sexual e íntimo de las fotografías, los tres perjudicados, personas de cierta relevancia social en la localidad y muy conocidas públicamente, padecieron un grave sufrimiento moral y nefastas consecuencias en su vida personal, familiar y profesional, reclamando todos ellos las indemnizaciones que pudieran corresponderles.

Con posterioridad, denunciados los hechos, Julio inició las actuaciones tendentes a evitar la difusión de las fotografías y a averiguar la identidad del responsable. Con el fin de anticiparse a estas actuaciones, y sin contar con la autorización de Julio, César aprovechó el conocimiento que tenía por razón de su condición de informático encargado del mantenimiento de las contraseñas y claves de acceso a las cuentas de correo electrónico de éste, para interceptar desde su domicilio y por un periodo de tiempo de dos meses hasta un total de cuarenta y ocho mensajes de su correo electrónico, tomando así conocimiento de los mismos[80].

---

[80]   Con variaciones, los hechos están basados en los enjuiciados por la Sentencia del Juzgado de lo Penal de Mérida (Badajoz) número 213/2009, de 29 de diciembre.

CUESTIONES DE PARTE GENERAL

ASPECTOS A ANALIZAR	PRECEPTOS DEL CÓDIGO PENAL
Relación concursal entre los distintos delitos. Concurso de leyes y de delitos	Arts. 8, 73 ss.
Delito continuado	Art. 74

CUESTIONES DE PARTE ESPECIAL

ASPECTOS A ANALIZAR	PRECEPTOS DEL CÓDIGO PENAL
Descubrimiento y revelación de secretos	Arts. 197 ss.

CASO NÚMERO 81

Patricio, mayor de edad y sin antecedentes penales, confeccionó un programa informático de los denominados "troyanos", el cual distribuía en la red a través del programa de intercambio de ficheros conocidos como "EMULE", ocultándolo en archivos donde se contenían imágenes con contenido sexual, todo ello con el fin de acceder a la información almacenada de datos de carácter personal de los usuarios de dichos terminales, sin que éstos se percataran de ello. Concretamente el acusado accedió al contenido de los ordenadores de ochenta usuarios, guardando en el suyo fotografías, currículums y otros documentos que encontró en los archivos de dichos terminales informáticos[81].

CUESTIONES DE PARTE GENERAL

ASPECTOS A ANALIZAR	PRECEPTOS DEL CÓDIGO PENAL
Relación concursal entre los distintos delitos. Concurso de leyes y de delitos	Arts. 8, 73 ss.
Delito continuado	Art. 74

CUESTIONES DE PARTE ESPECIAL

ASPECTOS A ANALIZAR	PRECEPTOS DEL CÓDIGO PENAL
Descubrimiento y revelación de secretos	Arts. 197 ss.

---

[81] Con variaciones, los hechos están basados en los enjuiciados por la Sentencia de la Audiencia Provincial de Madrid, número 329/2009, de 26 de noviembre.

CASO NÚMERO 82

Ramiro desarrollaba su labor como Auxiliar Administrativo de la Agencia Tributaria, siendo su exclusiva función la venta de impresos en la citada Administración. Conociendo el carácter confidencial de los datos contenidos en la Base Provincial y Nacional de Hacienda, y, sabiendo que no estaba autorizado ni tenía clave para acceder a ellos, aprovechó la ausencia de varios funcionarios de Hacienda que desempeñaban su trabajo en su misma oficina y planta para extraer durante un período de dos años, numerosa documentación relativa a personas físicas y jurídicas. La información de esos contribuyentes la facilitó a terceros sin el consentimiento de aquellos, no constando acreditado que Ramiro obtuviera remuneración económica por ello[82].

CUESTIONES DE PARTE GENERAL

ASPECTOS A ANALIZAR	PRECEPTOS DEL CÓDIGO PENAL
Relación concursal entre los distintos delitos. Concurso de leyes y de delitos	Arts. 8, 73 ss.
Delito continuado	Art. 74

CUESTIONES DE PARTE ESPECIAL

ASPECTOS A ANALIZAR	PRECEPTOS DEL CÓDIGO PENAL
Descubrimiento y revelación de secretos	Arts. 197 ss.

---

[82]   Con variaciones, los hechos están basados en los enjuiciados por la Sentencia del Tribunal Supremo, número 1571/2005, de 19 de diciembre.

CASO NÚMERO 83

Luisa recibió por correo en su domicilio una carta de la Seguridad Social dirigida a su ex marido. Con la intención de descubrir su contenido la abrió, y tras comprobar que en la misma constaba una notificación de revalorización de la pensión del marido, procedió a quedársela, aportándola como documental con la demanda de alimentos que planteó contra su marido ante el Juzgado[83].

CUESTIONES DE PARTE GENERAL

ASPECTOS A ANALIZAR	PRECEPTOS DEL CÓDIGO PENAL
Tentativa y consumación	Arts. 15 s.
Circunstancia mixta de parentesco	Art. 23

CUESTIONES DE PARTE ESPECIAL

ASPECTOS A ANALIZAR	PRECEPTOS DEL CÓDIGO PENAL
Descubrimiento y revelación de secretos	Arts. 197 ss.

---

[83]   Con variaciones, los hechos están basados en los enjuiciados por la Sentencia del Tribunal Supremo, número 1641/2000, de 23 de octubre. *(Tol 51169).*

CASO NÚMERO 84

Amanda prestaba sus servicios como especialista neuróloga, y en concepto de médico residente en el hospital asistió a Verónica en el seguimiento de su embarazo. Verónica la reconoció por ser ambas de una pequeña localidad y conocerse sus familias. Amanda, como doctora, tuvo que examinar el historial clínico de la paciente en la que constaba, entre otras circunstancias trascendentes, como antecedentes quirúrgicos "la existencia de dos interrupciones legales de embarazo", circunstancia ésta que fue manifestada por Amanda a su madre quien a su vez, a la primera ocasión en el pueblo, indicó a la hermana de la gestante el hecho, ya conocido por ésta, del estado de gravidez actual y la precedente existencia de dos anteriores interrupciones legales del embarazo[84].

CUESTIONES DE PARTE ESPECIAL

ASPECTOS A ANALIZAR	PRECEPTOS DEL CÓDIGO PENAL
Descubrimiento y revelación de secretos	Art. 199

---

[84]   Con variaciones, los hechos están basados en los enjuiciados por la Sentencia del Tribunal Supremo, número 574/2001, de 4 de abril. *(Tol 27249)*.

CASO NÚMERO 85

María Virtudes y su hija Julia, ambas mayores de edad y sin antecedentes penales, procedieron durante cuatro días a apoderarse y a sustraer la correspondencia que el servicio de correos depositaba bajo la puerta y en la verja de entrada del domicilio de Inmaculada (cuñada de María Virtudes), para así enterarse del contenido de su correspondencia[85].

CUESTIONES DE PARTE GENERAL

ASPECTOS A ANALIZAR	PRECEPTOS DEL CÓDIGO PENAL
Tentativa y consumación	Arts. 15 ss.
Autoría y participación	Arts. 27 ss.
Delito continuado	Art. 74

CUESTIONES DE PARTE ESPECIAL

ASPECTOS A ANALIZAR	PRECEPTOS DEL CÓDIGO PENAL
Descubrimiento y revelación de secretos	Arts. 197 ss.

[85]   Con variaciones, los hechos están basados en los enjuiciados por la Sentencia de la Audiencia Provincial de Ávila, número 87/2006, de 19 de abril.

CASO NÚMERO 86

María Teresa, mayor de edad y sin antecedentes penales, realizó diversas gestiones en su condición de detective privado colegiado para averiguar la situación patrimonial de Verónica, informe que proporcionó a los directivos de la entidad que le habían encargado sus servicios a tal efecto y que sirvió para interponer una demanda de desahucio contra la Sra. Verónica respecto de una finca propiedad de la citada entidad de la que ésta era arrendataria. A tal efecto, María Teresa obtuvo el número de cuenta corriente que la Sra. Verónica tenía abierta en una entidad bancaria y averiguó el saldo aproximado que mantenía la misma en la citada cuenta, datos reservados que incluyó en su informe que más tarde se incorporó al procedimiento civil referido[86].

CUESTIONES DE PARTE GENERAL

ASPECTOS A ANALIZAR	PRECEPTOS DEL CÓDIGO PENAL
Error sobre las causas de justificación: actuar en cumplimiento de un oficio	Arts. 14.3, 20.7

CUESTIONES DE PARTE ESPECIAL

ASPECTOS A ANALIZAR	PRECEPTOS DEL CÓDIGO PENAL
Descubrimiento y revelación de secretos	Arts. 197 ss.

---

[86] Con variaciones, los hechos están basados en los enjuiciados por la Sentencia de la Audiencia Provincial de Barcelona, número 219/2006, de 10 de marzo.

XII. ALLANAMIENTO DE MORADA

CASO NÚMERO 87

Evaristo, condenado por delitos sexuales, se encontraba disfrutando de un permiso penitenciario. Una noche se hallaba en las proximidades de una estación de metro, y aprovechando que Noemí, agente en prácticas del C.N.P. regresaba a su domicilio tras finalizar su turno de noche, la siguió y se introdujo con ella en el edificio y posteriormente en el ascensor, consiguiendo que le franqueara la puerta de su vivienda. Una vez dentro del piso advirtió la presencia de Evangelina, compañera de profesión de Noemí y con la que compartía la vivienda en régimen de alquiler. Evaristo amedrentó a ambas mujeres con un arma blanca y las ató hasta dejarlas absolutamente inmovilizadas, cada una en un dormitorio distinto, utilizando para ello distintas prendas y asegurando posteriormente las ligaduras con trozos de cuerda sintética de tender la ropa que halló en el piso. Noemí quedó sujetada a una de las patas de la cama con un cinturón blanco de hebilla metálica.

Teniendo a Evangelina inmovilizada de la forma descrita, y movido por el ánimo de satisfacer sus deseos sexuales, la penetró vaginalmente. Luego, con el ánimo de acabar con su vida, la apuñaló cuatro veces por la espalda causándole una herida que ocasionó su fallecimiento prácticamente inmediato por insuficiencia cardiorrespiratoria aguda secundaria a shock hipovolémico.

Encontrándose asimismo Noemi inmovilizada, con idéntico ánimo homicida, la apuñaló repetidamente causándole un total de nueve heridas que produjeron su fallecimiento prácticamente inmediato por insuficiencia cardiorrespiratoria aguda y shock hipovolémico cardiogénico.

Posteriormente, actuando con la finalidad de hallar cuanto fuera de su interés, registró la vivienda y se apoderó de la tarjeta de crédito "Visa Estrella" y de las llaves del vehículo propiedad de Evangelina. Tomó igualmente una cazadora tejana junto con otras prendas así como unas zapatillas deportivas, con las que se vistió, cambiando la ropa que inicialmente llevaba puesta. Se apoderó también de un DVD rotulado con el título "Moulin Rouge" y de una bolsa mochila de la marca "Adidas" que llevaba escrito el apellido "Serafín", propiedad de Noemi, en la que introdujo los objetos descritos y que luego se llevó.

Seguidamente, con la finalidad de destruir cuantas huellas y vestigios pudieran relacionarse con la escena del crimen, pero con absoluto desprecio hacia la vida e integridad física de cuantos vecinos habitaban en ese momento el edificio de 14 pisos de altura, que en su mayoría se hallaban en ese momento en su respectivas viviendas, prendió fuego a un sillón y al sofá ubicados en el salón comedor, al colchón de la habitación en el que se encontraba el cadáver de Noemi, al colchón y a un montón de ropa adyacente del dormitorio en el que se hallaba Evangelina, así como al colchón del tercer dormitorio desocupado. Utilizó varias botellas de distintos licores en alguno de los focos con la finalidad de acelerar su combustión, que debieron ser extinguidos por los bomberos.

Evaristo no regresó a prisión tras finalizar el permiso[87].

CUESTIONES DE PARTE GENERAL

ASPECTOS A ANALIZAR	PRECEPTOS DEL CÓDIGO PENAL
Relación concursal entre los distintos delitos. Concurso de leyes y de delitos	Arts. 8, 73 ss.
Delito continuado	Art. 74
Circunstancia agravante genérica de reincidencia	Art. 22.8

CUESTIONES DE PARTE ESPECIAL

ASPECTOS A ANALIZAR	PRECEPTOS DEL CÓDIGO PENAL
Asesinato	Arts. 139 s.
Agresiones sexuales. Tipo cualificado	Arts. 178 ss.
Allanamiento de morada	Arts. 202 ss.
Delito de hurto	Art. 234
Delito de robo	Arts. 237 ss.
Delito de incendio	Arts. 351 ss.
Delito de daños	Arts. 263 ss.
Delito de quebrantamiento de condena	Arts. 468 ss.

---

[87]   Con variaciones, los hechos están basados en los enjuiciados por la Sentencia del Tribunal Supremo, número 728/2009, de 26 de junio.

CASO NÚMERO 88

Florián tenía una orden judicial que le prohibía aproximarse a menos de 300 metros a Olga, ex compañera sentimental, así como a su domicilio, lugar de trabajo o cualquier otro frecuentado por ella, mientras durase la tramitación de la causa. La resolución le fue notificada al procesado el mismo día. Pese a ello, conocedor del contenido y vigencia de la orden, se dirigió al domicilio de Olga. Aprovechando que no había nadie en su interior accedió al mismo con la intención de provocar un incendio, cosa que hizo prendiendo fuego en la habitación sita frente a la puerta de entrada. Fue necesaria la intervención de los bomberos para sofocarlo, avisados por una vecina.

Los datos originados en el mobiliario ascendieron a la suma global de 17.143 euros[88].

CUESTIONES DE PARTE GENERAL

ASPECTOS A ANALIZAR	PRECEPTOS DEL CÓDIGO PENAL
Relación concursal entre los distintos delitos. Concurso de leyes y de delitos	Arts. 8, 73 ss.

CUESTIONES DE PARTE ESPECIAL

ASPECTOS A ANALIZAR	PRECEPTOS DEL CÓDIGO PENAL
Allanamiento de morada	Arts. 202 ss.
Delito de incendio	Arts. 351 ss.
Delito de daños	Arts. 263 ss.
Delito de quebrantamiento de condena	Arts. 468 ss.

---

[88]   Con variaciones los hechos están basados en los enjuiciados por la Sentencia del Tribunal Supremo, número 533/ 2013, de 25 de junio.

CASO NÚMERO 89

Elías y Gregorio, pertenecientes ambos al Cuerpo Nacional de Policía, se dirigieron, debidamente uniformados a un domicilio para identificar a un tal Rosendo. Cuando ya se encontraban en las escaleras del edificio vieron a una señora, Reyes, que se disponía a abrir la puerta de la vivienda, momento en el cual ambos sujetos la abordaron solicitando información sobre Rosendo y entraron en la vivienda junto a ella. Gregorio permaneció con ella en la cocina y mientras tanto Elías aprovechó para adentrarse en el interior de la vivienda, registrando entre otras la habitación de Rosendo. A los pocos minutos apareció en la cocina Elías, solicitando a Reyes unas bolsas para guardar unas cajas que había encontrado en la habitación de Rosendo, 10 cajas de "Winston Depot", con tres ampollas cada caja, 30 cajas de "Testosterone Enanthate", conteniendo una cápsula cada una, 3 cajas de "proviron", 1 caja de "Deca" de tres cápsulas y un bote de "Boldenona". Después se llevaron la bolsa abandonando la vivienda, si bien anunciando a Reyes que volverían más tarde para hablar con Rosendo en cuanto a las sustancias encontradas.

Ese mismo día los agentes policiales volvieron al domicilio mencionado, permitiéndoles la entrada Rosendo que los esperaba, tras ser informado de su visita anterior por Reyes. También se encontraban presentes dos amigos de Rosendo, Adrian y Víctor, a los que los agentes pidieron que abandonaran la vivienda porque tenían que hablar con el primero. Durante esta visita los agentes interrogaron a Rosendo sobre la procedencia de los anabolizantes, sin obtener una respuesta clara, manifestándole Elías que debía colaborar con ellos, ya que se habían portado muy bien con él, pues con la cantidad de anabolizantes que tenía le podían haber detenido y el Juez le hubiera echado unos "añitos de prisión".

Otro día Elías efectuó una llamada telefónica desde la Inspección Central de Detenidos, donde se encontraba por razones de servicio, al número de teléfono móvil de Rosendo manifestándole que se habían enterado que les iba a denunciar, y que si era así, procederían a detenerle, por lo que le recomendaban que no se pasara por la Comisaría. Posteriormente, redactaron y firmaron un acta-denuncia, de la Dirección general de la Policía y de la Guardia Civil, dirigida al Subdelegado del Gobierno, en la que consignaron como fecha de confección del documento la del día de la entrada en el domicilio de Rosendo, como lugar donde tuvieron lugar los hechos, "las escaleras del edificio" y como cantidad de sustancias intervenida, "cinco cajas de "anabólicos", sin prescripción médica", haciendo entrega de las cinco cajas que posteriormente serían remitidas y analizada por la Brigada de Policía Científica[89].

---

[89]   Con variaciones, los hechos están basados en los enjuiciados por la Sentencia del Tribunal Supremo, número 64/2013, de 29 de enero.

CUESTIONES DE PARTE GENERAL

ASPECTOS A ANALIZAR	PRECEPTOS DEL CÓDIGO PENAL
Relación concursal entre los distintos delitos. Concurso de leyes y de delitos	Arts. 8, 73 ss.

CUESTIONES DE PARTE ESPECIAL

ASPECTOS A ANALIZAR	PRECEPTOS DEL CÓDIGO PENAL
Amenazas y coacciones	Arts. 169 ss.
Detenciones ilegales y secuestros	Arts. 163 ss.
Allanamiento de morada	Arts. 202 ss.
Delitos de los funcionarios públicos contra la inviolabilidad domiciliaria	Arts. 534 ss.

CASO NÚMERO 90

Durante toda la tarde Luis estuvo llamando a la que había sido su compañera sentimental, Berta, para que le permitiera acudir a su domicilio, sin que la misma accediera a sus peticiones. Por ello, abordó a un menor que circulaba en su motocicleta y esgrimiendo un cuchillo le obligó a que lo llevara al domicilio de Berta.

Ante la negativa de Berta a abrirle la puerta del domicilio, subió hasta el tejado y desde allí accedió a la terraza del apartamento donde tras forzar la puerta corredera accedió al interior donde se encontraba ésta. Ya dentro el inmueble forcejeó con la misma causándole diversas contusiones, heridas para cuya curación necesitó una primera asistencia médica, así como una crisis de ansiedad, pudiendo Berta lograr que Luis dejara de agredirle al golpearle con una botella en la cabeza[90].

CUESTIONES DE PARTE GENERAL

ASPECTOS A ANALIZAR	PRECEPTOS DEL CÓDIGO PENAL
Legítima defensa	Art. 20.4
Relación concursal entre los distintos delitos. Concurso de leyes y de delitos	Arts. 8, 73 ss.
Circunstancia mixta de parentesco	Art. 23

CUESTIONES DE PARTE ESPECIAL

ASPECTOS A ANALIZAR	PRECEPTOS DEL CÓDIGO PENAL
Delito de lesiones. Lesiones psíquicas	Arts. 147 ss.
Empleo de violencia contra personas vinculadas al agresor	Art. 153
Amenazas y coacciones	Arts. 169 ss.
Detenciones ilegales y secuestros	Arts. 163 ss.
Allanamiento de morada	Arts. 202 ss.

---

[90]   Con variaciones los hechos están basados en los enjuiciados por la Sentencia de la Audiencia Provincial de Baleares, número 46/2006, de 13 de junio.

XIII. DELITOS CONTRA EL HONOR: INJURIAS Y CALUMNIAS

CASO NÚMERO 91

Nemesio, mayor de edad y sin antecedentes penales, tomó parte en el foro de una página web de internet, utilizando un nick o pseudónimo informático, bajo el que realizó las siguientes manifestaciones por escrito: "hay muchas quejas del cementerio nuestro, sólo hay que pasarse por allí y oír a los usuarios. Siempre buscando al encargado para pedirles explicaciones de lápidas que él y su hermano venden en la marmolería y la media colocan, mezclando el horario de funcionario con el de marmolista, dando presupuestos de lápidas y jarrones. Este individuo se cree el dueño de aquel recinto y hace y deshace a su antojo, con su traje chaqueta y mercedes último modelo, conseguido con el dinero de todos los ciudadanos y de los políticos que se dejan engañar inconscientemente, se supone claro, hasta el día que se den cuenta, pero siempre pasa lo mismo, cuando llega ese momento, ya están las votaciones al otro lado de la esquina y nombran a otro político nuevo a cargo del cementerio y vuelta a empezar engañando"; "Y esta tarde el viceconsejero de cementerio y el corrupto del encargado del cementerio, dando paseos con un vehículo oscuro planeando las comisiones que se llevarán con la compra del horno nuevo".

Estas expresiones fueron proferidas con propósito de difamar a la persona de Victorio, en su calidad de funcionario público, sin comprobar la autenticidad de los hechos y con pleno conocimiento de su carácter ofensivo[91].

---

[91]   Con variaciones, los hechos están basados en los enjuiciados por la Sentencia de la Audiencia Provincial de Cádiz, número 143/2008, de 4 de julio.

CUESTIONES DE PARTE GENERAL

ASPECTOS A ANALIZAR	PRECEPTOS DEL CÓDIGO PENAL
Autoría en los delitos cometidos por medio de procedimientos que facilitan la publicidad	Art. 30
Delito continuado	Art. 74

CUESTIONES DE PARTE ESPECIAL

ASPECTOS A ANALIZAR	PRECEPTOS DEL CÓDIGO PENAL
Delito de injurias	Arts. 208 ss.
Calumnia	Arts. 205 ss.

CASO NÚMERO 92

Demetrio remitió varias cartas dirigidas al Alcalde y Concejales del Ayuntamiento de su pueblo, así como a Guillermo, que había pertenecido a la carrera judicial, con el siguiente texto: "este Sr Guillermo dejo en libertad a este mafioso y fue condenado por el Tribunal Supremo, es decir, es un juez prevaricador... Los antecedentes delictivos de este Sr. los pueden ver en internet con su nombre. A los efectos de que no quede ninguna duda, este escrito se envía a... y al delincuente Sr. Guillermo, para que pueda defenderse, ya que otros cuando él estaba de Juez no pudieron hacerlo".

Demetrio realizó estas afirmaciones con conocimiento de que no eran ciertas[92].

CUESTIONES DE PARTE GENERAL

ASPECTOS A ANALIZAR	PRECEPTOS DEL CÓDIGO PENAL
Autoría en los delitos cometidos por medio de procedimientos que facilitan la publicidad	Art. 30
Delito continuado	Art. 74

CUESTIONES DE PARTE ESPECIAL

ASPECTOS A ANALIZAR	PRECEPTOS DEL CÓDIGO PENAL
Delitos de injurias	Arts. 208 ss.
Calumnia	Arts. 205 ss.

---

[92]   Con variaciones, los hechos están basados en los enjuiciados por la Sentencia de la Audiencia Provincial de Jaén, número 125/2009, de 27 de mayo.

CASO NÚMERO 93

Cuando se celebraba una junta general extraordinaria de propietarios, Pedro tomó la palabra y ante los administradores de las fincas en funciones de secretarios de la comunidad, acusó a Teodosio, con conocimiento de su falsedad, de ser la persona que estaba "robando luz a la comunidad"[93].

CUESTIONES DE PARTE GENERAL

ASPECTOS A ANALIZAR	PRECEPTOS DEL CÓDIGO PENAL
Autoría y participación	Arts. 27 ss.

CUESTIONES DE PARTE ESPECIAL

ASPECTOS A ANALIZAR	PRECEPTOS DEL CÓDIGO PENAL
Delitos de injurias	Arts. 208 ss.
Calumnia	Arts. 205 ss.

---

[93]   Con variaciones, los hechos están basados en los enjuiciados por la Sentencia de la Audiencia Provincial de Alicante de 15 de octubre de 2012, número 417.

CASO NÚMERO 94

Filomena, en su condición de Directora Gerente de un consorcio hospitalario, convocó en el hospital al equipo directivo para informar a los asistentes de una serie de temas que, en fechas anteriores, habían sido noticia en revistas de gran difusión.

En el curso de la reunión y mientras tenía la palabra la Directora Gerente para comentar las sentencias judiciales recaídas con relación a la reclamación por parte de una paciente a la que había operado el Dr. Bernardo, mayor de edad, sin antecedentes penales, y que la Seguridad Social se había negado a abonar, éste la interrumpió diciéndole "estás mintiendo". La Directora le indicó que la dejara terminar de hablar y que después le daría la palabra.

Cuando la señora Filomena concluyó su exposición, tomó la palabra el Dr. Bernardo y en tono de indignación utilizó las palabras "mentirosa, terrorista, prevaricadora" o "estás mintiendo, eres una terrorista laboral, estás prevaricando" y se refirió en su intervención al resultado de los procesos, a las sentencias a las que se había hecho referencia previamente por quien le dio la palabra y a su situación laboral en el Hospital.

Bernardo fue diagnosticado en 5 de diciembre de 2000 de reacción a estrés grave[94].

CUESTIONES DE PARTE GENERAL

ASPECTOS A ANALIZAR	PRECEPTOS DEL CÓDIGO PENAL
Culpabilidad: circunstancias eximentes y atenuantes	Arts. 20.1, 21.1, 21.3

CUESTIONES DE PARTE ESPECIAL

ASPECTOS A ANALIZAR	PRECEPTOS DEL CÓDIGO PENAL
Delitos de injurias	Arts. 208 ss.
Calumnia	Arts. 205 ss.

---

[94]   Con variaciones, los hechos están basados en los enjuiciados por la Sentencia de la Audiencia Provincial de Burgos, número 14/2005, de 28 de enero. *(Tol 641434).*

CASO NÚMERO 95

Matías participó en una rueda de prensa celebrada en San Sebastián y entre otros extremos, manifestó: "¿Cómo es posible que se fotografíen hoy en día en Bilbao con el Rey español, cuando el Rey español es el jefe máximo del Ejército español, es decir, el responsable de los torturadores y que ampara la tortura y que impone su régimen monárquico a nuestro pueblo mediante la tortura y la violencia?"[95].

CUESTIONES DE PARTE GENERAL

ASPECTOS A ANALIZAR	PRECEPTOS DEL CÓDIGO PENAL
Elementos subjetivos del injusto (Ánimo de injuriar)	
Causas de justificación: conflicto entre el derecho al honor y a la libertad de expresión	

CUESTIONES DE PARTE ESPECIAL

ASPECTOS A ANALIZAR	PRECEPTOS DEL CÓDIGO PENAL
Calumnias o injurias al Rey	Art. 490.3

---

[95]   Con variaciones, los hechos están basados en los enjuiciados por la Sentencia del Tribunal Supremo, número 1248/2005, de 31 de octubre. *(Tol 738508).*

CASO NÚMERO 96

Enrique, letrado en ejercicio, asumió la defensa de dos personas implicadas en una causa por una muerte violenta, y al conseguir su absolución concibió el propósito de desplegar una "campaña" basada en el descrédito personal y el desprestigio profesional de las personas encargadas de la investigación, y singularmente las del Instructor Judicial y del Jefe Policial, a quienes presentó de forma deliberada e inveraz como personas corruptas, movidas por el deseo de manipular la investigación para proporcionar falsos culpables con encubrimiento de los verdaderos autores.

Así, en ejecución del plan indicado, además de presentar escritos ante diversos órganos judiciales en los que realizaba imputaciones al Inspector-Jefe y demás Inspectores encargados de la investigación a los que sustancialmente se efectuaban las mismas imputaciones que a continuación se refieren, facilitó a los medios de comunicación de difusión nacional su inveraz versión de los hechos, en descrédito del instructor judicial, del responsable policial de la investigación sumarial y del resto de los funcionarios policiales intervinientes en la misma, lo que dio lugar a las publicaciones aparecidas en periódicos diarios, programas de radio y revistas semanales.

Entre otras, aparecieron titulares afirmando que "un abogado denuncia a un juez, a otro letrado y a ocho policías por una estafa procesal" y en él se dice: "El abogado denuncia una estafa procesal en la instrucción del sumario correspondiente al asesinato de una prostituta y según el abogado, el jefe de la policía es el cerebro del montaje policial".

En una entrevista radiofónica igualmente comentó que el "Juez, probablemente se llenó sus bolsillos a costa de esa libertad, ...cuando no hace un acto, pues... tan vil y tan mezquino y tan bajo, como es encubrir a dos asesinos, a costa de la libertad de dos inocentes y mandarles a sangre fría a una prisión" y en otra entrevista en la radio afirmó que "Dios sabrá los cambalaches a los que llegaron el Juez y el Abogado, y el Juez decide encubrir a los autores del asesinato, imagino que habrá dinero por medio, supongo que habrá reparto del botín" y "habría que empezar a descubrir que hay jueces que trafican sin escrúpulos con la libertad de seres humanos y eso me parece extremadamente serio, incluso que el Tribunal que enjuició, simplemente por encubrir los delitos de un juez corrupto, de un juez indigno, de un juez degradado hasta lo más profundo, pues ordena a sangre fría a personas inocentes, eso hay que descubrirlo ante la sociedad... les llegan a condenar a 34 años, sabiendo que eran inocentes... yo nunca me he referido a este asunto como error judicial, aquí hay dolo, premeditación y hasta alevosía, naturalmente abusando de una función"[96].

CUESTIONES DE PARTE GENERAL

ASPECTOS A ANALIZAR	PRECEPTOS DEL CÓDIGO PENAL
Causas de justificación: conflicto entre el derecho al honor y a la libertad de expresión	
Autoría en los delitos cometidos por medio de procedimientos que facilitan la publicidad	Art. 30
Delito continuado	Art. 74

CUESTIONES DE PARTE ESPECIAL

ASPECTOS A ANALIZAR	PRECEPTOS DEL CÓDIGO PENAL
Delitos de injurias	Arts. 208 ss.
Calumnias	Arts. 205 ss.

---

[96]   Con variaciones, los hechos están basados en los enjuiciados por la Sentencia del Tribunal Supremo, número 192/2001, de 14 de febrero. *(Tol 31350)*.

CASO NÚMERO 97

Sergio distribuyó entre los vecinos de su pueblo cientos de cuartillas impresas en las que se atribuía a Cosme la realización de actividades ilícitas en el ejercicio de sus funciones como arquitecto técnico municipal en el Ayuntamiento; en concreto le atribuía haber cooperado en un delito de estafa, con el conocimiento de que los hechos que se le atribuían no eran ciertos.

En otro escrito difundido entre los vecinos se decía: "gran estafa de terrenos municipales con falsificación de documentos públicos. Los supuestos implicados son: José Ignacio, Dña. Lidia, Dña. Bárbara (Esposa del Sr. José Ignacio) D. Cosme (Arquitecto Técnico Municipal). D. Ramón (Arquitecto), D. Ángel Jesús, D. Gerardo, D. José Ángel. Estos señores y señoras, son los que al parecer consiguieron confundir o engañar a la notaría"[97].

CUESTIONES DE PARTE GENERAL

ASPECTOS A ANALIZAR	PRECEPTOS DEL CÓDIGO PENAL
Causas de justificación: conflicto entre el derecho al honor y a la libertad de expresión	
Autoría en los delitos cometidos por medio de procedimientos que facilitan la publicidad	Art. 30
Delito continuado	Art. 74

CUESTIONES DE PARTE ESPECIAL

ASPECTOS A ANALIZAR	PRECEPTOS DEL CÓDIGO PENAL
Delitos de injurias	Arts. 208 ss.
Calumnias	Arts. 205 ss.

---

[97] Con variaciones, los hechos están basados en los enjuiciados por la Sentencia de la Audiencia provincial de Murcia, número 37/2005, de 10 de junio.

XIV. DELITOS CONTRA LOS DERECHOS DE LOS TRABAJADORES Y CONTRA LOS DERECHOS DE LOS CIUDADANOS EXTRANJEROS

CASO NÚMERO 98

La empresa Edificación SA se encontraba realizando una obra consistente-en la construcción de 60 viviendas unifamiliares pareadas, ya en fase de acabados.

Efrain, de 33 años de edad, trabajador de la empresa con categoría de oficial de 2°, se encontraba en la plataforma del tercer nivel de un andamio tubular metálico procediendo a su desmontaje. Había retirado ya la barandilla de protección de la citada plataforma cuando cayó al suelo desde unos 6 metros de altura. Efrain no utilizaba en ese momento cinturón de seguridad, y por su parte la empresa Edificación SA no había adoptado medidas de protección colectiva adecuadas para eliminar el grave riesgo de caída en altura en los trabajos de desmontaje de andamios, tampoco había puesto a disposición de los trabajadores cinturones de seguridad con dispositivo anticaída como exigía el Plan de Seguridad y Salud de la Obra ni había instalado un punto de adecuada resistencia al margen del propio andamio a desmontar para anclar de manera segura los equipos de protección individual anticaída.

Efrain realizaba ese trabajo el día de los hechos por haberle sido encomendado por el encargado Ángel. Lo hacía junto con el trabajador José Manuel, en las mismas condiciones que el anterior. El jefe de obra, Sergio, conocía las circunstancias expuestas, al igual que el arquitecto técnico y coordinador de seguridad y salud, Luis Antonio, así como también el representante legal y administrador solidario de la empresa, Moisés, a la sazón arquitecto superior de la obra. Ninguno de ellos advirtió a los trabajadores por la no utilización de los elementos de seguridad ni les requirieron para que los utilizasen.

A consecuencia de la caída Efrain sufrió lesiones consistentes en estallido esplénico con hemoperitoneo, heridas contusas frontal y mentoniana, fractura conminuta de metáfisis de radio bilateral y aplastamiento vertebral C5, las cuales requirieron para su curación de primera asistencia facultativa y tratamiento médico y quirúrgico, y tardaron en curar 220 días de los cuales 36 fueron de hospitalización y el resto impeditivos de ocupaciones habituales[98].

---

[98] Con variaciones, los hechos están basados en los enjuiciados por la Sentencia de la Audiencia Provincial de Burgos, número 175/2010, de 10 de julio.

CUESTIONES DE PARTE GENERAL

ASPECTOS A ANALIZAR	PRECEPTOS DEL CÓDIGO PENAL
Responsabilidad penal de las personas jurídicas	Arts. 31 bis ss. CP
Puestas en peligro consentidas	
Autoría y participación	Arts. 27 ss.
Relación concursal entre los distintos delitos. Concurso de leyes y de delitos	Arts. 8, 73 ss.

CUESTIONES DE PARTE ESPECIAL

ASPECTOS A ANALIZAR	PRECEPTOS DEL CÓDIGO PENAL
Delito de lesiones	Arts. 147 ss.
Delitos contra los derechos de los trabajadores	Arts. 311 ss.
Delitos contra la seguridad colectiva	Art. 350

CIRCULAR GENERAL DEL ESTADO
Véase la Circular 1/2011 de la Fiscalía General del Estado sobre la Responsabilidad Penal de las Personas Jurídicas

CASO NÚMERO 99

Augusto y Federico, con el propósito de obtener un beneficio económico, entraron en contacto con ciudadanos extranjeros, generalmente ucranianos, que se trasladaban a España con la finalidad de encontrar trabajo y les pedían una determinada cantidad de dinero. Para ello les hacían creer que les encontrarían trabajo en la construcción o como empleados de hogar, retirándoles el pasaporte. De esta forma contactaron con una matrimonio, ambos ucranianos, a quienes les pidieron que le hicieran entrega de sus respectivos pasaportes y de 400 dólares americanos cada uno de ellos, puesto que era necesario para encontrarles un trabajo, lo que así hicieron en la creencia de que les encontrarían ese trabajo. Posteriormente les devolvieron el pasaporte y les entregaron una carta falsa para que se dirigiesen a otra ciudad en donde se les dijo que trabajarían como empleados domésticos, hecho totalmente falso. Asimismo, le pidieron a Graciela la entrega de su pasaporte y de 400 dólares que ella no tenía, por lo que le dijeron que debería trabajar como empleada en su propio domicilio y limpiar copas en un local, negocio regentado por ellos. En estas condiciones permaneció durante mes y medio. A través de un anuncio en una revista Graciela obtuvo un trabajo como empleada del hogar, requiriéndole el dueño de la casa el pasaporte para regularizar su situación en España. Al pedírselo Graciela se lo denegó. Su jefe entonces acudió al local a solicitarlo, diciéndole Federico y Augusto que o le entregaban 590 euros o en caso contrario, informarían a su mujer de que mantenía relaciones sexuales con Graciela[99].

CUESTIONES DE PARTE GENERAL

ASPECTOS A ANALIZAR	PRECEPTOS DEL CÓDIGO PENAL
Autoría y participación	Arts. 27 ss.
Relación concursal entre los distintos delitos. Concurso de leyes y de delitos	Arts. 8, 73 ss.

CUESTIONES DE PARTE ESPECIAL

ASPECTOS A ANALIZAR	PRECEPTOS DEL CÓDIGO PENAL
Amenazas y coacciones	Arts. 169 ss.
Delitos contra los derechos de los trabajadores	Arts. 311 ss.
Delitos contra los derechos de los ciudadanos extranjeros	Art. 318 bis
Delito de trata de personas	Art. 177 bis

---

[99]   Con variaciones, los hechos están basados en la Sentencia del Tribunal Supremo, número 221/2005, de 24 de febrero. *(Tol 614339).*

CASO NÚMERO 100

Evaristo se encontraba con otros dos compañeros trabajando en la segunda planta del edificio en construcción montando el "emparrado" de la tercera planta, que consiste en colocar unas barras de hierro en la techumbre de esa planta sujetas por unos puntales que se apoyan en el piso. Esa mañana iban a hacer el forjado y a colocar los puntales que servirían también para poner valla roja y acordonar el hueco de la escalera de 2,5 x 3 metros. Para empezar a trabajar procedieron a retirar los tablones que protegían dicho hueco, pero cuando estaban trabajando en el emparrado y se disponían a colocar las vigas para acordonar y vallar el hueco, Evaristo cayó por dicho lugar, ya que iba trabajando al tiempo que retrocedía, y no recordó la existencia del hueco. Evaristo se precipitó al vacío desde una altura aproximada de 6 metros y sufrió gravísimas lesiones que determinaron su fallecimiento tres días después por traumatismo cráneo-encefálico.

Los trabajadores tenían instrucciones de usar en la ejecución de todos estos trabajos los cinturones de seguridad que les facilitaba la empresa, que se pueden anclar en los pilares, también se les facilitaron cascos, guantes y vallas, pero en esa mañana los trabajadores sólo utilizaron el casco porque así podían realizar el emparrado con mayor comodidad, pese a ser conocedores que si la empresa o los técnicos los veían les podían recriminar su conducta[100].

CUESTIONES DE PARTE GENERAL

ASPECTOS A ANALIZAR	PRECEPTOS DEL CÓDIGO PENAL
Responsabilidad penal de las personas jurídicas	Arts. 31 bis ss.
Consecuencias accesorias aplicables a colectivos sin personalidad jurídica	Art. 129
Puestas en peligro consentidas	
Autoría y participación	Arts. 27 ss.
Relación concursal entre los distintos delitos. Concurso de leyes y de delitos	Arts. 8, 73 ss.

---

[100] Con variaciones, los hechos están basados en la Sentencia del Tribunal Supremo, número 1329/2001, de 5 de septiembre. *(Tol 66694)*.

CUESTIONES DE PARTE ESPECIAL

ASPECTOS A ANALIZAR	PRECEPTOS DEL CÓDIGO PENAL
Homicidio: tipo doloso	Art. 138
Homicidio: tipo imprudente	Art. 142
Lesiones	Arts. 147 ss.
Delitos contra los derechos de los trabajadores	Arts. 311 ss.
Delitos contra la seguridad colectiva	Art. 350

CIRCULAR GENERAL DEL ESTADO
Véase la Circular 1/2011 de la Fiscalía General del Estado sobre la Responsabilidad Penal de las Personas Jurídicas

CASO NÚMERO 101

Fátima había llegado en patera junto con otras compatriotas de nacionalidad marroquí a las costas españolas y una vez en tierra permanecieron ocultos en una zona boscosa hasta que Mateo las trasladó a un cortijo cercano. Allí fueron encerradas bajo llave las mujeres con las otras personas que les acompañaban, exigiéndoles Mateo a cada una de ellas y también a sus familiares una determinada cantidad para obtener la libertad. Mientras duró el encierro aquellas personas tenían prohibida la salida del cortijo. Narciso, tío de Fátima al que le habían exigido una cantidad para liberar a su sobrina, contactó con la policía, quien descubrió el cortijo y detuvo a Mateo. Cuando Mateo descendía del vehículo policial, en un momento dado, a la vez que insultaba y amenazaba a los agentes policiales, propinó a uno de ellos un puñetazo que les causó lesiones de las que sanó con la primera asistencia, pero quedó impedido para sus ocupaciones durante ocho días[101].

CUESTIONES DE PARTE GENERAL

ASPECTOS A ANALIZAR	PRECEPTOS DEL CÓDIGO PENAL
Autoría y participación	Arts. 27 ss.
Relación concursal entre los distintos delitos. Concurso de leyes y de delitos	Arts. 8, 73 ss.

CUESTIONES DE PARTE ESPECIAL

ASPECTOS A ANALIZAR	PRECEPTOS DEL CÓDIGO PENAL
Delito de lesiones	Arts. 147 ss.
Coacciones	Arts. 172 ss.
Detenciones ilegales y secuestro	Arts. 163 ss.
Delito de trata de personas	Art. 177 bis
Delitos contra los derechos de los ciudadanos extranjeros	Art. 318 bis
Atentado a la autoridad	Art. 550

---

[101]　Con variaciones, los hechos están basados en los enjuiciados por la Sentencia del Tribunal Supremo, número 968/2005, de 13 de julio. *(Tol 674659).*

CASO NÚMERO 102

Pascual contactó en la zona del puerto con dos marineros, uno de origen chino y otro vietnamita, que habían arribado al lugar en un buque pesquero de bandera japonesa, y les invitó a abandonar la referida embarcación, prometiéndoles trabajo en Madrid, ciudad a la que serían trasladados por vía aérea.

Con esa finalidad los referidos marineros abandonaron el barco, siendo alojados por cuenta de los acusados en una pensión en las inmediaciones, y después fueron conducidos al domicilio de Pascual y desde allí al aeropuerto con la finalidad de embarcarlos hacia Madrid, entregándole a cada uno el pasaje correspondiente. Antes de embarcar fueron interceptados por las irregularidades de la documentación de ambos[102].

CUESTIONES DE PARTE GENERAL

ASPECTOS A ANALIZAR	PRECEPTOS DEL CÓDIGO PENAL
Tentativa y consumación	Arts. 15 s.
Autoría y participación	Arts. 27 ss.
Relación concursal entre los distintos delitos. Concurso de leyes y de delitos	Arts. 8, 73 ss.

CUESTIONES DE PARTE ESPECIAL

ASPECTOS A ANALIZAR	PRECEPTOS DEL CÓDIGO PENAL
Delito de trata de personas	Art. 177 bis
Delitos contra los derechos de los ciudadanos extranjeros	Art. 318 bis

---

[102] Con variaciones, los hechos están basados en los enjuiciados por la Sentencia del Tribunal Supremo, número 284/2006, de 6 de marzo. *(Tol 862759).*

CASO NÚMERO 103

Carina llegó a España procedente de Rumania a bordo de una furgoneta que conducía Segismundo, con quien habían concertado el viaje por un precio de 500 euros, comprometiéndose igualmente éste a buscarle un trabajo como empleada de hogar. Tras ser alojada en el domicilio de Segismundo, este manifestó que no le había encontrado trabajo y que además debía pagarle 2.500 euros por haberla traído a España, por lo cual, para que pudieran saldar su deuda, iba a venderla a otro hombre, quien se encargaría de que obtuvieran ese dinero mediante el ejercicio de la prostitución.

A partir de este momento, fue obligada a ejercer la prostitución por Miguel Ángel, quien la sometía a continua vigilancia por sí mismo o a través de terceros. Carina se mantuvo en la prostitución por el temor que le infundían no sólo las reiteradas agresiones físicas infligidas, sino también las amenazas de causar algún mal a ellas mismas o a sus familias[103].

CUESTIONES DE PARTE GENERAL

ASPECTOS A ANALIZAR	PRECEPTOS DEL CÓDIGO PENAL
Autoría y participación	Arts. 27 ss.
Relación concursal entre los distintos delitos. Concurso de leyes y de delitos	Arts. 8, 73 ss.

CUESTIONES DE PARTE ESPECIAL

ASPECTOS A ANALIZAR	PRECEPTOS DEL CÓDIGO PENAL
Amenazas y coacciones	Arts. 169 ss.
Delitos relativos a la prostitución	Arts. 187 ss.
Delito de trata de personas	Art. 177 bis
Delitos contra los derechos de los ciudadanos extranjeros	Art. 318 bis

ACUERDO DE PLENO DEL TRIBUNAL SUPREMO
Véase Anexo I.13. Acuerdo del día 30 de mayo de 2006

---

[103]   Con variaciones, los hechos están basados en los enjuiciados por la Sentencia del Tribunal Supremo, número 1463/2005, de 22 de noviembre. *(Tol 781397).*

XV. OMISIÓN DEL DEBER DE SOCORRO

CASO NÚMERO 104

Entre las 7,30 horas y 7,41 horas Serafín sufrió una crisis cardiaca, perdiendo el control del vehículo que conducía y que terminó empotrándose entre unos contenedores. Acudieron al lugar varias personas que observaron los síntomas de gravedad que presentaba el conductor, y uno de ellos realizó una llamada telefónica al 061, que se registró a las 7,41 horas, en la que comunicó las circunstancias del conductor del vehículo.

Otro de los ciudadanos que se había detenido al observar lo anteriormente expuesto se dirigió al Centro de Salud, llegando al mismo sobre las 7,50 horas y tras llamar al timbre, pues el Centro se encontraba cerrado, fue atendido por el acusado Pedro Jesús, celador del Servicio Especial de Urgencia, que se hallaba trabajando en el Centro de Salud. El ciudadano le informó de que a unos cincuenta metros del centro había un señor en el interior de un vehículo que requería asistencia sanitaria. César, médico de guardia del centro, pese a ser puesto en conocimiento de lo ocurrido, no salió a prestar asistencia, procediendo a efectuar inmediatamente una llamada al 061, que fue registrada por dicho Servicio a las 7,53 horas, donde le indicaron que ya tenían conocimiento del hecho por la llamada anterior y que una unidad móvil había salido hacia el lugar. En el Centro de Salud en esos momentos no se encontraba usuario alguno, sino sólo el personal de Guardia.

A la hora en que Pedro Jesús tuvo conocimiento del hecho, el conductor del vehículo Serafín, aún no había fallecido[104].

---

[104] Con variaciones, los hechos están basados en los enjuiciados por la Sentencia del Tribunal Supremo, número 56/2008, de 28 de enero.

CUESTIONES DE PARTE GENERAL

ASPECTOS A ANALIZAR	PRECEPTOS DEL CÓDIGO PENAL
Comisión omisión	Art. 11
Tipo subjetivo: dolo e imprudencia	Véanse los artículos relativos a los correspondientes tipos de la Parte Especial
Autoría y participación.	Arts. 27 ss.
Relación concursal entre los distintos delitos. Concurso de leyes y de delitos	Arts. 8, 73 ss.

CUESTIONES DE PARTE ESPECIAL

ASPECTOS A ANALIZAR	PRECEPTOS DEL CÓDIGO PENAL
Homicidio	Arts. 138, 142
Omisión del deber de socorro	Art. 195
Denegación de asistencia sanitaria	Art. 196

CASO NÚMERO 105

Pablo se encontraba en su domicilio cuando comenzó a sentirse mal, por lo que en compañía de su pareja sentimental, Lidia, que se encontraba en avanzado estado de gestación, decidió acudir al hospital conduciendo su propio vehículo.

Durante el trayecto se desvaneció perdiendo el conocimiento, por lo que colisionó con otro vehículo que se encontraba estacionado frente a la puerta principal del referido hospital.

Ante esta situación Lidia salió del coche pidiendo auxilio, por lo que unos vecinos de la zona dieron aviso a la Guardia Civil que se personó en dicho lugar.

Ante la proximidad del Hospital y el estado de inconsciencia que presentaba Pablo, que requería una inmediata asistencia sanitaria, agentes del cuerpo de la Guardia Civil se dirigieron al servicio de urgencias del hospital solicitando asistencia médica e informaron a los facultativos de guardia que el enfermo se encontraba en una calle anexa, junto al Hospital, inconsciente, a pesar de lo cual, José se negó a salir del hospital, aduciendo que no podía salir del recinto del servicio hospitalario para atender a nadie y que debían avisar al servicio de emergencias 112.

Pese al requerimiento de los agentes de la Guardia Civil, que incluso se ofrecieron a llevarle en su vehículo oficial al lugar en el que se encontraba el paciente, José se negó a ello insistiendo en que no podía salir del hospital.

Los Agentes abandonaron el servicio de urgencias sin conseguir que el médico acudiera a atender a Pablo.

Una vez que se habían marchado los Agentes, José contactó con el servicio de emergencias del 112 mucho más tarde e ignoró la sugerencia de la médico de dicho servicio acerca de la conveniencia de salir del recinto hospitalario para la valoración del paciente.

En ese ínterin un agente de policía local se personó también en el servicio de urgencias requiriendo la presencia de un médico sin que José atendiera a dicho requerimiento. Agentes de la policía Local ante la gravedad de la situación decidieron ir personalmente en el vehículo policial a recabar la presencia de la UVI móvil con el fin de agilizar su llegada al lugar en el que se encontraba el paciente.

Dicha unidad móvil se desplazó inmediatamente frente a la puerta principal del hospital, donde Cesáreo, médico de dicha unidad de UVI móvil, atendió a Pablo comprobando que el paciente se encontraba en situación de parada cardiorespiratoria, por lo que inició maniobras de reanimación sin resultado positivo.

Pablo falleció a los breves minutos a consecuencia de una parada cardíaca[105].

CUESTIONES DE PARTE GENERAL

ASPECTOS A ANALIZAR	PRECEPTOS DEL CÓDIGO PENAL
Comisión omisión	Art. 11
Tipo subjetivo: dolo e imprudencia	Véanse los artículos relativos a los correspondientes tipos de la Parte Especial
Autoría y participación.	Arts. 27 ss.
Relación concursal entre los distintos delitos. Concurso de leyes y de delitos	Arts. 8, 73 ss.

CUESTIONES DE PARTE ESPECIAL

ASPECTOS A ANALIZAR	PRECEPTOS DEL CÓDIGO PENAL
Homicidio	Arts. 138, 142
Omisión del deber de socorro	Art. 195
Denegación de asistencia sanitaria	Art. 196

---

[105]   Con variaciones, los hechos están basados en los enjuiciados por Sentencia de la Audiencia Provincial de Ciudad Real, número 24/2014, de 9 de octubre.

CASO NÚMERO 106

Cuando Coral, de 60 años de edad, se dirigía a trabajar a una finca de su propiedad portando una azada, fue agredida por Arturo —quien a su vez se encontraba trabajando en un poste de una caseta suya lindante con un camino que une las dos fincas— que le propinó puñetazos y patadas que le causaron lesiones.

Después de lo sucedido, Coral se dirigió a su finca, en la que se encontraba su marido, Antonio, al que refirió lo acaecido. Acto seguido y con intención de ir a denunciar los hechos y acudir al médico, volvieron a pasar sobre las 09:00 horas aproximadamente por el lugar en que se había producido el incidente. En él se hallaba aún Arturo, al que Coral le reprochó la actitud que antes había tenido con ella. Coral, profundamente irritada pero plenamente consciente de la alta probabilidad de que con su acción pudiera resultar letal; propinó a Arturo al menos dos golpes en la cabeza con la parte posterior del hierro de la azada que llevaba; tras lo que los dos acusados abandonaron el lugar, dejando a Arturo solo y malherido, desentendiéndose de prestarle la ayuda que de manera manifiesta precisaba para que no pudiera tener lugar un fatal desenlace, pues yacía caído en el suelo y manaba gran cantidad de sangre por la cabeza.

Como consecuencia de la agresión, Arturo sufrió traumatismo cráneo-encefálico con fracturas craneales múltiples, contusión hemorrágica parenquimatosa temporal izquierda y parietooccipital derecha, precisando para su sanidad, además de una primera asistencia facultativa, tratamiento médico-quirúrgico consistente en craneotomía y esquirlectomía, tardando 240 días en curar, siendo de ellos 48 de hospitalización y 192 impeditivos, quedándole como secuela un perjuicio estético moderado por hundimiento craneal occipital, trastorno orgánico de la personalidad calificable de leve a moderado y pérdida de agudeza visual[106].

---

[106]   Con variaciones, los hechos están basados en los enjuiciados por la Sentencia del Tribunal Supremo, número 140/2010, de 23 de febrero.

CUESTIONES DE PARTE GENERAL

ASPECTOS A ANALIZAR	PRECEPTOS DEL CÓDIGO PENAL
Comisión por omisión	Art. 11
Tipo subjetivo: límites de la imprudencia y dolo eventual	Véanse los artículos relativos a los correspondientes tipos de la Parte Especial
Autoría y participación.	Arts. 27 ss.
Tentativa y consumación	Arts. 15 s.
Relación concursal entre los distintos delitos. Concurso de leyes y de delitos	Arts. 8, 73 ss.

CUESTIONES DE PARTE ESPECIAL

ASPECTOS A ANALIZAR	PRECEPTOS DEL CÓDIGO PENAL
Homicidio	Arts. 138 ss.
Delito de lesiones	Arts. 147 ss.
Omisión del deber de socorro	Art. 195

CASO NÚMERO 107

Rodrigo, de 87 años de edad, se encontraba sólo practicando el deporte de la caza en un coto deportivo, llevando una escopeta. Dicho coto era una zona de campo extensa, despoblada, con caminos de tierra y distante de la carretera más próxima a más de 1 Km. Sobre las 11,00 horas, al disparar sobre una pieza se resbaló, cayó al suelo y se le disparó fortuitamente la escopeta que portaba. A consecuencia del disparo sufrió una factura abierta de grado III en el cubito izquierdo, multifragmentaria, perdiendo unos 6 cms. de hueso, con afectación de piel, músculo, nervios y paquete vascular, seccionando la arteria cubital y provocando una herida de unos 15 cms. que afectaba a 2/5 partes del antebrazo izquierdo.

Dichas lesiones provocaron en el herido una pérdida hemorrágica importante, intenso dolor, mareo, nauseas y estrés por la situación angustiosa en la que se encontraba. La herida, de pronóstico grave, requería de urgente atención médica, para evitar la muerte por shock hipovolémico (desangramiento) o de infección generalizada, así como la pérdida del miembro por necrosis de los tejidos (amputación). Rodrigo, tras recibir el disparo, como pudo se hizo un torniquete con una cuerda similar a la de persiana, que se enrolló varias veces por el brazo y hombro tratando de detener la hemorragia. En esas condiciones se quedó en el camino de tierra a la espera de que alguien pudiera ayudarle. Al oír que se aproximaba un vehículo, el herido le dio el alto.

Iñigo, conductor de ese vehículo, lo detuvo a la salida de una ligera curva. El herido se aproximó hasta el turismo, y se colocó junto a la ventanilla del conductor que iba bajada. Rodrigo le dijo "por favor me llevas al pueblo que me he caído y mira como llevo el brazo, me he disparado", aunque, por el dolor intenso, la pérdida de sangre y el aturdimiento, no podía ni hablar ni andar con normalidad. La sangre que manchaba sus manos y ropas eran externamente visibles.

Iñigo, que de haberle prestado un poco de atención, hubiera podido apreciar perfectamente la gravedad del estado de Rodrigo, sin bajarse del vehículo y sin cruzar palabra alguna con él reemprendió su marcha, dejando en el camino solo a Rodrigo, sin prestarle auxilio alguno. No existía riesgo alguno para Íñigo ni para terceros que le impidiese prestar el auxilio solicitado. Unos 30 minutos más tarde, Rodrigo llegó a una casa distante a unos 150 m., siendo encontrado por un sobrino y por su propio hijo, que lo llevaron al hospital.

Tras recibir analgesia y reponer líquidos, el lesionado fue intervenido quirúrgicamente de urgencia. Estuvo ingresado en el hospital dos meses quedándole como secuela la impotencia funcional del miembro superior izquierdo y dolor crónico a la movilización[107].

CUESTIONES DE PARTE GENERAL

ASPECTOS A ANALIZAR	PRECEPTOS DEL CÓDIGO PENAL
Autoría y participación	Arts. 27 ss.

CUESTIONES DE PARTE ESPECIAL

ASPECTOS A ANALIZAR	PRECEPTOS DEL CÓDIGO PENAL
Omisión del deber de socorro	Art. 195

---

[107] Con variaciones, los hechos están basados en los enjuiciados por la Sentencia de la Audiencia Provincial de Murcia, número 57/2009, de 14 de octubre.

CASO NÚMERO 108

Francisco, mientras conducía, inició una maniobra de adelantamiento que desagradó a otro conductor, Alfredo, por lo que comenzaron a realizarse gestos obscenos y a discutir. En un momento dado Francisco perdió el control de su vehículo y se salió de la vía por la que circulaba a la derecha, trasvasando el arcén, y colisionando violentamente con una farola de alumbrado.

Alfredo continuó la marcha pese a que se había dado cuenta perfectamente de que el conductor del otro vehículo había sufrido graves lesiones; en concreto traumatismo craneoencefálico, facial, torácico y ortopédico severos que requirieron para su curación transfusión de hemoderivados, varias intervenciones quirúrgicas con anestesia general que lo mantuvieron hospitalizado durante 46 días, quedándole como secuelas importantes daños estéticos y funcionales. Además, sufrió trastorno depresivo postraumático cuya evolución fue favorable al correspondiente tratamiento psicológico[108].

CUESTIONES DE PARTE GENERAL

ASPECTOS A ANALIZAR	PRECEPTOS DEL CÓDIGO PENAL
Comisión por omisión	Art. 11
Tipo subjetivo: límites de la imprudencia y dolo eventual	Véanse los artículos relativos a los correspondientes tipos de la Parte Especial
Autoría y participación.	Arts. 27 ss.
Relación concursal entre los distintos delitos. Concurso de leyes y de delitos	Arts. 8, 73 ss.

CUESTIONES DE PARTE ESPECIAL

ASPECTOS A ANALIZAR	PRECEPTOS DEL CÓDIGO PENAL
Delito de lesiones. Lesiones psíquicas	Arts. 147 ss.
Omisión del deber de socorro a víctima de accidente	Art. 195.3

---

[108]   Con variaciones, los hechos están basados en los enjuiciados por la Sentencia del Tribunal Supremo, número 860/2002, de 16 de mayo. *(Tol 203098)*.

CASO NÚMERO 109

Javier conducía su vehículo careciendo de permiso de conducción y del seguro de responsabilidad civil, acompañado de su amigo Julio. Tras rebasar por la izquierda a los coches que estaban detenidos en el semáforo en rojo que le impedía el paso, ignoró la prohibición e inició el recorrido, sin respetar un paso de cebra. La calle se encontraba iluminada, con firme en buen estado y existían dos carriles en cada sentido. La velocidad genérica de la vía era de 50 Km/h y la específica del tramo de calle de 40 Km/h.

Javier circulaba en torno a los 80 Km/h cuando se percató de que dos viandantes cruzaban el citado paso de peatones. Ante ello reaccionó realizando dos maniobras evasivas, como una frenada de emergencia y un volantazo brusco a la izquierda, invadiendo el carril de sentido contrario para eludir a un peatón, que a diferencia de su compañero que al ver el vehículo retrocedió, decidió correr para salir de su trayectoria. El atropello se produjo ya en el carril izquierdo del sentido contrario al que circulaba el vehículo conducido por Javier, y el golpe se produjo en la zona frontal izquierda. La velocidad del vehículo al impactar era de 48 Km/h aproximadamente. El cuerpo del peatón fue lanzado a 13,40 Km/h del punto de colisión.

Tras el atropello el vehículo detuvo la marcha mirando ambos ocupantes hacia atrás y percatándose de que tres o cuatro personas rodeaban al peatón atropellado. El conductor decidió abandonar el lugar de los hechos, lo que hizo a gran velocidad y sin respetar alguno o algunos de los semáforos que le vinculaban.

Javier consiguió a través de un conocido, Fidel, el teléfono de una empresa de grúas para trasladar su vehículo a un taller de reparaciones de otra provincia, donde fue a recogerlo posteriormente, siendo entregado al Grupo de Homicidios de la Policía Nacional. Fidel consiguió el teléfono de la grúa y del taller por mediación de un amigo, Ignacio.

No consta que urdieran un plan para ocultar el vehículo ni que convencieran a Enrique, el hermano menor de Javier, de que se declarara autor del atropello.

El peatón falleció a consecuencia inmediata de fractura parientemporal izquierda y derecha con lefort II, shock traumático que sufrió a causa del atropello[109].

---

[109]   Con variaciones, los hechos están basados en los enjuiciados por la Sentencia de la Audiencia Provincial de Sevilla de 4 de septiembre de 2006. Recurso de apelación número 6078/2005 *(Tol 981108)*.

CUESTIONES DE PARTE GENERAL

ASPECTOS A ANALIZAR	PRECEPTOS DEL CÓDIGO PENAL
Comisión por omisión	Art. 11
Tipo subjetivo: límites de la imprudencia y dolo eventual	Véanse los artículos relativos a los correspondientes tipos de la Parte Especial
Autoría y participación.	Arts. 27 ss
Relación concursal entre los distintos delitos. Concurso de leyes y de delitos	Arts. 8, 73 ss.
Circunstancias atenuantes genéricas	Art. 21.4

CUESTIONES DE PARTE ESPECIAL

ASPECTOS A ANALIZAR	PRECEPTOS DEL CÓDIGO PENAL
Homicidio: tipo doloso	Art. 138
Homicidio: tipo imprudente	Art. 142
Omisión del deber de socorro a víctima de accidente	Art. 195.3
Simulación de delito	Art. 457
Encubrimiento	Arts. 451 ss.

XVI. HURTO, ROBO, ROBO Y HURTO DE USO DE VEHÍCULO A MOTOR

CIRCULAR GENERAL DEL ESTADO
Véase la Circular 3/2010 la Fiscalía General del Estado sobre la Reforma efectuada por la Ley orgánica 5/2010, de 22 de junio

CASO NÚMERO 110

Catalina se encontraba recogiendo las pertenencias de su vehículo tras estacionarlo cuando Isidoro de forma repentina se introdujo en él y tiró fuertemente del bolso que aquella se acababa de colgar en el hombro, logrando arrebatárselo para a continuación salir huyendo. El bolso y los efectos que el mismo contenía se valoraron en 278,90 euros.

El mismo día Isidoro se dirigió a un hotel y le pidió al recepcionista 10 euros. Ante la negativa de éste sacó un cúter y lo exhibió al recepcionista, quien entonces le entregó la cantidad[110].

CUESTIONES DE PARTE GENERAL

ASPECTOS A ANALIZAR	PRECEPTOS DEL CÓDIGO PENAL
Tentativa y consumación	Arts. 15 s.
Relación concursal entre los distintos delitos. Concurso de leyes y de delitos	Arts. 8, 73 ss.

CUESTIONES DE PARTE ESPECIAL

ASPECTOS A ANALIZAR	PRECEPTOS DEL CÓDIGO PENAL
Hurto	Arts. 234 ss.
Delito de robo	Arts. 237 ss.

---

[110] Con variaciones, los hechos están basados en los enjuiciados por la Sentencia de la Audiencia Provincial de Tarragona, 643/2010, de 23 de diciembre.

CASO NÚMERO 111

Elvira y Joaquín, que se encontraban de visita por una torre histórica de Alicante declarada de bien cultural, decidieron coger una piedra que cubría un pozo anejo a la edificación. Dado el peso considerable de la misma, superior a cien kilogramos, tuvieron que utilizar herramientas y realizar un notable esfuerzo. Los sujetos fueron sorprendidos cuando la acababan de extraer y se la llevaban una furgoneta.

Elvira y Joaquín alegaron desconocer el valor histórico del objeto sustraído, y aseguraron que se apropiaron del mismo por creer que se encontraba abandonado, afirmando que no existía signo externo alguno en el lugar que permitiera deducir que tenía algún valor[111].

CUESTIONES DE PARTE GENERAL

ASPECTOS A ANALIZAR	PRECEPTOS DEL CÓDIGO PENAL
Error de tipo y error de prohibición	Art. 14
Tentativa y consumación	Arts. 15 s.
Autoría y participación.	Arts. 27 ss.
Relación concursal entre los distintos delitos. Concurso de leyes y de delitos	Arts. 8, 73 ss.

CUESTIONES DE PARTE ESPECIAL

ASPECTOS A ANALIZAR	PRECEPTOS DEL CÓDIGO PENAL
Hurto. Tipos cualificados.	Arts. 234 ss.
Delitos contra el patrimonio histórico	Arts. 321 ss.

---

[111]   Con variaciones, los hechos están basados en los enjuiciados por la Sentencia de la Audiencia Provincial de Alicante, número 354/2002, de 14 de octubre. *(Tol 227096)*.

CASO NÚMERO 112

Carlos se trasladó a la estación de RENFE, donde con unos alicates cortó 5.200 metros de hilo de cobre del tendido telefónico de la red de ferrocarriles. Horas después fue sorprendido por una dotación de la policía llevando en su poder el citado cable. Como consecuencia de la sustracción del citado cable se cortaron las comunicaciones telefónicas de la RENFE durante dos horas[112].

CUESTIONES DE PARTE GENERAL

ASPECTOS A ANALIZAR	PRECEPTOS DEL CÓDIGO PENAL
Tentativa y consumación	Arts. 15 s.
Relación concursal entre los distintos delitos. Concurso de leyes y de delitos	Arts. 8, 73 ss.

CUESTIONES DE PARTE ESPECIAL

ASPECTOS A ANALIZAR	PRECEPTOS DEL CÓDIGO PENAL
Hurto. Tipos cualificados	Arts. 234 s.
Desórdenes públicos	Art. 560

---

[112] Con variaciones, los hechos están basados en los enjuiciados por la Sentencia del Tribunal Supremo, número 2695/1992, de 3 de diciembre. *(Tol 398064).*

CASO NÚMERO 113

Cristóbal saltó un muro de 1,50 metros de altura que separaba su terraza de la del piso contiguo, y se introdujo en una vivienda por la puerta acristalada del dormitorio. Una vez dentro se dirigió por un pasillo hasta el salón, donde, con ánimo de obtener un beneficio ilícito, comenzó a registrar un bolso de mano que se hallaba sobre la mesa de dicha estancia. En ese momento fue descubierto por la inquilina de dicha vivienda, quien comenzó a gritar, logrando huir el acusado por la puerta de la casa pero sin llevarse nada[113].

CUESTIONES DE PARTE GENERAL

ASPECTOS A ANALIZAR	PRECEPTOS DEL CÓDIGO PENAL
Tentativa y consumación	Arts. 15 s.

CUESTIONES DE PARTE ESPECIAL

ASPECTOS A ANALIZAR	PRECEPTOS DEL CÓDIGO PENAL
Robo con fuerza en las cosas. Tipos cualificados.	Arts. 237 ss.

---

[113] Con variaciones, los hechos está basados en los enjuiciados por la Sentencia del Tribunal Supremo, número 1665/2002, de 11 de octubre. *(Tol 229727)*.

CASO NÚMERO 114

Domingo, tras forzar la cerradura de la puerta de acceso a la vivienda propiedad de Leocadia, accedió a su interior y sustrajo un teléfono móvil, una cartera monedero, un ipod, dos cadenas de oro y tres anillos de oro, efectos tasados en 786,1 euros.

Domingo esta diagnosticado de trastorno de la personalidad con rasgos límites, explosivos y dependientes con conducta psicópata. Con abuso cocaína y alcohol[114].

CUESTIONES DE PARTE GENERAL

ASPECTOS A ANALIZAR	PRECEPTOS DEL CÓDIGO PENAL
Culpabilidad. Eximentes y atenuantes	Arts. 20.1, 20.2, 21.1, 21.2, 21.3

CUESTIONES DE PARTE ESPECIAL

ASPECTOS A ANALIZAR	PRECEPTOS DEL CÓDIGO PENAL
Robo con fuerza en las cosas. Tipos cualificados.	Arts. 237 ss.

---

[114] Con variaciones, los hechos están basados en los enjuiciados por la Sentencia de la Audiencia Provincial de Madrid, número 399/2010, de 14 de diciembre.

CASO NÚMERO 115

Antonio se subió en los hombros de Eusebio para trepar hasta la terraza del domicilio de Serafín, y de esa forma se apoderó de una jaula con dos canarios valorados en 18 euros. Posteriormente se dieron a la fuga, si bien fueron interceptados y detenidos por agentes de la Policía Local en una Estación de Servicio, procediendo dichos agentes a la recuperación de lo substraído, que fue devuelto a su propietario[115].

CUESTIONES DE PARTE GENERAL

ASPECTOS A ANALIZAR	PRECEPTOS DEL CÓDIGO PENAL
Tentativa y consumación	Arts. 15 s.
Autoría y participación.	Arts. 27 ss.

CUESTIONES DE PARTE ESPECIAL

ASPECTOS A ANALIZAR	PRECEPTOS DEL CÓDIGO PENAL
Delito de hurto	Art. 234
Robo con fuerza en las cosas	Arts. 237 ss.

---

[115] Con variaciones, los hechos están basados en los enjuiciados por la Sentencia del Tribunal Supremo, número 729/2000 de 24 de abril. *(Tol 22736)*.

CASO NÚMERO 116

Claudio y Joaquín, de 16 años de edad y sin antecedentes penales, con la intención de obtener un beneficio económico, decidieron utilizar las llaves que había perdido Santiago y que ellos poseían. Con ellas se dirigieron al domicilio de éste, accediendo al mismo y sustrayendo la cantidad de 1.500 euros. Con idéntico fin y previo acuerdo, se repitió la operación, obteniendo la cantidad de 240 euros en las dos ocasiones en que penetraron los menores. Poco después volvieron a efectuar los mismos actos, siendo sorprendidos por el propietario que aguardaba en el interior del domicilio, por lo que no lograron su propósito. El importe obtenido en todos los episodios descritos fue repartido, habiendo devuelto a su propietario parte de lo sustraído, hasta cubrir la cantidad de 900 euros[116].

CUESTIONES DE PARTE GENERAL

ASPECTOS A ANALIZAR	PRECEPTOS DEL CÓDIGO PENAL
Responsabilidad penal de los menores de edad	LO 5/2000, de 12 de enero, de Responsabilidad penal de los menores
Tentativa y consumación	Arts. 15 s.
Autoría y participación	Arts. 27 ss.
Delito continuado	Art. 74

CUESTIONES DE PARTE ESPECIAL

ASPECTOS A ANALIZAR	PRECEPTOS DEL CÓDIGO PENAL
Robo con fuerza en las cosas. Tipos cualificados.	Arts. 237 ss.

---

[116] Con variaciones, los hechos están basados en los enjuiciados por la Sentencia del Tribunal Supremo, número 190/2000, de 7 de febrero. *(Tol 15572).*

CASO NÚMERO 117

Rogelio sacó en diversas ocasiones dinero de un cajero automático hasta un total de 1000 euros utilizando una tarjeta 4-B de la que era titular Amanda, con la que convivía desde cuatro años atrás. Los empleados del banco conocían esta circunstancia, por lo que le entregaron la mencionada tarjeta. Rogelio conocía el número secreto que permitía el acceso al dinero por la correspondencia que ella recibía y que él estaba autorizado a abrir[117].

CUESTIONES DE PARTE GENERAL

ASPECTOS A ANALIZAR	PRECEPTOS DEL CÓDIGO PENAL
Excusa absolutoria entre parientes. Analogía in bonam partem.	Art. 268
Circunstancias agravantes genéricas: abuso de confianza	Arts. 22.6, 67
Circunstancia mixta de parentesco	Art. 23

CUESTIONES DE PARTE ESPECIAL

ASPECTOS A ANALIZAR	PRECEPTOS DEL CÓDIGO PENAL
Hurto	Art. 234
Robo con fuerza en las cosas.	Arts. 237 ss.
Estafa	Art. 248

ACUERDO DE PLENO DEL TRIBUNAL SUPREMO
Véase Anexo I.15. Acuerdo del día 1 de marzo de 2005

---

[117] Con variaciones, los hechos están basados en los enjuiciados por la Sentencia del Tribunal Supremo, número 889/1993, de 21 de abril. *(Tol 401062).*

CASO NÚMERO 118

Oscar, que se encontraba en un bar en compañía de Valentín, con el que había entablado conversación momentos antes, aprovechó un descuido de éste para cogerle una cartera que portaba, valorada en 6 euros, que contenía en su interior varias tarjetas de crédito y una tarjeta de compras de un centro comercial, así como un papel en el que estaba anotada la clave secreta de una de las tarjetas. Al día siguiente realizó con ella tres extracciones de dinero en un cajero automático, dos de 120 euros y una de 150 euros, que le fueron cargadas en la cuenta al titular de la tarjeta. La tarde de ese mismo día se dirigió a un centro comercial, y con el mismo propósito de obtener un beneficio económico trató de realizar una compra por importe de 72 euros, utilizando para pagar la tarjeta del centro comercial que también contenía la cartera. Finalmente no lo consiguió al haber sido denunciada la desaparición y proceder los empleados a avisar a la Policía, que se personó en el establecimiento y lo detuvo[118].

CUESTIONES DE PARTE GENERAL

ASPECTOS A ANALIZAR	PRECEPTOS DEL CÓDIGO PENAL
Tentativa y consumación	Arts. 15 s.
Relación concursal entre los distintos delitos. Concurso de leyes y de delitos	Arts. 8, 73 ss.
Delito continuado	Art. 74

CUESTIONES DE PARTE ESPECIAL

ASPECTOS A ANALIZAR	PRECEPTOS DEL CÓDIGO PENAL
Robo con fuerza en las cosas.	Arts. 237 ss.
Delito de hurto	Art. 234
Estafa	Arts. 248 ss.

ACUERDO DE PLENO DEL TRIBUNAL SUPREMO
Véase Anexo I.5. Acuerdo del día 31 de marzo de 2009

ACUERDO DE PLENO DEL TRIBUNAL SUPREMO
Véase Anexo I.8. Acuerdo del día 18 de julio de 2007

---

[118]   Con variaciones, los hechos están basados en los enjuiciados por la Sentencia del Tribunal Supremo, número 666/1999, de 29 de abril. *(Tol 8352)*.

CASO NÚMERO 119

Gonzalo, movido por un ánimo de ilícito beneficio, entró en un bar en horario de apertura al público, donde valiéndose de un artilugio confeccionado con una moneda unida a un hilo muy fino y papel de celofán, accedió a la máquina expendedora de tabaco de aquel establecimiento. Este mecanismo le permitió accionar el sistema de la máquina y recuperar asimismo la moneda introducida. De esa forma obtuvo cinco paquetes de tabaco y 9 euros en moneda efectiva procedente de los cambios que devolvía la máquina cuando se realizaba la operación. El dueño del establecimiento se percató de lo sucedido, por lo que avisó a la policía, que detuvo a Gonzalo y recuperó los efectos sustraídos, sin que éste pudiera disponer de ellos, que se entregaron a su propietario[119].

CUESTIONES DE PARTE GENERAL

ASPECTOS A ANALIZAR	PRECEPTOS DEL CÓDIGO PENAL
Tentativa y consumación	Arts. 15 s.

CUESTIONES DE PARTE ESPECIAL

ASPECTOS A ANALIZAR	PRECEPTOS DEL CÓDIGO PENAL
Robo con fuerza en las cosas. Tipos cualificados	Arts. 237 ss.
Estafa	Arts. 248 ss.

---

[119] Con variaciones, los hechos están basados en los enjuiciados por la Sentencia del Tribunal Supremo, número 257/2000, de 18 de febrero. *(Tol 23599)*.

CASO NÚMERO 120

Cándido conocía que su padre era depositario de las llaves de la vivienda de su vecino, quien cuando se iba de viaje se las dejaba al mismo para que le echase un vistazo al piso. Cándido se apoderó sin conocimiento de su padre de las llaves del piso de su vecino, y tras entrar con las llaves así obtenidas, cogió una cartilla del banco y una tarjeta de crédito correspondiente a la cuenta de la que era titular su vecino con el decidido propósito de sacar dinero de ella con posterioridad. Cándido acudió al establecimiento bancario y realizó diversas operaciones de reintegro en el cajero automático de la sucursal con la cartilla, obteniendo la cantidad de 3.000 euros. Asimismo, adquirió diversos géneros en un comercio textil utilizando como instrumento de pago la mencionada tarjeta, por importe de 20 euros, que fueron cargados a la cuenta de su vecino. En estas fechas, Cándido era adicto al consumo de cocaína por vía inhalatoria, lo que disminuía su capacidad volitiva en todos aquellos actos tendentes a procurarse la sustancia a cuyo consumo era adicto[120].

CUESTIONES DE PARTE GENERAL

ASPECTOS A ANALIZAR	PRECEPTOS DEL CÓDIGO PENAL
Culpabilidad: eximentes y atenuantes	Arts. 20.2, 21.1, 21.2
Relación concursal entre los distintos delitos. Concurso de leyes y de delitos	Arts. 8, 73 ss.
Delito continuado	Art. 74

CUESTIONES DE PARTE ESPECIAL

ASPECTOS A ANALIZAR	PRECEPTOS DEL CÓDIGO PENAL
Delito de hurto	Arts. 234 ss.
Robo con fuerza en las cosas. Tipos cualificados	Arts. 237 ss.
Estafa	Arts. 248 ss.

ACUERDO DE PLENO DEL TRIBUNAL SUPREMO
Véase Anexo I.5. Acuerdo del día 31 de marzo de 2009

ACUERDO DE PLENO DEL TRIBUNAL SUPREMO
Véase Anexo I.10. Acuerdo del día 18 de julio de 2007

---

[120] Con variaciones, los hechos están basados en los enjuiciados por la Sentencia del Tribunal Supremo, número 1313/2001, de 25 de junio. *(Tol 103250)*.

CASO NÚMERO 121

Darío y José, puestos de previo acuerdo y con el propósito de enriquecerse, fueron a la sección de telefonía móvil de un establecimiento comercial, y haciendo una palanca con una llave en los cristales, pretendieron cruzar los mismos salvando el pivote que a modo de tope allí se ubica, sin lograr la finalidad pretendida al ser sorprendidos por los empleados del establecimiento[121].

CUESTIONES DE PARTE GENERAL

ASPECTOS A ANALIZAR	PRECEPTOS DEL CÓDIGO PENAL
Tentativa y consumación	Arts. 15 s.
Autoría y participación	Arts. 27 ss.

CUESTIONES DE PARTE ESPECIAL

ASPECTOS A ANALIZAR	PRECEPTOS DEL CÓDIGO PENAL
Delito de hurto	Arts. 234 ss.
Robo con fuerza en las cosas.	Arts. 237 ss.

---

[121]   Con variaciones, los hechos están basados en los enjuiciados por la Sentencia del Tribunal Supremo, número 1141/2000, de 22 de junio. *(Tol 273294).*

CASO NÚMERO 122

Jorge y Manuel, ambos mayores de edad, penetraron en un colegio, que era además una Comunidad Religiosa, por la parte trasera del mismo que se hallaba en obras. Tras forzar la cerradura de la puerta que da acceso al patio del Colegio fueron sorprendidos en el interior del mismo por las religiosas de la Comunidad antes de que llegaran a coger ningún objeto de valor[122].

CUESTIONES DE PARTE GENERAL

ASPECTOS A ANALIZAR	PRECEPTOS DEL CÓDIGO PENAL
Tentativa y consumación	Arts. 15 s.
Autoría y participación	Arts. 27 ss.

CUESTIONES DE PARTE ESPECIAL

ASPECTOS A ANALIZAR	PRECEPTOS DEL CÓDIGO PENAL
Delito de hurto	Arts. 234 ss.
Robo con fuerza en las cosas. Tipos cualificados	Arts. 237 ss.

---

[122]   Con variaciones, los hechos están basados en los enjuiciados por la Sentencia del Tribunal Supremo, número 1379/2000, de 15 de septiembre. *(Tol 48611)*.

CASO NÚMERO 123

Ramón y Juan, actuando de común acuerdo y guiados por el ánimo de obtener un beneficio económico ilícito, entraron en una ermita que se encontraba en ese momento abierta a los feligreses, y una vez en su interior se apoderaron de la corona de metal dorado de la Virgen situada en el altar mayor desenroscando el tornillo que unía la corona a la tuerca de sujeción. La mencionada corona, que no pudo ser recuperada, fue valorada en 1.500 euros.

A continuación fracturaron la puerta de la caja de recaudación de un monaguillo de cartón piedra ubicado junto al altar, consiguiendo de esta forma hacer suya la cantidad de 18 euros que había en el interior del cepillo[123].

CUESTIONES DE PARTE GENERAL

ASPECTOS A ANALIZAR	PRECEPTOS DEL CÓDIGO PENAL
Autoría y participación	Arts. 27 ss.

CUESTIONES DE PARTE ESPECIAL

ASPECTOS A ANALIZAR	PRECEPTOS DEL CÓDIGO PENAL
Delito de hurto	Arts. 234 ss.
Robo con fuerza en las cosas. Tipos cualificados	Arts. 237 ss.

---

[123] Con variaciones, los hechos están basados en los enjuiciados por la Sentencia del Tribunal Supremo, número 1193/2001, de 20 de junio.

CASO NÚMERO 124

Luis Alberto, mayor de edad, provisto de un bate de béisbol y guantes, se dirigió en compañía de otras dos personas menores de edad, al domicilio de Amanda, que uno de los menores conocía personalmente por haber vivido en dicha vivienda durante unos meses. Los tres sujetos actuaron de común acuerdo con ánimo de incorporar a su patrimonio cuanto de valor allí encontrasen. Tras sacar al exterior al perro que había en el chalet, accedieron al interior de la vivienda a través de unas puertas correderas, subieron a la segunda planta donde se hallaba durmiendo Amanda y, mientras se encontraba en la cama, le golpearon en repetidas ocasiones en la cabeza con el bate de béisbol que portaban hasta que perdió el sentido y a sabiendas de que le podían causar la muerte, adueñándose de 700 euros. Acto seguido, se marcharon precipitadamente del domicilio abandonando a la víctima en dicho estado y quemaron las zapatillas que ellos llevaban puestas. A la mañana siguiente, la limpiadora de la vivienda encontró a Amanda en el sofá de la planta baja en estado de seminconsciencia y avisó a los servicios médicos y a la Policía.

Como consecuencia de estos hechos, Amanda sufrió lesiones que tardaron en sanar 213 días[124].

CUESTIONES DE PARTE GENERAL

ASPECTOS A ANALIZAR	PRECEPTOS DEL CÓDIGO PENAL
Tentativa y consumación	Arts. 15 s.
Relación concursal entre los distintos delitos. Concurso de leyes y de delitos	Arts. 8, 73 ss.

CUESTIONES DE PARTE ESPECIAL

ASPECTOS A ANALIZAR	PRECEPTOS DEL CÓDIGO PENAL
Robo con violencia o intimidación. Tipos cualificados	Arts. 237 ss.
Homicidio	Art. 138
Delito de lesiones	Arts. 147 ss.
Referencia a la responsabilidad penal de los menores de edad	

---

[124] Con variaciones los hechos están basados en los enjuiciados por la Sentencia del Tribunal Supremo, número 1045/2012, de 27 de diciembre.

CASO NÚMERO 125

Luis y Javier acudieron hasta las inmediaciones de la parcela donde Hermenegildo tiene su residencia, y tras saltar la valla perimetral, sorprendieron a este en el momento que retornaba a su domicilio. Tras inmovilizarle y esgrimir contra él un objeto que bien pudiera ser un arma de fuego corta, le obligaron a entrar en la casa, donde le ataron de pies y manos con bridas, tapándole los ojos y la boca con cinta adhesiva.

Dichas personas le sustrajeron una cadena de oro con eslabones que llevaba colgada al cuello, 550 euros que guardaba en el interior de una riñonera y un teléfono móvil valorado en 300 euros. Asimismo, tras apoderarse de sus llaves le sustrajeron un vehículo Audi y una motocicleta.

Dichas personas se marcharon del lugar conduciendo cada uno de ellos uno de los referidos vehículos, dejando al Hermenegildo atado y encerrado en el interior de la vivienda, diciéndole que pasado un tiempo llamarían a un amigo para que acudiera a la casa y le ayudara. Hermenegildo logró liberarse y salir de la casa a través de un ventanuco de la vivienda, apareciendo al rato su amigo, Rubén, a quien por medio de una llamada efectuada a través del referido teléfono móvil, un desconocido le había dicho: "si quieres ver a tu amigo Hermenegildo con vida, sube que está maniatado y sangrando". Alertando seguidamente a la policía que acudió al lugar de los hechos[125].

CUESTIONES DE PARTE GENERAL

ASPECTOS A ANALIZAR	PRECEPTOS DEL CÓDIGO PENAL
Tentativa y consumación	Arts. 15 s.
Circunstancias atenuantes y agravantes genéricas	Arts. 21 y 22
Relación concursal entre los distintos delitos. Concurso de leyes y de delitos	Arts. 8, 73 ss.

---

[125] Con variaciones, los hechos están basados en los enjuiciados por la Sentencia del Tribunal Supremo, número 599/ 2013, de 8 de julio.

CUESTIONES DE PARTE ESPECIAL

ASPECTOS A ANALIZAR	PRECEPTOS DEL CÓDIGO PENAL
Robo con violencia o intimidación. Tipos cualificados	Art. 242
Delito de lesiones	Arts. 147 ss.
Delito de detenciones ilegales y secuestro	Arts. 163 ss.

CASO NÚMERO 126

Alejandro, abordó por la espalda a Arturo aprovechando que se encontraba desprevenido hablando por el teléfono móvil y sentado sobre su motocicleta. Esgrimiendo un objeto punzante, le conminó para que le entregara sus pertenencias. Amedrentado por la posibilidad de sufrir un pinchazo, Arturo le entregó a su agresor el casco, la cartera junto con todo su contenido, el teléfono móvil y las llaves de la motocicleta, con la que marchó el agresor del lugar.

Otro día, Alejandro se dirigió con un cuchillo a Jesús y le conminó a que le acompañara hasta su coche obligándole a entregarle los bienes que portaba en una bandolera, tales como tarjetas bancarias, DNI, teléfono móvil y gafas graduadas, con un valor aproximado de 250 euros, y a introducirse, acto seguido, en el maletero del turismo a través de los asientos traseros, en donde lo encerró.

Aprovechando el estado de temor de Jesús le solicitó los códigos numéricos de las tarjetas, y, una vez los tuvo en su poder, inició un periplo en cuyo curso realizó 3 paradas, en las que, usando dos tarjetas bancarias diferentes e introduciendo en las cajeros los código numéricos que le había facilitado su víctima, se hizo con la suma de 1790 euros.

Pese a haber realizado todas las operaciones bancarias para la obtención de dinero, Alejandro no liberó a Jesús, y prendió el asiento del copiloto con intención de deshacerse del vehículo hasta quemarlo por completo, sin desconocer que dicha acción podría causar la muerte de Jesús. Tras ello, Alejandro intentó plegar los asientos traseros para liberar al retenido, pero al no lograrlo, desistió sin más de ese impulso, aceptando el resultado de muerte que pudiera llegar a producirse por el incendio, sin pedir auxilio y sin sofocar las llamas, alejándose unos metros y abandonando a su víctima a su suerte. A fuerza de golpear y empujar el respaldo de los asientos traseros desde el maletero, Jesús logró abrir un pequeño hueco a través del cual salió al exterior antes de que se calcinase totalmente el turismo.

Como consecuencia de todo ello Jesús sufrió una lumbalgia y un ataque de ansiedad[126].

---

[126] Con variaciones, los hechos están basados en los enjuiciados por la Sentencia del Tribunal Supremo, número 379/2011, de 19 de mayo.

CUESTIONES DE PARTE GENERAL

ASPECTOS A ANALIZAR	PRECEPTOS DEL CÓDIGO PENAL
Tipo subjetivo: límites de la imprudencia y dolo eventual	Véanse los artículos relativos a los correspondientes tipos de la Parte Especial
Tentativa y consumación	Arts. 15 s.
Relación concursal entre los distintos delitos. Concurso de leyes y de delitos	Arts. 8, 73 ss.
Delito continuado	Art. 74

CUESTIONES DE PARTE ESPECIAL

ASPECTOS A ANALIZAR	PRECEPTOS DEL CÓDIGO PENAL
Robo con violencia o intimidación	Art. 242
Estafa	Arts. 248 ss.
Homicidio	Arts. 138, 142
Lesiones	Arts. 147 ss.
Detenciones ilegales	Arts. 163 ss.
Daños	Arts. 263 ss.
Incendios	Arts. 351 ss.

CASO NÚMERO 127

Esteban, de acuerdo con Marcos, abordó a una señora y de un fuerte tirón le arrebató el bolso que ésta portaba colgado del hombro izquierdo. En la maniobra estuvo forcejeando breves instantes con ella, por lo que resultó lesionada, aunque solo requirió una primera asistencia médica. Tras conseguir el bolso, Esteban y Marcos huyeron. Algunas personas que habían visto lo sucedido salieron a su alcance, consiguiendo la detención de Esteban y la recuperación del bolso y su contenido, ya que fue arrojado por Marcos en la huida. Esteban padece oligofrenia media[127].

CUESTIONES DE PARTE GENERAL

ASPECTOS A ANALIZAR	PRECEPTOS DEL CÓDIGO PENAL
Culpabilidad: eximentes y atenuantes	Arts. 20.1, 21.1, 21.3
Tentativa y consumación	Arts. 15 s.
Autoría y participación	Arts. 27 ss.
Relación concursal entre los distintos delitos. Concurso de leyes y de delitos	Arts. 8, 73 ss.

CUESTIONES DE PARTE ESPECIAL

ASPECTOS A ANALIZAR	PRECEPTOS DEL CÓDIGO PENAL
Lesiones: tipos delictivos	Arts. 147 ss.
Delito de hurto	Arts. 234 ss.
Robo con violencia o intimidación	Art. 242

---

[127] Con variaciones, los hechos están basados en los enjuiciados por la Sentencia del Tribunal Supremo, número 594/ 2001, de 6 de abril. *(Tol 31221).*

CASO NÚMERO 128

Claudio y su compañera sentimental, Inocencia, de común acuerdo y con el propósito de obtener un beneficio ilícito, penetraron en un Supermercado. Una vez dentro, Inocencia cogió, al menos, dos de botellas de whisky de 12 años, dejándolas en un cesto de donde las tomó Claudio, saliendo cada acusado por separado del supermercado. Uno de los empleados, Bernardo, previamente alertado por la actitud de los mismos y al observar que el hombre llevaba productos escondidos en la chaqueta, le indico en la salida que se parara a la vez que le requería para que dejara los productos que portaba sin abonar. Claudio reaccionó de forma violenta, y tomando un cúter o instrumento de corte similar, golpeó al empleado fuerte y repetidas veces en el antebrazo izquierdo consiguiendo de esta manera que cesara en sus requerimientos y entrara en el supermercado ante la agresión sufrida. Claudio abandonó el lugar con, al menos, dos botellas de whisky. Por su parte otro empleado, Cesar, que antes había seguido a Inocencia, ante los gritos de su compañero acudió a su zona, donde observó cómo sangraba el brazo de Bernardo. Estando atendiendo a su compañero, vio a Inocencia que trataba de abandonar el supermercado, por lo que la requirió para que se detuviera. Pese a ello, Inocencia salió hacia la calle diciendo que iba a por dinero, a la vez que hablaba por teléfono, y salía corriendo. Cesar la siguió hasta que llego a un vehículo, ocupado por dos hombres. Uno de ellos era Claudio. Tras bajarse del vehículo inició un fuerte forcejeo con César propinándole un fuerte puñetazo en la oreja izquierda.

Inocencia y Claudio subieron a un vehículo donde se encontraba un tercero y huyeron del lugar portando las dos botellas de whisky, con un precio, cada una de ellas de 200 euros[128].

---

[128]   Con variaciones los hechos están basados en los enjuiciados por la Sentencia del Tribunal Supremo, número 65/2013, de 30 de enero.

CUESTIONES DE PARTE GENERAL

ASPECTOS A ANALIZAR	PRECEPTOS DEL CÓDIGO PENAL
Tentativa y consumación	Arts. 15 s.
Autoría y participación	Arts. 27 ss.
Relación concursal entre los distintos delitos. Concurso de leyes y de delitos	Arts. 8, 73 ss.

CUESTIONES DE PARTE ESPECIAL

ASPECTOS A ANALIZAR	PRECEPTOS DEL CÓDIGO PENAL
Delito de lesiones	Arts. 147 ss.
Delito de hurto	Arts. 234 ss.
Robo con violencia o intimidación	Art. 242

CASO NÚMERO 129

Entre los meses de septiembre y octubre de 2009 Ezequías, Narciso y Casimiro, todos ellos de nacionalidad colombiana, mayores de edad y sin antecedentes penales, se dedicaron de manera organizada y coordinada a preparar y realizar robos con violencia e intimidación en domicilios de empresarios y particulares, que aparentaban gozar de buena posición económica, contando con armas de fuego y blancas para utilizarlas en sus acciones. Entre ellos mantenían contactos telefónicos frecuentes, referentes a sus fines delictivos y entrevistas personales, generalmente en el domicilio de Ezequías, que aparentaba una cierta jefatura respecto de los otros, pues a través de él se centralizaba la información que precisaban para sus actividades, realizando Narciso labores de búsqueda y vigilancia de posibles objetivos, utilizando varios vehículos diferentes en sus desplazamientos algunos de ellos pertenecientes a terceras personas, hasta que el grupo fue desarticulado por intervención policial.

Un día, Ezequías, Narciso y otros sujetos no identificados entraron en la vivienda habitada de Jesús y su familia utilizando pasamontañas y guantes que ocultaban su identidad. Aprovechando que el propietario había salió fuera de la casa, uno de ellos se le acercó portando una pistola con la que le encañonó, introduciéndolo en su vivienda, junto con los demás asaltantes, donde lo llevaron a una habitación. Allí le ataron con cintas de plástico y lo tiraron al suelo, quedando uno de ellos vigilándolo, mientras que los otros recorrían la casa en la que encontraron a la hija del dueño, Ana, a la que también condujeron bajo la amenaza de la pistola a la habitación en que se encontraba su padre. Allí también la ataron y tiraron al suelo. Entre tanto, uno de los del grupo fue en busca del jardinero que se encontraba en la zona de la piscina, conduciéndolo al interior de la casa, donde lo llevaron a la habitación en que se encontraba el dueño, atándolo en el suelo, al igual que a su principal. La esposa del propietario, Lidia, fue sorprendida por uno de los que entraron mientras se duchaba en su habitación, siendo interpelada por el intruso para que saliera y fuera con él. Lidia se vistió y le acompaño bajo la amenaza de la pistola, siendo conducida a la misma habitación en que se encontraban los demás, donde igualmente la ataron con tiras de plástico y la tiraron al suelo, permitiendo después que se sentara en la cama.

Vigilando a todos quedó uno de los asaltantes, armado, mientras otros dos entraban y salían y los demás recorrían la casa apoderándose de objetos, marchándose a continuación.

A consecuencia del maltrato que recibieron, Jesús sufrió equimosis en ambas muñecas; Lidia padeció equimosis en ambas muñecas y ansiedad postraumática; y Ana, resultó con shock emocional.

Los efectos sustraídos y daños ocasionados en la vivienda por roturas de objetos y de la valla perimetral del recinto alcanzan el importe de 26.536, 50 euros[129].

CUESTIONES DE PARTE GENERAL

ASPECTOS A ANALIZAR	PRECEPTOS DEL CÓDIGO PENAL
Legítima defensa	Art. 20.4
Relación concursal entre los distintos delitos. Concurso de leyes y de delitos	Arts. 8, 73 ss.

CUESTIONES DE PARTE ESPECIAL

ASPECTOS A ANALIZAR	PRECEPTOS DEL CÓDIGO PENAL
Delito de lesiones	Arts. 147 ss.
Amenazas y coacciones	Arts. 169 ss.
Detenciones ilegales y secuestros	Arts. 163 ss.
Allanamiento de morada	Arts. 202 ss.
Delito de robo	Arts. 237 ss.

---

[129] Con variaciones los hechos están basados en los enjuiciados por la Sentencia del Tribunal Supremo, número 146/2013, de 11 de febrero.

CASO NÚMERO 130

Nazario y Florencio se pusieron de acuerdo para apoderarse de un ciclomotor que se encontraba estacionado y para ello rompieron el bloqueo de la dirección y del sistema de encendido. Mientras trataban de ponerlo en marcha para llevárselo apareció el propietario del ciclomotor, Alejandro, que les dijo que se estuvieran quietos y dejaran en paz su moto, pero los dos se encararon con él. Nazario le propinó un cabezazo haciéndole perder un diente y entre los dos le dieron puñetazos y se marcharon riéndose, pero sin llevarse el ciclomotor. Alejandro sufrió una erosión en el labio superior, erosión y eritema preorbitario y pérdida de incisivo medio superior, que necesitó, además de la primera asistencia, tratamiento médico quirúrgico que duró 15 días, estuvo dos días impedido para trabajar y sufrió como secuela la perdida traumática del diente que altera en forma importante su apariencia e integridad física. El ciclomotor sufrió daños por importe de 490 €[130].

CUESTIONES DE PARTE GENERAL

ASPECTOS A ANALIZAR	PRECEPTOS DEL CÓDIGO PENAL
Tentativa y consumación	Arts. 15 s.
Autoría y participación	Arts. 27 ss.
Relación concursal entre los distintos delitos. Concurso de leyes y de delitos	Arts. 8, 73 ss.

CUESTIONES DE PARTE ESPECIAL

ASPECTOS A ANALIZAR	PRECEPTOS DEL CÓDIGO PENAL
Robo y hurto de uso de vehículos a motor	Art. 244
Robo con violencia o intimidación	Art. 242
Lesiones	Arts. 147 ss.

---

[130] Con variaciones, los hechos están basados en los enjuiciados por la Sentencia del Tribunal Supremo, número 271/2012, de 9 de abril.

CASO NÚMERO 131

Con la finalidad de usar un vehículo marca BMW, Tomás apalancó con un destornillador la cerradura de la puerta del conductor, forzando el sistema de encendido, y de esta forma logró sustraerlo. El vehículo fue recuperado por su propietario al ser encontrado el siguiente.

Otro día, Tomás y su amigo Basilio, actuando los dos conjuntamente y de mutuo acuerdo, entraron en una sucursal bancaria habiendo ocultado previamente sus rostros con unos pasamontañas, portando en sus manos uno de ellos un cuchillo o pincho metálico y el otro una pistola apta para el disparo de proyectiles metálicos del calibre 7'65 mm., e intimidaron con las citadas armas a los empleados de la sucursal y a los clientes que allí se encontraban. De esta forma lograron apoderarse de 600 euros en efectivo y de un teléfono móvil, que se encontraban sobre una mesa, así como de 7.073 euros en efectivo que encontraron en el cajón de una de las mesas, exigiendo acto seguido a Paulino, subdirector de la sucursal, que abriera la caja de seguridad. Éste, temeroso de ser lesionado, intentó salir de la sucursal, momento en el que el que portaba la pistola le disparó, alcanzándole en el abdomen. Acto seguido salieron Tomás y Basilio de la sucursal bancaria, llevando consigo el dinero y el teléfono antes citados.

Como consecuencia del disparo recibido, Paulino sufrió la sección del intestino delgado así como secciones vasculares, que le habrían producido la muerte de no haber sido atendido facultativamente[131].

CUESTIONES DE PARTE GENERAL

ASPECTOS A ANALIZAR	PRECEPTOS DEL CÓDIGO PENAL
Circunstancias agravantes genéricas: disfraz	Art. 22.2
Tentativa y consumación	Arts. 15 s.
Autoría y participación	Arts. 27 ss.
Relación concursal entre los distintos delitos. Concurso de leyes y de delitos	Arts. 8, 73 ss.

[131] Con variaciones, los hechos están basados en los enjuiciados por la Sentencia de la Audiencia Provincial de Madrid, número de 436/2009, de 20 de octubre.

CUESTIONES DE PARTE ESPECIAL

ASPECTOS A ANALIZAR	PRECEPTOS DEL CÓDIGO PENAL
Robo y hurto de uso de vehículos a motor	Art. 244
Robo con violencia o intimidación	Art. 242
Homicidio	Arts. 138, 142
Lesiones	Arts. 147 ss.

CASO NÚMERO 132

Richard y Paúl, actuando de común acuerdo, abrieron con una ganzúa una de las puertas del automóvil que su dueño, Francisco, había dejado cerrado y estacionado en la calle y lo pusieron en marcha empleando también la ganzúa. Una vez a bordo del coche circularon con él hasta quedarse sin gasolina, abandonando entonces el vehículo. El coche, cuyo valor en esa fecha era de 3000 euros, tuvo daños valorados en 300. De su interior cogieron una caja de herramientas, un radiocasete, un billete de 50 euros, varias tarjetas de crédito y tres espejos enmarcados.

Tras realizar la misma operación con otro vehículo valorado en 2.000 euros, sufrieron durante el trayecto un accidente en el que el coche quedó destrozado. En su interior aparecieron los efectos sustraídos del anterior vehículo.

Posteriormente tomaron un taxi y solicitaron al taxista que los llevara a su domicilio, y al llegar se negaron a abonar el trayecto que ascendía a 45 euros.

Aquella tarde se dirigieron con su vehículo a una gasolinera y mientras Paúl permanecía al volante del coche, con el motor encendido, Richard entró en la oficina de la estación de servicio y se apoderó de 180 euros aprovechando que en esos instantes no había nadie, si bien abandonó precipitadamente las dependencias al entrar otra persona[132].

CUESTIONES DE PARTE GENERAL

ASPECTOS A ANALIZAR	PRECEPTOS DEL CÓDIGO PENAL
Tentativa y consumación	Arts. 15 s.
Autoría y participación	Arts. 27 ss.
Relación concursal entre los distintos delitos. Concurso de leyes y de delitos	Arts. 8, 73 ss.
Delito continuado	Art. 74

---

[132] Con variaciones, los hechos están basados en los enjuiciados por la Sentencia del Tribunal Supremo, número 945/2000, de 29 de mayo. *(Tol 272891)*.

CUESTIONES DE PARTE ESPECIAL

ASPECTOS A ANALIZAR	PRECEPTOS DEL CÓDIGO PENAL
Delito de hurto	Arts. 234 ss.
Robo con fuerza en las cosas	Arts. 237 ss.
Robo con violencia o intimidación	Art. 242
Robo y hurto de uso de vehículos de motor	Arts. 244 ss.
Estafa	Art. 248

XVII. ESTAFA

CIRCULAR GENERAL DEL ESTADO
Véase la Circular 3/2010 la Fiscalía General del Estado sobre la Reforma efectuada por la Ley orgánica 5/2010, de 22 de junio

ACUERDO DE PLENO DEL TRIBUNAL SUPREMO
Véase en este capítulo, Anexo I.5. Acuerdo del día 31 de marzo de 2009

ACUERDO DE PLENO DEL TRIBUNAL SUPREMO
Véase, en este capítulo Anexo I.10. Acuerdo del día 18 de julio de 2007

CASO NÚMERO 133

Una organización de ciudadanos rumanos tenía por principal actividad criminal la de confeccionar tarjetas bancarias con los datos obtenidos fraudulentamente fuera de España para su posterior utilización fraudulenta en comercios, con la finalidad de enriquecerse. Las operaciones se realizaban mediante el sistema denominado "skimming", consistente en el copiado de la información electrónica contenida en las bandas magnéticas de las tarjetas de crédito para su "clonado" o reproducción, de forma que los importes de las compras realizadas con las tarjetas falsificadas eran cargados en las cuentas correspondientes a los datos introducidos en las bandas magnéticas.

Dicha organización estaba liderada por Doroteo y Juan Alberto, que eran los encargados de introducir los datos obtenidos en terceros países en las tarjetas, que luego entregaban a otros miembros de la organización para que con ellas realizaran compras de productos fácilmente revendibles, como tabaco o joyas, valorados en 150.000 euros, que los "pasadores" entregaban a Doroteo y Juan Alberto a cambio de una comisión.

Entre las personas que hacían la labor de "pasadores" de las tarjetas, con plena constancia de su falsedad y en connivencia con los anteriores, se encontraban los Ildefonso, Matías, Santiago, Adela, todos ellos mayores de edad[133].

---

[133] Con variaciones, los hechos están basados en los enjuiciados por la Sentencia del Tribunal Supremo, número 66/2015, de 11 de febrero.

CUESTIONES DE PARTE GENERAL

ASPECTOS A ANALIZAR	PRECEPTOS DEL CÓDIGO PENAL
Autoría y participación	Arts. 27 ss.
Relaciones concursales. Concurso de delitos y concurso de leyes entre los diferentes tipos delictivos	Art. 8, arts. 73 ss.
Delito continuado	Art. 74

CUESTIONES DE PARTE ESPECIAL

ASPECTOS A ANALIZAR	PRECEPTOS DEL CÓDIGO PENAL
Estafa. Tipo cualificado	Arts. 248 ss.
Falsedades documentales	Arts. 390 ss.

CASO NÚMERO 134

Jaime, aprovechado su relación de amistad con Alejandra con la que había quedado para cenar, le sustrajo la tarjeta de crédito. Jaime conocía el número pin de la tarjeta porque tiempo atrás Alejandra se lo había facilitado. Jaime se dirigió a una sucursal donde extrajo 800 euros[134].

CUESTIONES DE PARTE GENERAL

ASPECTOS A ANALIZAR	PRECEPTOS DEL CÓDIGO PENAL
Relaciones concursales. Concurso de delitos y concurso de leyes entre los diferentes tipos delictivos	Art. 8, arts. 73 ss.

CUESTIONES DE PARTE ESPECIAL

ASPECTOS A ANALIZAR	PRECEPTOS DEL CÓDIGO PENAL
Estafa. Tipo cualificado	Arts. 248 ss.
Robo con fuerza en las cosas	Arts. 237 ss.
Hurto	Arts. 234

---

[134] Con variaciones, los hechos están basados en los enjuiciados por la Sentencia de la Audiencia Provincial de Madrid, número 371/2010, de 17 de diciembre.

CASO NÚMERO 135

Elías era el director de una sucursal bancaria en la que trabajaban Virginia y Everardo, subdirectora y comercial, y todos ellos tenían a su disposición las llaves de la oficina, la clave de usuario y contraseña para la utilización del sistema informático, así como una terminal de ordenador para cada puesto de trabajo.

Además de las claves propias, cada uno de ellos conocía la de los otros, pues no era insólito que cualquiera de ellos utilizara el ordenador de los otros si era preciso por razones de trabajo.

Julieta, clienta de la sucursal, era titular de un depósito por importe de 99.167 euros.

Elías abrió una cuenta de ahorro a nombre de Adelaida, madre de Julieta, que había fallecido tiempo atrás. Tal apertura careció de cualquier imposición dineraria, no obstante se dio de alta en servicio para disponer del dinero en cajeros automáticos a través de la libreta, hasta un límite de 3000 € día.

Al día siguiente, Elías abrió una nueva libreta de ahorro ordinario, sin imposición alguna, a nombre de Julieta, e igualmente se dio de alta para poder disponer con la libreta en cajeros automáticos, hasta el límite de 3000 € al día. Elías, desde el terminal de Virginia, mediante un duplicado de la libreta, canceló el depósito, siendo el importe de 99.167 €, abonado de manera automática en la libreta que al mismo estaba asociada.

Dos días más tarde, Elías realizó dos traspasos, uno por importe de 44.000 € a la libreta abierta a la fallecida Adelaida, y otro por importe de 45.000 €, a la libreta abierta a nombre de Julieta. Posteriormente, por sí, o con auxilio de otras personas, dispuso de 89.000 € mediante 88 reintegros en cajeros automáticos, con las libretas abiertas a nombre de la fallecida Aida y de su hija Julieta, a razón de unos 6000 € día[135].

---

[135] Con variaciones, los hechos están basados en los enjuiciados por la Sentencia de la Audiencia Provincial de Barcelona, número 602/2010, de 26 de julio.

CUESTIONES DE PARTE GENERAL

ASPECTOS A ANALIZAR	PRECEPTOS DEL CÓDIGO PENAL
Delito continuado	Art. 74

CUESTIONES DE PARTE ESPECIAL

ASPECTOS A ANALIZAR	PRECEPTOS DEL CÓDIGO PENAL
Estafa. Tipo cualificado	Arts. 248 ss.

CASO NÚMERO 136

Rosario entró en contacto con Manolo y Diego a través de la publicidad dejada en su buzón, en la que ofrecían servicios de reformas integrales de viviendas usadas. Como Rosario pretendía rehabilitar su vivienda, los contrató para dicha reforma. Manolo y Diego le pidieron dinero por adelantado, entregándoles Rosario a cuenta la cantidad de 12.500 euros en tres pagos distintos, para lo que solicitó dos préstamos bancarios y a medida que recibía el dinero del banco se lo entregaba a Manolo por los trabajos que nunca realizó. A su vez le indicaron que para iniciar la reforma debía de sacar todos los muebles y enseres de la vivienda, cosa que hizo Rosario.

Manolo y Diego al ver que la misma había accedido con suma facilidad a todas las indicaciones y al percatarse de las limitaciones intelectuales de la misma, así como de que era fácil engañarla, la convencieron para que compareciese ante un Notario, a lo que ella accedió nuevamente pensando que iba a firmar un documento referente a los trabajos de rehabilitación que les había encomendado, confundida y sin ser consciente que la escritura que firmaba era la venta de su única vivienda. Rosario, convencida por ambos firmó la escritura de compraventa a favor de Manolo y Diego, sin tener conocimiento exacto de la operación y sin recibir cantidad alguna, a pesar de que en la escritura se recogía que el precio se fijaba en 48.300 euros, y que confesaba la parte vendedora "tenerlo por recibido con anterioridad a este acto y en el día de hoy", en la presencia del Notario.

Después de firmar la escritura pública de venta, también con argucias, le quitaron las llaves de la vivienda y la dejaron en la calle, quedando en una situación de indigencia personal, hasta el punto de tener que ser recogida por su hermana con la que vive actualmente.

Finalmente, una vez que se habían hecho con la propiedad de la vivienda de la víctima, 39 días más tarde, la vendieron a Ignacia, por un precio de 120.000 euros[136].

---

[136]   Con variaciones, los hechos están basados en los enjuiciados por la Sentencia del Tribunal Supremo, número 351/2006, de 28 de febrero. *(Tol 928557).*

CUESTIONES DE PARTE GENERAL

ASPECTOS A ANALIZAR	PRECEPTOS DEL CÓDIGO PENAL
Autoría y participación	Arts. 27 ss.
Delito continuado	Art. 74

CUESTIONES DE PARTE ESPECIAL

ASPECTOS A ANALIZAR	PRECEPTOS DEL CÓDIGO PENAL
Estafa. Tipo cualificado	Arts. 248 ss.

CASO NÚMERO 137

Amadeo, de nacionalidad española, y Vladimir, de nacionalidad rusa, de co-mún acuerdo y con el ánimo de obtener un beneficio económico, tramaron un plan para aprovecharse de la desesperación de las personas aquejadas de parálisis y de sus familiares.

Para ello, publicaron en un periódico de difusión nacional un anuncio en el que se aseguraba que gracias a un nuevo método aplicado por Vladimir, se garantiza-ba un gran número de curaciones en un amplio espectro de diferentes parálisis, la multiesclerosis, la miopatía y la encefalomielitis aguda diseminada. Para más información se facilitaba el número de teléfono y fax de un centro médico creado por ellos mismos. Con una apariencia de profesionalidad, durante un año Vladi-mir reconoció, diagnosticó y prescribió medicación sin ser médico al menos a 23 personas aquejadas de esclerosis múltiple, encefalitis, lesión medular, esclerosis la-teral amiotrófica, parálisis cerebral, epilepsia, poliomielitis y otras enfermedades, sin que ninguna de ellas tenga tratamiento curativo específico en la actualidad. El supuesto tratamiento se iniciaba tras practicar un análisis de orina y consistía únicamente en la administración de cápsulas conteniendo dopamina, sustancia adquirida en farmacias y dosificada en la propia clínica.

Según el informe emitido por el Instituto Nacional de Toxicología, no existía ninguna indicación terapéutica de la dopamina para los casos de parálisis. El pre-cio total del tratamiento estaba en torno a los 6.000 euros, además de los gastos que se generaban por estancias en el hospital en los períodos en que los enfermos eran requeridos al efecto. Asimismo, Beltrán, médico, colaboró con Amadeo y Vladimir, aportando su titulación para dar apariencia de legalidad al tratamiento a pesar de conocer la falta de eficacia curativa sobre las parálisis descritas de la dopamina. Tras varios requerimientos efectuados por la Dirección Territorial de Sanidad y Consumo para que se aportara la documentación exigida para legalizar la Clínica, se decidió archivar el expediente de autorización del Centro Médico, ordenándose en esa misma fecha su cierre cautelar.

En representación del Centro Médico, Amadeo percibió las siguientes cantida-des a cuenta del tratamiento por parte de familiares de diferentes pacientes: 6.500 euros, 5.800, 5.500, 6.000, 6.200, 4.000, 6.100, 6.000, 6.700, 4.000, 7.200, 4.500, 7.100, 4.000 y 5.100 euros. Las expectativas de los enfermos se vieron gravemente defraudadas por la ineficacia del tratamiento[137].

---

[137]   Con variaciones, los hechos se basan en los enjuiciados por la Sentencia del Tribunal Supremo, número 318/2003, de 7 de marzo. *(Tol 265544).*

CUESTIONES DE PARTE GENERAL

ASPECTOS A ANALIZAR	PRECEPTOS DEL CÓDIGO PENAL
Autoría y participación	Arts. 27 ss.
Delito continuado	Art. 74.1
Delito masa	Art. 74.2
Relación concursal entre los distintos delitos. Concurso de leyes y de delitos	Arts. 8, 73 ss.

CUESTIONES DE PARTE ESPECIAL

ASPECTOS A ANALIZAR	PRECEPTOS DEL CÓDIGO PENAL
Estafa. Tipo cualificado	Arts. 248 ss.
Simulación de medicamentos	Art. 362
Intrusismo	Art. 403

CASO NÚMERO 138

Sabino, responsable y administrador de la entidad "T", dedicada a la promoción de obras y venta de viviendas, proyectó la construcción de un conjunto de viviendas. Pese a las dificultades económicas y a la inseguridad del proyecto, hizo creer a José María que su proyecto tenía suficiente solvencia económica y, sin suscribir aval para garantizar la devolución de las cantidades entregadas a cuenta de la futura edificación, ni otras cautelas, firmó el contrato privado de compraventa con Sabino para la adquisición de una vivienda. El precio final ascendía a 114.635,98€ cuyo importe fue satisfecho íntegramente en ese momento. Sin embargo, Sabino que había presentado un Proyecto para la construcción y ejecución de la obra, en la que se concedió la licencia, no llegó siquiera a iniciar la construcción, realizándose solamente el desmonte del terreno, ni restituyó el importe total del precio de la compraventa que había recibido por anticipado. En las mismas circunstancias y guiado por la intención de lucrarse, vendió a Luis Pablo un inmueble por el importe de 111.672,06€[138].

CUESTIONES DE PARTE GENERAL

ASPECTOS A ANALIZAR	PRECEPTOS DEL CÓDIGO PENAL
Autoría y participación	Arts. 27 ss.
Relaciones concursales. Concurso de delitos y concurso de leyes entre los diferentes tipos delictivos	Arts. 8, 73
Delito continuado	Art. 74

CUESTIONES DE PARTE ESPECIAL

ASPECTOS A ANALIZAR	PRECEPTOS DEL CÓDIGO PENAL
Estafa	Arts. 248 ss.

---

[138]   Con variaciones, los hechos están basados en los enjuiciados por la Sentencia de la Audiencia Provincial de Santa Cruz de Tenerife, número 133/2014, de 9 de abril.

CASO NÚMERO 139

Zacarías y su esposa Maribel entraron de noche en la tienda propiedad del padre del primero abriendo la puerta con las llaves que Zacarías había conseguido de su familia. Una vez en el interior del establecimiento manipularon el Terminal Punto de Venta (TPV) que se encontraba en el interior del referido comercio, terminal propiedad vinculado a la cuenta corriente, de la que era titular la madre de Zacarías, y utilizando la tarjeta Visa Electrón de la que era titular Maribel realizaron las siguientes operaciones: una compra por importe de 1 euro y un abono por devolución de compra por importe de 30.000 euros.

Esa misma noche se trasladaron a un cajero automático pidiendo un extracto de movimientos, comprobando que en la cuenta bancaria de Maribel se habían cargado el euro y se habían abonado los 30.000 euros.

Ante el éxito de las operaciones, volvieron al establecimiento y con el mismo terminal TPV y la misma tarjeta Visa, volvieron a realizar diversas operaciones mediante el mismo mecanismo: primero, introduciendo en el terminal TPV datos de una fingida compra por importe de 1 euro y, a continuación, una falsa devolución de compra por cantidades elevadas.

En total, a lo largo de la noche dedujeron de la cuenta bancaria a la que correspondía la tarjeta de crédito 8 euros, ingresándose por fingidas devoluciones de compra el importe de 312.000 euros.

Al día siguiente abrieron una cuenta en una entidad bancaria a nombre de Maribel y realizaron una transferencia de 156.000 euros. Cuando ambos acusados se encontraban en el hotel fueron detenidos por agentes de la Unidad de Policía Judicial de la Guardia Civil, encontrándoles entre sus efectos diversa documentación referente a las cuentas corrientes de la acusada doña Maribel así como justificantes procedentes del terminal TPV referentes a las operaciones anteriormente realizadas[139].

---

[139]   Con variaciones, los hechos están basados en los enjuiciados por la Sentencia del Tribunal Supremo, número 1476/2004, de 21 de diciembre. *(Tol 541750)*.

CUESTIONES DE PARTE GENERAL

ASPECTOS A ANALIZAR	PRECEPTOS DEL CÓDIGO PENAL
Excusa absolutoria entre parientes. Identificación del sujeto pasivo	Art. 268
Autoría y participación	Arts. 27 ss.
Delito continuado	Art. 74

CUESTIONES DE PARTE ESPECIAL

ASPECTOS A ANALIZAR	PRECEPTOS DEL CÓDIGO PENAL
Estafa	Arts. 248 ss.

CASO NÚMERO 140

Catalina fue detenida por Agentes de la Policía Municipal cuando viajaba en el interior de su vehículo, yendo acompañada por Severiano y Anacleto. Los agentes se percataron de la lentitud con la que circulaba el coche, ya que Catalina y sus acompañantes estaban observando los cajeros automáticos de la zona.

En el interior del vehículo se intervinieron: un ordenador portátil, un lector de tarjetas de banda magnética, un CD-ROM y el rótulo EXEBA, que contenía el software de la aplicación informática EXEBA, un CD-ROM, el cual contenía información sobre dispositivos de lectores de bandas magnéticas y códigos de barras, así como un fichero ejecutable de la aplicación TA Reader, versión 2.07, el cual permite la lectura de dispositivos lectores de bandas magnéticas, un disquete que contenía el fichero ejecutable de la aplicación de TA Reader, versión 2.08, coincidente con la versión que se habían instalado en el ordenador portátil, un manual de instrucciones de uso de la aplicación informática EXEBA y tres cables conectores de ordenador portátil a lector de tarjetas. En el referido ordenador, en su disco duro, estaba instalada y dispuesta para ser usada de forma inmediata la aplicación informática EXEBA, la cual permite registrar los datos obtenidos por el lector de las tarjetas bancarias, almacenar, volcar y gestionar todos esos datos para poder así instalarlos y "copiar" de esa forma las denominadas tarjetas en blanco o "vírgenes"[140].

CUESTIONES DE PARTE GENERAL

ASPECTOS A ANALIZAR	PRECEPTOS DEL CÓDIGO PENAL
Autoría y participación	Arts. 27 ss.
Delito continuado	Art. 74
Tentativa y consumación	Arts. 15 s.

CUESTIONES DE PARTE ESPECIAL

ASPECTOS A ANALIZAR	PRECEPTOS DEL CÓDIGO PENAL
Estafa informática	Art. 248

---

[140] Con variaciones, los hechos están basados en los enjuiciados por la Sentencia del Tribunal Supremo, número 1175/2011, de 10 de noviembre.

CASO NÚMERO 141

Juan y su cónyuge, Azucena, realizaron una venta a favor de la Sociedad "B" sobre una vivienda de la cual eran propietarios los dos en virtud de la compra a don Luis Francisco, tío y padrino de Juan, quien se la vendió libre de arrendamientos. Al tiempo de formalizarse la venta, Don Luis Francisco otorgó contrato de arrendamiento a favor de Don Arsenio, padre de Juan[141].

CUESTIONES DE PARTE GENERAL

ASPECTOS A ANALIZAR	PRECEPTOS DEL CÓDIGO PENAL
Autoría y participación	Arts. 27 ss.
Relaciones concursales. Concurso de delitos y concurso de leyes entre los diferentes tipos delictivos	Arts. 8, 73
Delito continuado	Art. 74

CUESTIONES DE PARTE ESPECIAL

ASPECTOS A ANALIZAR	PRECEPTOS DEL CÓDIGO PENAL
Estafa. Doble venta	Arts. 248 ss.

---

[141]   Con variaciones, los hechos están basados en los enjuiciados por la Sentencia de la Audiencia Provincial de Madrid, número 221/2014, de 2014 de mayo.

CASO NÚMERO 142

Enrique y Paloma, ambos mayores de edad y sin antecedentes penales, eran propietarios del piso en el que vivían, pero debido a que se encontraban esperando su primer hijo, decidieron venderlo para comprar otro que se adaptara mejor a sus necesidades. Con esa finalidad, se dirigieron a una inmobiliaria que suscribió con ellos un contrato en exclusiva en el que se declaraba que su edificio estaba construido con cemento aluminoso, sin que en ese momento se encontrara deficiencia alguna derivada del material de construcción. La finca fue vendida a Josefa. En el momento de la venta, Enrique y Paloma se hallaban inscritos en el censo elaborado por el Ayuntamiento respecto a los vecinos que habitaban en edificios construidos con cemento aluminoso y afectados por la denominada "aluminosis". El referido Plan, que preveía el derribo de los inmuebles del Barrio afectados de aluminosis, otorgaba a los habitantes que hubieran sido incluidos en el mencionado censo la facultad de reubicarse en viviendas de nueva construcción.

Al enajenar su vivienda, ni Enrique ni Paloma tenían cabal conocimiento de que el bloque se encontrara afectado de aluminosis, que estuviera destinado inexorablemente al derribo en un plazo determinado, ni que el hecho de encontrarse incluidos en el censo elaborado al efecto conllevara para ellos una facultad de recolocación en una nueva vivienda inaccesible para quienes les sucedieran en el dominio de la finca.

Josefa no fue informada por la inmobiliaria de que el inmueble que se le vendía estaba construido con cemento aluminoso, ni de que al entregarla para su ofrecimiento a la venta fue exigida a los propietarios la demostración de catas previas. Josefa abonó una señal de 4.000 euros y pidió un crédito hipotecario sobre el piso, por importe de 54.300 euros, de los cuales 5.000 se destinaron al pago del piso, y el resto a satisfacer los gastos inherentes a la adquisición[142].

CUESTIONES DE PARTE GENERAL

ASPECTOS A ANALIZAR	PRECEPTOS DEL CÓDIGO PENAL
Autoría y participación	Arts. 27 ss.

CUESTIONES DE PARTE ESPECIAL

ASPECTOS A ANALIZAR	PRECEPTOS DEL CÓDIGO PENAL
Estafa. Tipo cualificado	Arts. 248 ss.

---

[142]　Con variaciones, los hechos están basados en los enjuiciados por la Sentencia del Tribunal Supremo, número 215/2004, de 23 de febrero. *(Tol 365538).*

CASO NÚMERO 143

Pedro vendió mediante contrato privado a Manuel y a su esposa un piso del que Pedro era promotor. Se pactó la forma de pago, y los compradores efectuaron entregas por importe de 18.871,78 euros.

No consta si cuando se realizaron las anteriores ventas Pedro tenía intención de apropiarse del dinero.

Los compradores en diversas y reiteradas ocasiones apremiaron a Pedro a otorgar escritura pública de las respectivas compras, lo que éste siempre eludía con excusas y continuamente les emplazaba a fechas próximas, sin que, en definitiva se llegase a celebrar nunca la elevación a pública de la venta, ni consiguientemente la entrega por los compradores del plazo que se establecía en el momento de entrega de la llaves y otorgamiento de la correspondiente escritura Pública.

La venta en cuestión no pudo consumarse pues el piso fue vendido por Pedro a terceras personas otorgándose escritura pública de tal venta. A pesar de esta venta no se devolvió el dinero a los compradores[143].

CUESTIONES DE PARTE GENERAL

ASPECTOS A ANALIZAR	PRECEPTOS DEL CÓDIGO PENAL
Tentativa y consumación	Arts. 15 s.

CUESTIONES DE PARTE ESPECIAL

ASPECTOS A ANALIZAR	PRECEPTOS DEL CÓDIGO PENAL
Estafa. Estafas específicas	Arts. 248 ss.

---

[143]   Con variaciones, los hechos se basan en los enjuiciados por la Sentencia del Tribunal Supremo, número 203/ 2006, de 28 de febrero. *(Tol 850002).*

XVIII. ADMINISTRACIÓN DESLEAL Y APROPIACIÓN INDEBIDA

CASO NÚMERO 144

Los estatutos de la Caja de Ahorros "X" establecían en su artículo 9: "Los compromisarios, los Consejeros Generales, y los miembros de cualquier Órgano de Gobierno de la Caja, de sus comisiones delegadas y de los órganos de apoyo al Consejo de Administración, tendrán carácter honorífico y gratuito, y no podrán originar percepciones distintas de las dietas por asistencia y gastos de desplazamiento que apruebe la Asamblea General a propuesta del Consejo de Administración, dentro de los límites máximos que en cada momento establezca la autoridad competente".

A pesar de ello, el Presidente planteó al Consejo de Administración modificar el criterio conforme al cual no se percibiría dieta alguna por la asistencia a los Consejos de Administración de las sociedades participadas mayoritariamente, si bien planteando criterios de prudencia y de homogeneidad. Esto se cifraba en que dichas dietas no deberían superar, en ningún caso, la cuantía que, en cada momento, tuviera establecida la Asamblea General de la Entidad para el propio Consejo de Administración de la Caja, que siempre estaba dentro de los límites establecidos por las autoridades administrativas competentes.

Cuando Pedro ocupaba el cargo de Director General de la entidad, planteó de nuevo la cuestión al Presidente de la Caja, que a su vez conforme a los estatutos era el Presidente de la Asamblea General, del Consejo de Administración y de la Comisión Ejecutiva. El tema se suscitó porque algunos miembros del Consejo de Administración formaban parte al mismo tiempo de los Consejos de Administración de dos sociedades participadas por la entidad, percibiendo en ambos casos dietas por razón de la asistencia a las sesiones del Consejo de administración en la entidad y en las participadas.

Así, dentro del apartado de información y propuestas del presidente, el mismo indicó que al objeto de estructurar los órganos rectores de las empresas participadas I y G en línea similar a la de la Caja, se precisaba que la Junta General de ambas sociedades adoptasen el acuerdo de crear un órgano específico en el seno de tales mercantiles con una filosofía parecida a las funciones que ejercía la Comisión de Control dentro del esquema de órganos de gobierno de la Caja. En su intervención el Presidente detalló las funciones que tendría, indicando que por la asistencia a dichas sesiones percibirían los miembros de las Comisiones de Supervisión dietas por importes similares al consejo de dichas sociedades.

Tras un amplio debate el Presidente redefinió su propuesta, en el sentido de que fuera trasladada a la sociedad "T", participada en un cien por cien por la Caja, la idea de creación de la comisión de supervisión. Pedro mencionó los estudios que se habían realizado al efecto, que a su entender amparaban la propuesta del presidente, toda vez que la limitación estatuaria se entendió según los dictámenes que no abarcaba a las sociedades participadas por la Caja, siendo corroborado ello por el letrado asesor, que intervino asimismo a requerimiento del presidente, acreditando conforme los estudios realizados, la compatibilidad del acuerdo con los estatutos y la legislación vigente.

Salvadas las diversas cuestiones que se plantearon por los consejeros, se adoptó finalmente el acuerdo con una abstención, sin que Pedro en la decisión tuviera voto al no tratarse de un consejero, ni encabezar propuesta alguna, sino limitarse a intervenir dentro de sus funciones como Director General, en los términos referidos.

La Junta General de "T", acordó doblar las anteriores retribuciones, estableciendo una dieta de 16.400 euros y para los años sucesivos de 32.800 euros. La Comisión de Seguimiento y Control de "T" se reunió en dieciséis ocasiones, haciéndose coincidir en su mayoría, antes o después, con las reuniones de la Comisión de Control de la Caja[144].

CUESTIONES DE PARTE GENERAL

ASPECTOS A ANALIZAR	PRECEPTOS DEL CÓDIGO PENAL
Autoría y participación	Arts. 27 ss.
Relaciones concursales. Concurso de delitos y concurso de leyes entre los diferentes tipos delictivos	Art. 8, arts. 73 ss.
Delito continuado	Art. 74

CUESTIONES DE PARTE ESPECIAL

ASPECTOS A ANALIZAR	PRECEPTOS DEL CÓDIGO PENAL
Estafa. Tipo cualificado	Arts. 248 ss.
Administración desleal	Art. 252
Apropiación indebida	Arts. 253 s
Falsedades documentales	Arts. 390 ss.

---

[144] Con modificaciones los hechos están basados en la Sentencia de la Audiencia Nacional de 24 de febrero de 2015, número 6.

CASO NÚMERO 145

La mercantil "S" fue fundada, siendo designado Administrador único de la misma Emilio. A lo largo del ejercicio de 1996 eran titulares de las participaciones sociales el citado Emilio (33%), Demetrio (34%), y la sociedad "R" (33%), de la que era administrador Feliciano. Por escritura pública, Demetrio fue designado, junto con el primeramente citado, administrador solidario de la sociedad. Esta tenía por objeto "el comercio al por mayor y detalle de artículos informáticos y electrónicos".

Las sociedad "S" tenía a Edelmiro y Florentino como sus administradores solidarios y su objeto social venía también dado por el "comercio al mayor y detalle de artículos informáticos y electrónicos".

Demetrio y Edelmiro, puestos de común acuerdo, urdieron un plan al objeto de obtener la mayor ventaja patrimonial que les fuera posible en perjuicio de las mercantiles que administraban y, como consecuencia, de los restantes socios titulares de sus participaciones sociales.

A tal efecto aprovecharon una versión oculta del programa informático de almacenaje y facturación (DAF) del que ordinariamente se valían tales sociedades, y mediante el cual les era posible alterar las facturas emitidas con ocasión de las ventas en efectivo o tarjeta que se realizaban en los establecimientos abiertos al público. De esta forma que, si bien al cliente le era entregada una factura en la que se detallaban la totalidad de artículos adquiridos y el precio efectivamente abonado por los mismos, con inclusión de IVA, se archivaba otra de misma fecha en la cual los artículos expedidos era notoriamente minorados, y, consecuentemente, el precio por los mismos abonados.

Dicha actividad era materialmente realizada por Victorino, quien, siguiendo las instrucciones al efecto recibidas por Demetrio y Edelmiro, comparecía cada tarde en los establecimientos modificando la facturación real de los mismos y entregando a aquellos un sobre contenedor del efectivo obtenido con dicha práctica.

La mecánica defraudatoria se completaba con la posterior emisión, también valiéndose del aludido programa informático, de los albaranes ficticios correspondientes, que amparaban la salida de productos del almacén a través de un código especial, sin conexión con las facturas emitidas y entregadas a los verdaderos clientes y sin indicación de precio alguno, actividad de la que también se ocupaba, Victorino.

Resultado de lo anterior era que, por el empleo descrito del programa de facturación, se asentaban en la contabilidad de las sociedades operaciones manifiestamente inveraces, alterándose las cifras correspondientes a las ventas efectivamente realizadas, a los ingresos en realidad percibidos por éstas, y por tanto, a las cifras de facturación reales de las sociedades, todo ello con inherente perjuicio de los restantes socios detentadores de las participaciones sociales. La contable externa que, en vista de los datos que el programa le ofrecía, confeccionaba los balances, libros oficiales de comercio y cuentas anuales de aquellas era desconocedora de dicha mecánica, por lo que procedía a asentar en aquellos los resultados derivados de la previa manipulación verificada por los antedichos acusados.

Advertidos tales hechos por los restantes socios y constatada su efectiva verificación mediante la confección de un informe por una agencia de investigación privada al efecto contratada, fue interpuesta denuncia ante el Grupo IV de Delincuencia Económica. El "beneficio" que las sociedades implicadas habrían obtenido en el caso de las ventas realizadas hubieran sido debidamente asentadas en su documentación contable, asciende a (315.577,25 €); y para la sociedad "SC" a 7.770,38 €[145].

CUESTIONES DE PARTE GENERAL

ASPECTOS A ANALIZAR	PRECEPTOS DEL CÓDIGO PENAL
Autoría y participación	Arts. 27 ss.
Relaciones concursales. Concurso de delitos y concurso de leyes entre los diferentes tipos delictivos	Art. 8, arts. 73 ss.
Delito continuado	Art. 74

CUESTIONES DE PARTE ESPECIAL

ASPECTOS A ANALIZAR	PRECEPTOS DEL CÓDIGO PENAL
Estafa. Tipo cualificado	Arts. 248 ss.
Administración desleal	Art. 252
Apropiación indebida	Arts. 253 s
Falsedades documentales	Arts. 390 ss.
Delito contra la Hacienda Publica	Art. 305
Delito contable	Art. 310

---

[145] Con variaciones, los hechos están basados en los enjuiciados por la Sentencia del Tribunal Supremo, número 433/2015, de 2 de julio.

CASO NÚMERO 146

La entidad mercantil "A" es la cabeza matriz de un grupo empresarial integrado por seis sociedades mercantiles. La entidad "A" se rige por un Consejo de Administración integrado por seis miembros que representan a las seis sociedades enumeradas anteriormente, que a su vez designan a una persona física.

De esta forma se acordó el nombramiento de seis Consejeros Delegados para que actuaran mancomunadamente dos a dos, recayendo el cargo de Presidente en Justo, y como vicepresidente quedó designado Carlos María. Justo, actuando en el cargo de Presidente, a sabiendas que se había decidido una actuación mancomunada de los Consejeros Delegados, y para evitar dicha limitación, sin dar cuenta de ello y en su condición de administrador único de la entidad "Y" revocó el nombramiento de Carlos María, ostentando en su persona el cargo de Presidente y Vicepresidente de la entidad y asumiendo la doble condición de Consejero Delegado, todo ello con el ánimo de perjudicar al resto de las entidades que conformaban "A".

Luego, actuando en beneficio propio y de la entidad "G", que formaba parte de "A", que presidía asimismo, realizó una serie de venta de acciones y de negocios para beneficiar exclusivamente al a sociedad "Y", causando un perjuicio patrimonial muy considerable al resto de entidades[146].

CUESTIONES DE PARTE GENERAL

ASPECTOS A ANALIZAR	PRECEPTOS DEL CÓDIGO PENAL
Autoría y participación	Arts. 27 ss.
Relaciones concursales. Concurso de delitos y concurso de leyes entre los diferentes tipos delictivos	Art. 8, arts. 73 ss.
Delito continuado	Art. 74

CUESTIONES DE PARTE ESPECIAL

ASPECTOS A ANALIZAR	PRECEPTOS DEL CÓDIGO PENAL
Estafa. Tipo cualificado	Arts. 248 ss.
Administración desleal	Art. 252
Apropiación indebida	Arts. 253 s.

---

[146] Con variaciones, los hechos están basados en los enjuiciados por la Sentencia del Tribunal Supremo, número 1032/2013, de 19 de diciembre.

CASO NÚMERO 147

Teodoro era Jefe contable de la mercantil "Compras SA", lo que le facultaba para desempeñar funciones de administración de la indicada entidad y realizar cobros y pagos y llevar la contabilidad. Prevaliéndose de la función que desempeñaba, distrajo fondos de la referida mercantil en distintas fechas que destinó a sus propios gastos, con ingresos en cuentas corrientes de su exclusiva titularidad, adquisición de dos vehículos para sí mismo, constitución y adquisición de dos sociedades, así como su dotación informática y pagos a proveedores. El importe total de lo apropiado ascendió a 120.000 euros[147].

CUESTIONES DE PARTE GENERAL

ASPECTOS A ANALIZAR	PRECEPTOS DEL CÓDIGO PENAL
Relación concursal entre los distintos delitos. Concurso de leyes y de delitos	Arts. 8, 73 ss.
Delito continuado	Art. 74

CUESTIONES DE PARTE ESPECIAL

ASPECTOS A ANALIZAR	PRECEPTOS DEL CÓDIGO PENAL
Apropiación indebida. Tipo cualificado	Arts. 253 s.
Administración desleal	Art. 252

---

[147] Con variaciones, los hechos están basados en los enjuiciados, por los Sentencia del Tribunal Supremo, número 1040/2001, de 29 de mayo. *(Tol 27964).*

CASO NÚMERO 148

Basilio, que era un gran aficionado al juego, trabajaba en un banco y tenía una antigüedad laboral de más de veinte años. Dado que se había ganado la confianza de sus superiores llegó a ocupar un puesto importante, gestionando las cuentas de clientes preferentes. Por sus manos pasaban cantidades ingentes de dinero. Tanta confianza se tenía depositada en él, no sólo por parte del Banco, sino también por algunos clientes, que éstos llegaban a entregarle cantidades millonarias en efectivo para que las ingresara en su cuenta o invirtiera en valores sin que fuera necesario que les extendiera recibo alguno.

Al ser aficionado al juego de la ruleta y visitar frecuentemente un casino, el camarero del restaurante que lo conocía sobradamente le entregó en efectivo 134.000 euros, dinero que no había sido declarado por éste a las autoridades tributarias. Para darle curso legal a tal suma, Basilio sugirió a tal fin comprar cupones de la ONCE premiados, lo que fue aceptado. El camarero le dijo a Basilio que lo ingresara "cuando estuviera bien", es decir, cuando el dinero de "fiscalmente opaco" ya hubiera sido convertido a "dinero de curso legal". Basilio tuvo en su poder el dinero algún tiempo para después hacerlo suyo y gastárselo en el Casino.

Como el dinero no le era suficiente y por su trabajo podía fácilmente obtener más, cuando ya había sido trasladado a otra sucursal bancaria, se apoderó de una fuerte cantidad de metálico proveniente de algunas de las cuentas de los clientes que él mismo gestionaba. Dicho apoderamiento lo realizó en sucesivos actos, continuados en el tiempo, a lo largo de un año. Para ello, urdió un plan consistente en dos tipos de operaciones: por un lado, con el dinero que un cliente le había entregado para la apertura de un fondo de inversión —624.000 euros—, abrió una cuenta corriente a nombre de dicho cliente, sin su conocimiento y autorización, simulando una firma en la cartulina de firmas autorizadas como si fuera la verdadera rúbrica del titular de la cuenta, de forma que a continuación iba obteniendo cantidades de dinero de esa cuenta mediante la cumplimentación de los correspondientes talones y/o disposiciones en efectivo (llamados comúnmente cheques de ventanilla), en los que estampaba la firma que él mismo había creado al abrir la cuenta como si fuera la rúbrica del titular aparente de la misma, de tal manera que si se comprobaba la firma del cheque coincidía con la del titular porque ambas las había puesto Basilio. Por otro lado, otro tipo de operaciones, aunque íntimamente ligadas con la anterior, consistía en hacer traspasos de cuentas de otros clientes a la cuenta anteriormente citada, de la que volvía a obtener el dinero en la forma transcrita. De esta forma consiguió apoderarse mediante el libramiento de los correspondientes cheques de 660.000 euros. Basilio era el único que disponía de esa cuenta, pues el verdadero titular no sabía de su existencia.

Las cantidades de las que se apoderó fueron empleadas en gastos de juego. Basilio sufre el denominado "juego patológico" o "ludopatía", padeciendo un trastorno del control de los impulsos que sin alterarle sus capacidades cognoscitivas, sí altera su capacidad volitiva frente a la conducta del juego, llevándole a la realización de todo tipo de actividades encaminadas a la obtención de dinero, bien para seguir jugando, bien para satisfacer deudas derivadas del juego. Su inteligencia permanece intacta, manteniendo la capacidad de comprensión del alcance y significado de su conducta. Físicamente se fue deteriorando, pues cuando acudía al Casino se quedaba hasta que cerraban, y por la mañana tenía que levantarse temprano para ir a trabajar, por lo que dormía dos o tres horas, y llegó a perder unos 12 kilogramos de peso[148].

CUESTIONES DE PARTE GENERAL

ASPECTOS A ANALIZAR	PRECEPTOS DEL CÓDIGO PENAL
Culpabilidad: circunstancias eximentes y atenuantes	Arts. 20.1, 21.1, 21.3
Tentativa y consumación	Arts. 15 s.
Formas de participación intentada	Arts. 17 s. Art. 304
Relación concursal entre los distintos delitos. Concurso de leyes y de delitos	Arts. 8, 73 ss.
Delito continuado	Art. 74.1
Delito masa	Art. 74.2

CUESTIONES DE PARTE ESPECIAL

ASPECTOS A ANALIZAR	PRECEPTOS DEL CÓDIGO PENAL
Apropiación indebida. Tipo cualificado	Arts. 253 s.
Blanqueo de bienes	Art. 301
Administración desleal	Art. 252
Falsedades documentales	Arts. 390 ss.
Delito contra la Hacienda Pública	Arts. 305 ss.

---

[148] Con variaciones, los hechos están basados en los enjuiciados por la Sentencia del Tribunal Supremo, número 1727/2002, de 22 de octubre.

CASO NÚMERO 149

Mateo prestaba sus servicios en un banco como Director de sucursal y junto con once personas más constituyó la Sociedad Mercantil "Promociones SA", quedando designado como Administrador General con carácter indistinto, al igual que otro de los socios y ostentando las facultades inherentes al cargo, entre ellas, disponer de los fondos existentes en las cuentas bancarias de la sociedad. Prevaliéndose de su cargo de administrador libró una serie de talones al portador por un importe total de 60.000 euros contra la cuenta bancaria de la cual era titular Promociones SA, con el desconocimiento del otro administrador solidario y del resto de los socios. Los cuatro primeros fueron entregados a la empresa "Vértigo SL", de la cual su hijo de 19 años de edad era socio con 149 acciones y Mateo con una, a pesar de lo cual tenía poderes para ejercitar las facultades principales. Asimismo realizó una transferencia desde la cuenta de "Promociones SA" a la cuenta bancaria de "Vértigo SL" por valor de 18.000 euros.

Dada la pésima situación económica en la que dejo a MPromociones SAP, Mateo concertó un préstamo hipotecario por importe de 42.000 euros, que garantizó con un local de la sociedad. Para su inscripción en el registro creó un Acta en la que se documentaba el acuerdo de una Junta Extraordinaria y Universal de Accionistas, que nunca se llevó a cabo y que se decía celebrada, otorgando escritura pública ante el Notario. La hipoteca conllevó unos gastos e intereses bancarios que ascendieron a 1.100 euros[149].

CUESTIONES DE PARTE GENERAL

ASPECTOS A ANALIZAR	PRECEPTOS DEL CÓDIGO PENAL
Relación concursal entre los distintos delitos. Concurso de leyes y de delitos	Arts. 8, 73 ss.
Delito continuado	Art. 74

CUESTIONES DE PARTE ESPECIAL

ASPECTOS A ANALIZAR	PRECEPTOS DEL CÓDIGO PENAL
Apropiación indebida. Cualificaciones	Arts. 253 s.
Administración social fraudulenta	Art. 252
Falsedades documentales	Arts. 390 ss.

---

[149]   Con variaciones, los hechos están basados en los enjuiciados por la Sentencia del Tribunal Supremo, número 1965/2000, de 15 de diciembre. *(Tol 117465)*.

CASO NÚMERO 150

Alberto, actuaba como director comercial de la mercantil "F", SA, de la que era gerente Alfonso. En virtud de un acuerdo verbal entre las mercantiles "M", SA y la mencionada "F", SA, se le encargó la representación comercial para las ventas de maquinaria que aquélla fabricaba, destinada a la industria de la alimentación, para la zona de Latinoamérica, especialmente Cuba. Dicha representación comercial se concretaba en la búsqueda de clientes, visita de los ya existentes, y consecución de contratos, que eran firmados por "M", SA, como fabricante, vendedora, de la maquinaria, y las empresas compradoras, emitiendo aquélla la correspondiente factura, y pagando las últimas, a la entrega de la factura por la primera, el importe de la venta. Posteriormente, cada dos meses, aproximadamente, "F", SA, facturaba a "M", SA, por las comisiones y gastos correspondientes de representación.

Alberto hizo llegar instrucciones a la entidad "M", que retenía los saldos satisfechos por los clientes de "M", para pagar facturas derivadas de los contratos, autorizando a "M" a descontar de los cobros la cantidad de 8.760'45 dólares, en conceptos de gastos incurridos por "F" frente a "M".

Alberto ordenó también a la entidad "M" que de las cantidades procedentes de la liquidación del contrato concertado entre dos empresas clientes fuesen transferidas a favor de una cuenta corriente de la mercantil "Sol", SL, en la que aquél tenía participación, las cantidades de 11.386'72 y 12.785'40 euros[150].

CUESTIONES DE PARTE GENERAL

ASPECTOS A ANALIZAR	PRECEPTOS DEL CÓDIGO PENAL
Tentativa y consumación	Arts. 15 s.
Autoría y participación	Arts. 27 ss.
Relaciones concursales. Concurso de delitos y concurso de leyes entre los diferentes tipos delictivos	Art. 8, arts. 73 ss.

CUESTIONES DE PARTE ESPECIAL

ASPECTOS A ANALIZAR	PRECEPTOS DEL CÓDIGO PENAL
Apropiación indebida	Arts. 253 s.
Administración desleal	Art. 252

---

[150]   Con variaciones, los hechos están basados en los enjuiciados por la Sentencia del Tribunal Supremo, número 782/2008, de 20 de noviembre.

CASO NÚMERO 151

Mario, mayor de edad y sin antecedentes penales, encontró un décimo de lotería que había sido extraviado por José María, hijo de los dueños de dicho décimo, Isabel y Fernando, quienes tenían reservado habitualmente ese número en un establecimiento, en donde había sido recogido, como todas las semanas, por José María. En dicho establecimiento había diversos décimos reservados a nombre de aquellos y de otras personas abonados. De hecho el encargado escribía los nombres de los compradores abonados a tal número, y en el correspondiente al presente décimo figuraba escrita en la parte superior el nombre de "Fernando".

Mario, al conocer que en el sorteo de ese día había resultado premiado con 60.000 euros, en lugar de entregarlo a las autoridades se quedó con el mismo y tras borrar la referida escritura, aunque no por completo ya que parte de los caracteres pudo ser averiguado posteriormente por el Centro de Investigación y Criminalística de la Guardia Civil, lo presentó dos días más tarde al cobro, lo que sin embargo no pudo conseguir en virtud de las denuncias de extravío formulada el mismo día de dicha presentación por la propietaria del décimo[151].

CUESTIONES DE PARTE GENERAL

ASPECTOS A ANALIZAR	PRECEPTOS DEL CÓDIGO PENAL
Tentativa y consumación	Arts. 15 s.

CUESTIONES DE PARTE ESPECIAL

ASPECTOS A ANALIZAR	PRECEPTOS DEL CÓDIGO PENAL
Apropiación indebida	Arts. 253 s.

---

[151] Con variaciones, los hechos están basados en los enjuiciados por la Sentencia de la Audiencia Provincial de Cantabria, número 117/2005, de 29 de julio.

CASO NÚMERO 152

Gustavo, mayor de edad y sin antecedentes penales, tenía una cuenta perteneciente a la sociedad de gananciales que mantenía con su esposa, Lucia, con un saldo de 72.000 euros. Gustavo y Lucía se encontraban en trámite de separación. Con la intención de quedarse con todo el dinero de esa cuenta, Gustavo encargó a su madre que, utilizando un poder notarial que años antes le habían dado los esposos, interesase a préstamo de la misma entidad Bancaria un importe igual a la cantidad depositada, lo que así hizo su madre, rescindiendo una póliza de préstamo y concertando directamente el numerario prestado, del que dispuso, retirándolo de la entidad Bancaria. Al propio tiempo formalizó una póliza de pignoración de la imposición a plazo en garantía de devolución del préstamo, que tenía vencimiento al igual que la cuenta a plazo, de modo que, el importe del depósito se aplicó directamente a la amortización del préstamo en la fecha de su vencimiento. Gustavo y su madre, sin dar explicación del destino del numerario prestado que tenían en su poder, bajo pretexto de que le había sido sustraído no lo reintegraron al haber ganancial, con el consiguiente perjuicio para Lucía, que resultó de esta forma desposeída del importe de su participación, que ascendía a 36.000 euros[152].

CUESTIONES DE PARTE GENERAL

ASPECTOS A ANALIZAR	PRECEPTOS DEL CÓDIGO PENAL
Autoría y participación	Arts. 27 ss.
Excusa absolutoria entre parientes	Art. 268

CUESTIONES DE PARTE ESPECIAL

ASPECTOS A ANALIZAR	PRECEPTOS DEL CÓDIGO PENAL
Apropiación indebida	Arts. 253 s.

ACUERDO DE PLENO DEL TRIBUNAL SUPREMO
Véase Anexo I.14. Acuerdo del día 25 de octubre de 2005

---

[152] Con variaciones, los hechos están basados en los enjuiciados por la Sentencia del Tribunal Supremo, número 1013/2005, de 7 de noviembre. *(Tol 765925).*

CASO NÚMERO 153

Isidro venía prestando sus servicios para una ONG, primero como voluntario y después como trabajador de plantilla. Se le indicó que debía viajar a la India, donde ya había estado tres meses interviniendo en la puesta en marcha de un proyecto; y con tal fin se le hizo entrega del pasaporte y visado correspondiente, los billetes de avión y 50.000 dólares USA con destino al proyecto que ya se había iniciado y que debía entregar a Dionisio, máximo responsable de la ONG en la India.

Isidro no viajó a la India en la fecha prevista ni en otra posterior, debiendo acudir la organización a la policía para su localización. El dinero recibido, 45.000 dólares en travellers cheques, los ingresó al día siguiente a su recepción en una cuenta de la que era titular y adquirió un vehículo que inscribió en el correspondiente registro a nombre de su madre. Se desconoce qué destino dio Isidro a los 5000 dólares restantes[153].

CUESTIONES DE PARTE ESPECIAL

ASPECTOS A ANALIZAR	PRECEPTOS DEL CÓDIGO PENAL
Apropiación indebida. Tipo cualificado	Arts. 253 s.

---

[153] Con variaciones los hechos están basados en los enjuiciados por la Sentencia del Tribunal Supremo, número 103/2001, de 30 enero. *(Tol 27988).*

CASO NÚMERO 154

Margarita trabajaba como monitora en un servicio de trasporte escolar y, ejerciendo su función junto con Bartolo, conductor del autobús, al llegar a un determinado lugar, paró y dio marcha atrás conforme a las instrucciones de Margarita, al observar ésta que había una maleta entre dos vehículos. Bartolo detuvo el autobús frente a la maleta (la cual estaba correctamente identificada con nombre y teléfono) y de forma rápida Margarita bajó y tomó la maleta subiendo de nuevo, tras lo cual Bartolo emprendió la marcha. El dueño había dejado la maleta frente a su domicilio junto a su coche durante unos minutos, ya que estaba ocupado con otras tareas del viaje que estaba a punto de emprender. El importe de la maleta y su contenido ascendía a 1000 euros[154].

CUESTIONES DE PARTE GENERAL

ASPECTOS A ANALIZAR	PRECEPTOS DEL CÓDIGO PENAL
Autoría y participación	Arts. 27 ss.

CUESTIONES DE PARTE ESPECIAL

ASPECTOS A ANALIZAR	PRECEPTOS DEL CÓDIGO PENAL
Apropiación indebida	Arts. 253 s.
Hurto	Arts. 234

---

[154] Con variaciones, los hechos están basados en los enjuiciados por la Sentencia del Tribunal Supremo, número 554/2002, de 21 de marzo. *(Tol 156589)*.

CASO NÚMERO 155

Diego, mayor de edad y sin antecedentes penales, como titular de una cuenta corriente, obtuvo del banco un cheque bancario por importe de 708.196 pesetas, cantidad que le fue cargada en cuenta. Tras redenominarse legalmente la cuenta en euros, posteriormente se canceló el talón por orden de Diego, siendo abonados por error un contravalor de 708.196 euros, es decir, 117.833.900 pesetas, situación de la que aquél se percató en el mismo día, procediendo en el acto a efectuar transferencias a distintas cuentas de las que Diego era beneficiario. Días después procedió a hacer efectivo todo el dinero transferido a las citadas entidades financieras, haciendo acopio del mismo en una caja fuerte en su domicilio habitual. Esa suma la entregó una vez sorprendido por la Policía Judicial, quedando como pendientes de entregar 432,75 euros, devengando el interés legal del dinero el total de lo acopiado durante los días sucesivos, la suma de 2.366,02 euros en concepto de intereses[155].

CUESTIONES DE PARTE ESPECIAL

ASPECTOS A ANALIZAR	PRECEPTOS DEL CÓDIGO PENAL
Apropiación indebida	Arts. 253 s.

---

[155] Con variaciones, los hechos están basados en los enjuiciados por la Sentencia del Tribunal Supremo, número 1416/2004, de 2 de diciembre. *(Tol 528699).*

XIX. INSOLVENCIAS PUNIBLES

CASO NÚMERO 156

Valeriano mantuvo una relación de pareja de hecho con Verónica durante tres años. Ambos eran titulares de una libreta de ahorro en la que se domiciliaban los pagos de los servicios de suministros a la vivienda que compartían, así como los gastos propios para el sustento de ambos, y tenían por costumbre jugar semanalmente a la Lotería Primitiva, siempre con la misma combinación numérica ideada por Valeriano, boleto de Lotería que rellenaban indistintamente uno u otro.

En uno de los sorteos el boleto resultó premiado con un pleno con la suma de 734.743,84 euros, siendo en este momento Verónica quien guardaba el resguardo del boleto en su poder, tras haberlo sellado en la Administración de Loterías. Enterados ambos del resultado del sorteo, Valeriano aprovechó que ella tenía que acudir a un examen para convencerla de que le entregara el boleto premiado para ingresarlo en la misma mañana en el banco. Valeriano, en lugar de hacer el ingreso del importe del premio en dicha cuenta, lo ingresó en otra de su exclusiva titularidad, con la intención de hacer suyo la totalidad del premio, procediendo seguidamente a invertir el dinero en distintos productos financieros. Verónica ganó una demanda en la que condenaba a Valeriano a pagarle la mitad del premio.

Valeriano, con la finalidad de impedir que pudieran embargarse dichos fondos para hacer pago de la cantidad reclamada, dispuso de ellos, así como de los saldos de las cuentas corrientes de manera que no fue posible el embargo de suma alguna de dinero. Asimismo, hizo transferencias de dinero de sus cuentas a cuentas de sus padres sin motivo alguno y vendió su domicilio[156].

---

[156] Con variaciones, los hechos están basados en los enjuiciados por la Sentencia del Tribunal Supremo, número 382/2010, de 28 de abril.

CUESTIONES DE PARTE GENERAL

ASPECTOS A ANALIZAR	PRECEPTOS DEL CÓDIGO PENAL
Relación concursal entre los distintos delitos. Concurso de leyes y de delitos	Arts. 8, 73 ss.

CUESTIONES DE PARTE ESPECIAL

ASPECTOS A ANALIZAR	PRECEPTOS DEL CÓDIGO PENAL
Hurto	Art. 234
Apropiación indebida	Arts. 253 s
Frustración de la ejecución e insolvencias punibles	Arts. 257 ss.

CASO NÚMERO 157

La entidad mercantil, FISA, se constituyó con el objeto social de la instalación de tela asfáltica en obras de construcción. José adquirió el 50% de las acciones, otro 10% fue adquirido por cada una de sus dos hijas, y el 30% restante fue adquirido por Jesús, quien fue el gestor de hecho de la entidad. En principio, la actividad de la empresa se desarrolló con normalidad, haciéndose frente al pago del material servido con la entidad "Chovas". El pago del material, tela asfáltica, se efectuaba a los 180 días de la entrega. Posteriormente, la empresa entró en crisis, y no pudo hacer frente a la deuda que mantenía con "Chovas", la cual fue renovada, pero en definitiva resultó impagada, ya que, si bien se terminaron las obras iniciadas, no se pudo seguir con la actividad. La cantidad adeudada ascendía a 288.485,81 euros.

Dada la situación de la empresa y con el fin de obtener un crédito bancario, Jesús adquirió la totalidad de las acciones y procedió a desembolsar el 75% que restaba de su precio, ascendiendo a la cantidad de 42.000 euros. Dicha cantidad fue ingresada en dos cuentas de las que era titular FISA en el Banco de Crédito y en el Banco de Inversión. El mismo día del ingreso Jesús emitió contra la cuenta del Banco de Crédito 6 cheques, por el valor total de los 18.000 euros que había ingresado. También dispuso de los 24.000 euros, que había ingresado en el Banco de Inversión. No constando el destino que se dio a dicho dinero.

Asimismo Jesús procedió a la venta de la nave industrial, sede social de FISA que estaba hipotecada por el Banco de Crédito[157].

CUESTIONES DE PARTE GENERAL

ASPECTOS A ANALIZAR	PRECEPTOS DEL CÓDIGO PENAL
Responsabilidad penal de las personas jurídicas	Arts. 31 bis ss.
Autoría y participación	Arts. 27 ss.

---

[157] Con variaciones, los hechos están basados en los enjuiciados por la Sentencia del Tribunal Supremo, número 52/2007, de 2 de febrero. *(Tol 1036586).*

CUESTIONES DE PARTE ESPECIAL

ASPECTOS A ANALIZAR	PRECEPTOS DEL CÓDIGO PENAL
Frustración de la ejecución e insolvencias punibles	Arts. 257 ss.
Administración desleal	Art. 252

CIRCULAR GENERAL DEL ESTADO
Véase la Circular 1/2011 de la Fiscalía General del Estado sobre la Responsabilidad Penal de las Personas Jurídicas

CASO NÚMERO 158

Jorge y Diego eran consejeros delegados de las sociedades Povigas SA y Promociones y Edificaciones Posan, con todas las facultades propias del Consejo de Administración.

Povigas SA se dedicaba a la construcción y comercialización de viviendas y locales y, con intervención de Jorge, con acuerdo de Diego, vendió por documento privado a Demetrio y a su esposa un piso y plaza de garaje por un precio global de 90.500 euros, que incluía el importe de la hipoteca. La vendedora recibía el total y se obligaba a cancelar esa carga. En la elevación de ese documento a escritura pública se acordó que los compradores se subrogaban en una parte de la hipoteca (18.000 euros) que, así, no abonaron a Povigas SA reduciéndose en esa medida el monto de lo que ésta se obligaba a liquidar. Povigas SA representada también por Jorge, vendió a Gerardo y a su esposa, un piso y plaza de garaje. El precio estipulado fue de 95.000 euros, incluido el importe de la hipoteca que pesaba sobre los inmuebles. La vendedora se obligaba a cancelarla y también al otorgamiento de la escritura pública. Esto último hubo de instarse y se obtuvo del Juzgado. Debido, en gran parte, a la mala gestión, al desorden administrativo y a la realización por Jorge y Diego de gastos suntuarios y desproporcionados para su situación económica, Povigas SA se encontraba en dificultades financieras, siendo conscientes Jorge y Diego del riesgo existente para la viabilidad de la empresa y de las promociones inmobiliarias en curso.

Diego y su esposa otorgaron capitulaciones matrimoniales, en las que se acogían al régimen de separación de bienes y se le adjudicaba a ésta la vivienda propiedad del matrimonio, mientras él se hizo titular exclusivo de las acciones de distintas entidades, notablemente sobrevaloradas para hacer coincidir su importe con el de aquel inmueble. Todo ello, con el propósito de sustraer aquel bien a posibles reclamaciones. Luego, puestos de acuerdo Diego y Jorge, actuando el primero por Povigas SA vendió a Posan, SA representada en este acto por Diego, 40 plazas de garaje propiedad de la primera, con objeto de ponerlas a salvo de posibles actuaciones de los acreedores, que ya esperaban. Entre ellas por error, se incluyó la que había sido transmitida a Demetrio y su esposa.

Jorge y Diego no aplicaron las cantidades recibidas de los compradores que se ha dicho a la cancelación de las hipotecas que gravaban sus inmuebles (un total de 85.000 euros), disponiendo de ese dinero para sus propios fines. Sí concluyeron las obras, y Demetrio y Gerardo ocupan las viviendas y plazas de garaje, que siguen hipotecadas y pendientes de ejecución[158].

---

[158] Con variaciones, los hechos están basados en los enjuiciados por la Sentencia del Tribunal Supremo, número 440/2002, de 13 de marzo.

Mª del Carmen Gómez Rivero - Silvia Mendoza Calderón

CUESTIONES DE PARTE GENERAL

ASPECTOS A ANALIZAR	PRECEPTOS DEL CÓDIGO PENAL
Responsabilidad penal de las personas jurídicas	Arts. 31 bis ss.
Autoría y participación	Arts. 27 ss.
Delito continuado	Art. 74

CUESTIONES DE PARTE ESPECIAL

ASPECTOS A ANALIZAR	PRECEPTOS DEL CÓDIGO PENAL
Frustración de la ejecución e insolvencias punibles	Arts. 257 ss.
Estafa	Arts. 248 ss.

CIRCULAR GENERAL DEL ESTADO
Véase Anexo II.2. Circular 1/2011 de la Fiscalía General del Estado sobre la Responsabilidad Penal de las Personas Jurídicas

CASO NÚMERO 159

Álvaro, mayor de edad y ejecutoriamente condenado en sentencia firme por delito de amenazas y por delito de homicidio, por el que se encontraba en situación de preso preventivo, acordó con sus dos hermanas, Rocío y Alba, ambas mayores de edad y sin antecedentes penales, retirar el saldo existente en la cuenta de ahorros de la que aquél era titular y respecto de la que sus dos hermanas tenían firma autorizada; y así dichas hermanas realizaron cada una un reintegro de 1.830 euros con lo que la cuenta de ahorros quedó con un saldo acreedor de 57 euros (posteriormente reducido por pagos domiciliados a 18 euros). Asimismo y siendo Álvaro cotitular con Alba de un fondo de inversión por un importe de 19.000 euros convino con aquella el reintegro; y así, una vez que su hermana le recogió la firma, obtuvieron el reintegro por un total de 19.200 euros. Con el dinero perteneciente a Álvaro, producto de los anteriores reintegros bancarios, sus hermanas hicieron frente a los "gastos corrientes" de aquel por un importe de 4.000 euros y al pago de los honorarios de peritos, abogados y procuradores (6.800 euros) correspondientes al procedimiento del Tribunal del Jurado; reintegros bancarios que generaron la imposibilidad de trabarse embargo acordado en dicho procedimiento por Providencia para asegurar las responsabilidades civiles, calculadas en 60.000 euros mediante Auto judicial[159].

CUESTIONES DE PARTE GENERAL

ASPECTOS A ANALIZAR	PRECEPTOS DEL CÓDIGO PENAL
Autoría y participación	Arts. 27 ss.
Circunstancias agravantes genéricas	Art. 22

CUESTIONES DE PARTE ESPECIAL

ASPECTOS A ANALIZAR	PRECEPTOS DEL CÓDIGO PENAL
Frustración de la ejecución e insolvencias punibles	Arts. 257 ss.

---

[159] Con variaciones, los hechos están basados en los enjuiciados por la Sentencia del Tribunal Supremo, número 739/2001, de 3 de mayo. *(Tol 27237).*

CASO NÚMERO 160

La entidad "Inpemas, SA" formuló demanda de juicio ejecutivo contra "PCC, SL", empresa de la que era administrador y apoderado Jacinto, contra el propio Jacinto, en su condición de avalista, despachándose ejecución, mediante auto, por la cantidad de 280.000 euros (correspondientes a las letras de cambio impagadas) y por la cantidad de 48.000 euros (correspondientes a intereses y costas), practicándose la diligencia judicial de embargo en el domicilio de la empresa, estando presente Alfonso.

Alfonso, primo del Jacinto y empleado de una de las empresas del grupo, concertó unos créditos a favor de "PCC, SL", por importe de 360.000 euros, derivados del contrato de suministro concertado con la empresa "FW, SA".

El acusado Jacinto, con conocimiento del alcance del embargo practicado y consciente de los graves problemas de liquidez que atravesaba la empresa, firmó, en su condición de representante de "PCC, SL", póliza de crédito personal con el Banco, por importe de 340.000 euros, en cuyas estipulaciones se pactó una "superposición de garantía" que consiste en la cesión irrevocable del crédito contra "FW, SA" (correspondiente a obra ya ejecutada, certificada y facturada) a favor de la entidad bancaria.

Jacinto obtuvo posteriormente un anticipo del límite máximo del crédito, que se ingresó en la cuenta de la sociedad y del que hizo inmediata disposición, quedando así sustancialmente reducido el activo patrimonial de la empresa. Igualmente, efectuó la transferencia del único vehículo que figuraba a su nombre a favor de Alfonso quien, por haber presenciado la diligencia de embargo, conocía la pendencia del ejecutivo y el alcance del embargo trabado, siendo también conocedor de los graves problemas de tesorería de la empresa "PCC, SL", consiguiendo así, de mutuo acuerdo, hacer inefectiva la realización de los créditos cambiarios sobre el patrimonio personal del avalista.

Posteriormente, se admitió a trámite la solicitud de declaración del estado de suspensión de pagos por parte de la representación de la sociedad "PCC, SL", dictándose auto judicial de fecha treinta de junio de 1999 por el que se declaró a "PCC, SL", en estado legal de suspensión de pagos e insolvencia definitiva[160].

---

[160]   Con variaciones, los hechos están basados en los enjuiciados por la Sentencia del Tribunal Supremo, número 652/2006, de 15 de junio. *(Tol 964526)*.

CUESTIONES DE PARTE GENERAL

ASPECTOS A ANALIZAR	PRECEPTOS DEL CÓDIGO PENAL
Responsabilidad penal de las personas jurídicas	Arts. 31 bis ss.
Autoría y participación	Arts. 27 ss.

CUESTIONES DE PARTE ESPECIAL

ASPECTOS A ANALIZAR	PRECEPTOS DEL CÓDIGO PENAL
Frustración de la ejecución e insolvencias punibles	Arts. 257 ss.

CIRCULAR GENERAL DEL ESTADO
Véase la Circular 1/2011 de la Fiscalía General del Estado sobre la Responsabilidad Penal de las Personas Jurídicas

XX. DELITOS CONTRA LA HACIENDA PÚBLICA

CASO NÚMERO 161

Miguel, abogado, era administrador y accionista de un Bufete. Clara por su parte era una Abogada que pertenecía a la empresa y actuaba como secretaría organizativa y coordinadora del trabajo a las órdenes de Miguel.

El objeto social de la empresa era doble: el asesoramiento jurídico general y la inversión en valores mobiliarios e inmobiliarios, aunque no existía constancia de negocios relacionados con la segunda parte del objeto social. La duplicidad del objeto social impedía la aplicación del régimen de "transparencia fiscal", que permitía imputar a los profesionales asociados la respectiva participación en los beneficios.

Las bases imponibles que presentó la empresa desde el año 1990 hasta 1994 estaban muy por debajo de la realidad, para que de este modo su deuda tributaria fuese también muy reducida. Para ocultar estas cifras se distribuyó el dinero en diferentes cuentas corrientes abiertas a nombres de familiares o amigos.

La suma total defraudada ascendió a un millón ochocientos treinta y nueve mil setecientos dieciséis euros con ochenta y dos céntimos (1.839.716,82 euros)[161].

CUESTIONES DE PARTE GENERAL

ASPECTOS A ANALIZAR	PRECEPTOS DEL CÓDIGO PENAL
Responsabilidad penal de las personas jurídicas	Arts. 31 bis ss.
Tentativa y consumación	Arts. 15 s.
Autoría y participación	Arts. 27 ss.
Delito continuado	Art. 74

---

[161] Con variaciones, los hechos están basados en los enjuiciados por la Sentencia del Tribunal Supremo, número 952/2006, de 6 de octubre.

CUESTIONES DE PARTE ESPECIAL

ASPECTOS A ANALIZAR	PRECEPTOS DEL CÓDIGO PENAL
Delito fiscal	Art. 305
Delito contable	Art. 310

CIRCULAR GENERAL DEL ESTADO
Véase la Circular 1/2011 de la Fiscalía General del Estado sobre la Responsabilidad Penal de las Personas Jurídicas

CASO NÚMERO 162

Vicente era titular de una explotación agraria, así como de otras fincas de destino agrícola de pastos y secano, y respecto de todas la Gerencia Territorial le había asignado jornadas teóricas para proceder a su cultivo.

Dado que la población donde reside Vicente estaba enclavada en una zona donde el paro estacional de los trabajadores eventuales agrarios era superior a la media nacional, para que dichos trabajadores recibieran el subsidio de desempleo era necesario que cubrieran en el Régimen Especial Agrario de la Seguridad Social (REASS) un mínimo de 60 jornadas reales trabajadas cotizadas en los doce meses naturales inmediatos anteriores a la situación de desempleo.

Vicente realizó de modo continuado una actividad tendente a firmar a numerosos peones agrícolas los correspondientes justificantes de jornadas trabajadas, sin que ello obedeciera a un efectivo desempeño de trabajo alguno y sin que se abonase por su parte salario por tal supuesta actividad, pero abonando a la TGSS en muchos de los casos la cuota correspondiente, que previamente recibía de esos supuestos trabajadores.

Una vez que éstos obtenían los justificantes de jornadas trabajadas recibían, previa la correspondiente solicitud, el referido subsidio de desempleo, de forma totalmente indebida.

La actividad de Vicente llegó a adquirir un carácter masivo. Así, en un periodo de tres años y medio justificó una cantidad aproximada de 319.350 jornadas, cuando por sus fincas únicamente tenía asignado un número de 261,57 jornadas teóricas al año.

Por otra parte, Vicente adeuda como empresario agrícola por cotizaciones por jornadas reales y accidentes de trabajo 1300 euros; como empresario del régimen general 18.300 euros; y como trabajador por cuenta propia afiliado al Régimen Especial de Trabajadores Autónomos 12.000 euros[162].

CUESTIONES DE PARTE GENERAL

ASPECTOS A ANALIZAR	PRECEPTOS DEL CÓDIGO PENAL
Responsabilidad penal de las personas jurídicas	Arts. 31 bis ss.
Relación concursal entre los distintos delitos. Concurso de leyes y de delitos	Arts. 8, 73 ss.
Delito continuado	Art. 74

---

[162]   Con variaciones, los hechos están basados en los enjuiciados por la Sentencia Tribunal Supremo, número 1197/2001, de 20 junio.

CUESTIONES DE PARTE ESPECIAL

ASPECTOS A ANALIZAR	PRECEPTOS DEL CÓDIGO PENAL
Fraude de subvenciones	Art. 308
Delito fiscal	Art. 305
Falsedades documentales	Arts. 390 ss.

CIRCULAR GENERAL DEL ESTADO
Véase la Circular 1/2011 de la Fiscalía General del Estado sobre la Responsabilidad Penal de las Personas Jurídicas

CASO NÚMERO 163

Federico, actuando en su condición de presidente de una Asociación de Fallas valencianas solicitó al Ayuntamiento de Valencia una ayuda para la construcción y "plantà" de monumentos falleros, concediéndosele la cantidad de 45.262,50 euros, adjuntando para justificar la aplicación de los fondos recibidos dos facturas. En concreto, una de ellas por un importe de 30.000 euros, supuestamente expedida por el artista fallero Ambrosio, por la realización y "plantà" de la falla infantil, cuando su coste real ascendió a la suma de 18.030 euros. La otra, por un importe de 151.000 euros, supuestamente expedida por el artista fallero Torcuato, por la falla mayor, si bien el importe real del coste de la misma ascendió a la suma de 114.000 euros.

Con la misma pretensión defraudatoria, presentó ante el Ayuntamiento de Valencia una solicitud de subvención por gastos de iluminación decorativa de las calles de su demarcación durante la celebración de las fallas adjuntando, entre otra documentación preceptiva para la obtención, una factura, expedida en el mismo año por Jacinto, gerente único de una empresa instaladora con el que se había concertado al efecto para llevar a cabo la defraudación urdida, por un importe total de 173.831,80 euros, cantidad muy superior a la instalación de la iluminación efectivamente realizada, que pudo costar unos 37.642 euros, conforme al presupuesto originalmente confeccionado, y en consideración a la cual se le concedió una ayuda por importe de 43.457,95 euros.

De este modo, recibió del Ayuntamiento de Valencia dos subvenciones, por importe conjunto total de 88.720,45 euros, con cargo a los fondos municipales[163].

CUESTIONES DE PARTE GENERAL

ASPECTOS A ANALIZAR	PRECEPTOS DEL CÓDIGO PENAL
Responsabilidad penal de las personas jurídicas	Arts. 31 bis ss.
Autoría y participación	Arts. 27 ss.
Relación concursal entre los distintos delitos. Concurso de leyes y de delitos	Arts. 8, 73 ss.
Delito continuado	Art. 74

---

[163] Con variaciones, los hechos están basados en los enjuiciados por la Sentencia de la Audiencia Provincial de Valencia, número 585/2010, de 20 septiembre.

CUESTIONES DE PARTE ESPECIAL

ASPECTOS A ANALIZAR	PRECEPTOS DEL CÓDIGO PENAL
Fraude de subvenciones	Art. 308
Falsedades documentales	Arts. 390 ss.

CIRCULAR GENERAL DEL ESTADO
Véase la Circular 1/2011 de la Fiscalía General del Estado sobre la Responsabilidad Penal de las Personas Jurídicas

CASO NÚMERO 164

La entidad Flecos SA llevaba una doble contabilidad que de forma completa y exhaustiva le permitía controlar las cuentas de sus clientes y proveedores, tanto lo que se hallaba contabilizado como lo no contabilizado. Con ello conseguía aparentar y declarar unos beneficios mínimos en cada ejercicio, lo que le permitió presentar unas declaraciones de los distintos impuestos que, al ocultar la mayor parte de las operaciones y beneficios obtenidos por la actividad de la empresa, que no se correspondían con la realidad, le permitió no pagar el impuesto de sociedades y una disminución importante de las bases imponibles del IVA. En concreto, durante el periodo citado defraudó una media de 200.000 euros cada año por impuesto de sociedades[164].

CUESTIONES DE PARTE GENERAL

ASPECTOS A ANALIZAR	PRECEPTOS DEL CÓDIGO PENAL
Responsabilidad penal de las personas jurídicas	Arts. 31 bis ss.
Delito continuado	Art. 74

CUESTIONES DE PARTE ESPECIAL

ASPECTOS A ANALIZAR	PRECEPTOS DEL CÓDIGO PENAL
Delito contable	Art. 310
Delito fiscal	Art. 305

CIRCULAR GENERAL DEL ESTADO
Véase la Circular 1/2011 de la Fiscalía General del Estado sobre la Responsabilidad Penal de las Personas Jurídicas

---

[164]   Con variaciones, los hechos están basados en los enjuiciados por la SAP de Burgos, número 100/2006, de 19 julio.

CASO NÚMERO 165

Pedro y Luis eran hermanos y socios fundadores de una empresa. Durante una serie de años, decidieron realizar parte de sus operaciones mercantiles de compraventa sin reflejarla en la contabilidad oficial, operaciones que generaban un volumen importante de negocio "extra" o "negro", millón y medio de euros de facturación anual, de manera que estas cantidades no tributaban en Hacienda. Para lograr su objetivo, elaboraron un sistema de facturas "extra" y un programa de anotación informático con el que obtenían listados de esta facturación, que guardaban en archivadores en un trastero de la empresa. Las facturas de venta no cumplían las exigencias formales legales y en ellas no se repercutía el IVA. Las facturas de compra tenían los mismos defectos y tampoco se repercutía el IVA. Estas cantidades no fueron declaradas en el Impuesto de Sociedades de los años 1989 a 1992. Tampoco se declaró ni pagó el IVA correspondiente a esas operaciones[165].

CUESTIONES DE PARTE GENERAL

ASPECTOS A ANALIZAR	PRECEPTOS DEL CÓDIGO PENAL
Responsabilidad penal de las personas jurídicas	Arts. 31 bis ss.
Autoría y participación	Arts. 27 ss.
Relación concursal entre los distintos delitos. Concurso de leyes y de delitos	Arts. 8, 73 ss.
Delito continuado	Art. 74

CUESTIONES DE PARTE ESPECIAL

ASPECTOS A ANALIZAR	PRECEPTOS DEL CÓDIGO PENAL
Delito contable	Art. 310
Delito fiscal	Art. 305

CIRCULAR GENERAL DEL ESTADO
Véase la Circular 1/2011 de la Fiscalía General del Estado sobre la Responsabilidad Penal de las Personas Jurídicas

---

[165] Con variaciones, los hechos están basados en los enjuiciados por la Sentencia de la Audiencia Provincial de Lleida, número 440/1998, de 28 septiembre.

CASO NÚMERO 166

La sociedad P., SA tiene como objeto social la fabricación y venta de mobiliario de madera. Su administración fue llevada de forma solidaria por Ricardo y Carlos La citada sociedad llevó a cabo una doble contabilidad, emitiendo facturas, albaranes y recibos impresos en hojas sin identificación del emisor y sin la proforma de la factura, albarán o recibo, documentos denominados tipo B, y que eran relativos a ventas de muebles de dicha sociedad no reflejadas en su contabilidad. La citada sociedad defraudó por el IVA en diferentes ejercicios la cantidad de 217.681,32 euros, de 198.669,04 euros, y de 218.242,93 euros, mientras que por el Impuesto de Sociedades defraudó a la Hacienda Pública en diferentes ejercicios la cantidad de 165.434,39 euros, de 151.497,39 euros, y de 164.800,76 euros. La totalidad de las referidas declaraciones del IVA y del Impuesto de Sociedades fueron presentadas y firmadas por Ricardo y Carlos[166].

CUESTIONES DE PARTE GENERAL

ASPECTOS A ANALIZAR	PRECEPTOS DEL CÓDIGO PENAL
Responsabilidad penal de las personas jurídicas	Arts. 31 bis ss.
Autoría y participación	Arts. 27 ss.
Relación concursal entre los distintos delitos. Concurso de leyes y de delitos	Arts. 8, 73 ss.
Delito continuado	Art. 74

CUESTIONES DE PARTE ESPECIAL

ASPECTOS A ANALIZAR	PRECEPTOS DEL CÓDIGO PENAL
Delito contable	Art. 310
Delito fiscal	Art. 305

CIRCULAR GENERAL DEL ESTADO
Véase la Circular 1/2011 de la Fiscalía General del Estado sobre la Responsabilidad Penal de las Personas Jurídicas

---

[166] Con variaciones, los hechos están basados en los enjuiciados por la Sentencia de la Audiencia Provincial de Tarragona, número 433/2008, de 25 septiembre.

XXI. DELITOS CONTRA LA PROPIEDAD INDUSTRIAL E INTELECTUAL

CASO NÚMERO 167

Dionisio y Rafael y al menos otras cinco personas radicadas en Ucrania, participaron en una asociación para comunicar públicamente a través de Internet publicaciones periódicas y libros sin la autorización de los titulares de los derechos de dichas obras, actividad que desarrollaron durante cuatro años hasta ser detenidos e intervenidos los equipos informáticos desde los que operaban.

Para esta actividad habían creado una página mediante la cual ofrecían la posibilidad de leer on line las más variadas publicaciones sin contraprestación alguna procedente de los usuarios, si bien los acusados y sus colaboradores se lucraban a través de la publicidad existente en dicha página. El funcionamiento de ésta se realizaba on line desde la propia Web mediante la técnica llamada "Streaming", que consiste en un medio tecnológico avanzado de comunicación que permite visualizar contenidos multimedia en tiempo real, sin necesidad de que se descarguen en el disco duro del usuario.

Los distintos miembros de grupo se distribuían las funciones a realizar. Mientras Rafael y Dionisio se encargaban de la administración de la compañía que explotaba económicamente la página de Internet, gestionaban la página y decidían las publicaciones que se subían a los contenedores virtuales, los ucranianos eran los encargados de realizar las copias y subir las publicaciones a dichos contenedores. El número de publicaciones a las que se podía acceder a través de la página superaba los 17.000 ejemplares.

La explotación económica de la página a través de publicidad se realizaba, por sistemas, a través de "banners" o de "videos pre roll".

Los titulares de las obras protegidas requirieron reiteradamente a los acusados para que cesaran la difusión de los contenidos objeto de explotación por parte de estos legítimos titulares.

Los beneficios obtenidos por medio de la publicidad, ingresados en las cuentas corrientes controladas por los acusados, ascendieron a 196.280,71 euros[167].

---

[167] Con variaciones, los hechos están basados en los enjuiciados por la Sentencia de la Audiencia Nacional, número 6/ 2015, de 5 de marzo.

CUESTIONES DE PARTE GENERAL

ASPECTOS A ANALIZAR	PRECEPTOS DEL CÓDIGO PENAL
Tentativa y consumación	Arts. 15 s.
Autoría y participación	Arts. 27 ss.
Delito continuado	Art. 74

CUESTIONES DE PARTE ESPECIAL

ASPECTOS A ANALIZAR	PRECEPTOS DEL CÓDIGO PENAL
Delitos contra la propiedad intelectual	Arts. 270 ss.

CASO NÚMERO 168

Bruno y Ernesto, de origen senegalés y residentes legalmente en España, actuando con ánimo de obtener un beneficio económico, se encontraban en un mercado ambulante vendiendo copias de reproducciones musicales y películas de cine en formato CD y DVD de diferentes productores y artistas, sin contar con la autorización de los titulares de los derechos de propiedad intelectual e industrial, provocando que los autores, intérpretes y productores dejaren de percibir la retribución económica que les habría correspondido si las copias se hubieren transmitido en el mercado lícito.

El número de copias intervenidas ascendió a 2000. No se pudo constatar por la policía la obtención de beneficios, y tampoco se practicó prueba pericial para establecer los que podían obtenerse del material incautado. Se ignora el coste de los soportes empleados para hacer las copias así como el de grabación. Tampoco se conoce si la llevó a cabo un tercero que después le vendió los productos falsificados a Bruno, y, por último, se ignora cuál fue el precio de esa posible venta[168].

CUESTIONES DE PARTE GENERAL

ASPECTOS A ANALIZAR	PRECEPTOS DEL CÓDIGO PENAL
Tentativa y consumación	Arts. 15 s.
Autoría y participación	Arts. 27 ss.
Delito continuado	Art. 74

CUESTIONES DE PARTE ESPECIAL

ASPECTOS A ANALIZAR	PRECEPTOS DEL CÓDIGO PENAL
Delitos contra la propiedad intelectual	Arts. 270 ss.

---

[168]   Con variaciones, los hechos están basados en los enjuiciados por la Sentencia de la Audiencia Provincial de Albacete, número 42/2014, de 10 de febrero.

CASO NÚMERO 169

Esteban, sirviéndose de un ordenador personal dotado de los elementos precisos para la duplicidad de material audiovisual y programas informáticos y del software necesario para ello, y a través de distintos sistemas de descargas de archivos de internet obtenía copias exactas de álbumes musicales a través de sus tres cuentas de correo electrónico, y mediante su intervención en chats los ofrecía o cambiaba a otros usuarios de internet, en todo caso sin mediar precio[169].

CUESTIONES DE PARTE GENERAL

ASPECTOS A ANALIZAR	PRECEPTOS DEL CÓDIGO PENAL
Tipo subjetivo: ánimo de lucro	
Tentativa y consumación	Arts. 15 s.
Delito continuado	Art. 74

CUESTIONES DE PARTE ESPECIAL

ASPECTOS A ANALIZAR	PRECEPTOS DEL CÓDIGO PENAL
Propiedad intelectual	Arts. 270 ss.

---

[169]   Con variaciones, los hechos están basados en los enjuiciados por la Sentencia de la Audiencia Provincial de Cantabria, número 40/2008, de 18 de febrero.

CASO NÚMERO 170

Miguel y Leticia, puestos de común acuerdo y guiados por la intención de obtener un beneficio económico, en fechas no precisadas pero en torno a los meses de noviembre y diciembre del año 1998, se venían dedicando en el establecimiento abierto al público denominado Cyberword a reproducir y comercializar en soporte de CD Rom mediante precio y sin la autorización de la entidad titular de los derechos de propiedad intelectual correspondientes a Sony Computer Entetainment España SA, copias no autorizadas de programas informáticos de ocio (videojuegos), para la consola por ella producida denominada Playstation, así como a la tenencia e instalación en consolas de dicha clase de chips multisistema dirigidos a permitir la ejecución en las mismas de las referidas copias. Asimismo, también realizaban copias en CD Rom no autorizadas de originales de juegos para ordenador (PC). De este modo, en un registro efectuado en el mencionado establecimiento el día 18.12.98 fueron intervenidas 62 copias en CD Rom de videojuegos para la mencionada consola y 13 copias en el mismo formato de videojuegos para ordenador. También fueron hallados en dicho registro 19 chips multisistema, 7 mapas de instalación de chips multisistemas de diferentes modelos de consola, un soldador con cable de estaño y bobina de cable y un CD conteniendo las instrucciones de montaje de chips para la consola.

Durante el tiempo en que los referidos sujetos se dedicaron a la reproducción y comercialización de las copias no autorizadas de videojuegos y a la colocación de los chip multisistema destinados a permitir la ejecución de las copias no autorizadas llegaron a producir unas 250 copias ilegales y a instalar unos 50 chips multisistema[170].

CUESTIONES DE PARTE GENERAL

ASPECTOS A ANALIZAR	PRECEPTOS DEL CÓDIGO PENAL
Tipo subjetivo: animo de desproteger los programas de ordenador	
Tentativa y consumación	Arts. 15 s.
Autoría y participación	Arts. 27 ss.

CUESTIONES DE PARTE ESPECIAL

ASPECTOS A ANALIZAR	PRECEPTOS DEL CÓDIGO PENAL
Propiedad intelectual	Arts. 270 ss.

---

[170]   Con variaciones, los hechos están basados en los enjuiciados por la Sentencia del Juzgado de lo Penal de Palma de Mallorca, número 21/2001, de 30 marzo.

CASO NÚMERO 171

La policía local realizó una inspección rutinaria en un local comercial dedicado a la venta al por menor de bisutería y complementos, encontrándose al frente del establecimiento como responsable Filomeno. Fueron intervenidos un total de 3.853 artículos que imitaban a distintos productos originales de las marcas comerciales: Gucci, Channel y FIFA World Cup Alemania 2006, si bien en dichos productos se fijaba un precio situado entre 0,60 y 2 euros.

Durante la actuación policial no se practicó ninguna operación de venta, en el establecimiento comercial, ni ha resultado acreditado con total certeza que los artículos estuvieran expuestos para su venta.

Las muestras seleccionadas para el peritaje posterior presentaban deficiencias en cuanto a la presentación del producto embasado del mismo y etiquetado, careciendo de los códigos correspondientes[171].

CUESTIONES DE PARTE GENERAL

ASPECTOS A ANALIZAR	PRECEPTOS DEL CÓDIGO PENAL
Tentativa y consumación	Arts. 15 s.
Autoría y participación	Arts. 27 ss.
Relación concursal entre los distintos delitos. Concurso de leyes y de delitos	Arts. 8, 73 ss.
Delito continuado	Art. 74

CUESTIONES DE PARTE ESPECIAL

ASPECTOS A ANALIZAR	PRECEPTOS DEL CÓDIGO PENAL
Estafa	Arts. 248 ss.
Propiedad industrial	Arts. 273 ss.

---

[171] Con variaciones, los hechos están basados en los enjuiciados por la Sentencia de la Audiencia Provincial de Madrid, número 552/2009, de 15 de diciembre.

CASO NÚMERO 172

Patricio era administrador único de una entidad mercantil dedicada a la fabricación de aguardientes y licores. Dicha entidad mercantil etiquetó numerosas botellas en las que introdujo un alcohol que aparentaba ser whisky escocés, colocando en la etiqueta exterior menciones que aludían al origen escocés de esta bebida. Este licor no era whisky escocés, ni siquiera era whisky, y las destilerías o distribuidoras escocesas no habían autorizado al acusado su anuncio o venta como whisky escocés.

"The Scohtch Whisky Association", organismo que agrupa a las principales destilerías y empresas exportadoras de whisky escocés y defiende los intereses de comercio del whisky escocés, presentó una denuncia ante la unidad orgánica de Policía Judicial de la Guardia Civil. Autorizada judicialmente la entrada y registro de empresa, se aprehendieron 1.209 etiquetas de marca "Red Bird", con la indicación geográfica "Scotch Whisky", así como dentro de la nave de envasado, colocadas en ocho palés con 60 cajas cada uno y 12 de botellas de 70 cl. en cada caja, preparadas para su distribución y venta al público, un total de 5.760 botellas con alcohol en su interior, con la etiqueta de "Red Bird, Scotch Whisky", ya descrita, y con los citados números de registro de embotellador y sanitario.

El análisis del alcohol contenido en estas botellas, realizado en el Centro de Investigación y Control de Calidad del Instituto Nacional del Consumo, dependiente del Ministerio de Sanidad y Consumo, determinó que no se trataba de whisky escocés, ni siquiera de whisky, sino de de alcohol neutro (que no conlleva riesgos específicos para la salud humana).

Con la venta de estas botellas como whisky escocés, la empresa de Patricio podría haber obtenido unos ingresos de 28.224 euros[172].

CUESTIONES DE PARTE GENERAL

ASPECTOS A ANALIZAR	PRECEPTOS DEL CÓDIGO PENAL
Responsabilidad penal de las personas jurídicas	Arts. 31 bis ss.
Tentativa y consumación	Arts. 15 s.
Autoría y participación	Arts. 27 ss.
Relación concursal entre los distintos delitos. Concurso de leyes y de delitos	Arts. 8, 73 ss.
Delito continuado	Art. 74

---

[172] Con variaciones, los hechos están basados en los enjuiciados por la Sentencia de la Audiencia Provincial de La Rioja, número 55/2006, de 8 de marzo.

CUESTIONES DE PARTE ESPECIAL

ASPECTOS A ANALIZAR	PRECEPTOS DEL CÓDIGO PENAL
Estafa	Arts. 248 ss.
Propiedad industrial	Arts. 273 ss.

CIRCULAR GENERAL DEL ESTADO
Véase la Circular 1/2011 de la Fiscalía General del Estado sobre la Responsabilidad Penal de las Personas Jurídicas

CASO NÚMERO 173

La empresa Robert contrató la importación de 52.000 pantalones falsificados con la marca Adidas. Los pantalones de chándal ostentaban de forma visible signos distintivos de dicha marca, sin que la misma hubiera confeccionado dichas prendas o autorizado su confección. Robert aportó en el procedimiento facturas supuestamente emitidas por Adidas para justificar la procedencia lícita de los pantalones. En realidad se trataba de facturas falsas[173]

CUESTIONES DE PARTE GENERAL

ASPECTOS A ANALIZAR	PRECEPTOS DEL CÓDIGO PENAL
Responsabilidad penal de las personas jurídicas	Arts. 31 bis ss.
Tentativa y consumación	Arts. 15 s.
Delito continuado	Art. 74
Autoría y participación	Arts. 27 ss.

CUESTIONES DE PARTE ESPECIAL

ASPECTOS A ANALIZAR	PRECEPTOS DEL CÓDIGO PENAL
Estafa	Arts. 248 ss.
Falsedades documentales	Arts. 390 ss.
Delitos contra la propiedad industrial	Arts. 273 ss.

CIRCULAR GENERAL DEL ESTADO
Véase la Circular 1/2011 de la Fiscalía General del Estado sobre la Responsabilidad Penal de las Personas Jurídicas

---

[173]　Con variaciones, los hechos están basados en los enjuiciados por la Sentencia de la Audiencia Provincial de Guipúzcoa, número 195/2008, de 7 de julio.

CASO NÚMERO 174

Mariano se encontraba ofreciendo en la calle la venta de bolsos a las personas que por allí pasaban. Ante la presencia de agentes de la policía local se marchó del lugar, siendo interceptado posteriormente por dichos Agentes procediendo a su identificación y aprehendiendo una bolsa de plástico blanca que el mismo portaba que contenía 6 bolsos de la marca "Bimba y Lola" y 3 bolsos de la marca "Prada", productos obtenidos sin la autorización de los titulares a quien corresponden los derechos de dichas marcas"[174].

CUESTIONES DE PARTE GENERAL

ASPECTOS A ANALIZAR	PRECEPTOS DEL CÓDIGO PENAL
Tentativa y consumación	Arts. 15 s.
Autoría y participación	Arts. 27 ss.
Delito continuado	Art. 74

CUESTIONES DE PARTE ESPECIAL

ASPECTOS A ANALIZAR	PRECEPTOS DEL CÓDIGO PENAL
Delitos contra la propiedad industrial	Arts. 274 ss.

---

[174] Con variaciones, los hechos están basados en los enjuiciados por la Sentencia de la Audiencia Provincial de Zaragoza de 24 de julio de 2013, número 86.

XXII. DELITOS DE DAÑOS

CASO NÚMERO 175

Hipólito y Teodoro ocupaban los cargos de Presidente, Vicepresidente y Tesorero de una asociación de transportistas. La Autoridad Portuaria, al objeto de distinguir a los transportistas de cada asociación, articuló un sistema por el que se hacía constar en un adhesivo un número a cada transportista, que debían fijar en un lugar visible del camión para poder ser identificados de forma rápida y cómoda en los controles de acceso. Ahora bien, el referido número no era de uso obligatorio y se hacía a meros efectos identificativos y de agilidad en los trámites, sin que su titularidad o posesión implicara ningún derecho suplementario respecto del resto de transportistas.

Hipólito y Teodoro crearon un sistema para que todo aquel que quisiera operar en la zona portuaria tuviera que afiliarse a su asociación previo pago de 6.000 euros por número aproximadamente, creando a tal fin una sociedad a través de la cual gestionaron a partir de entonces todos los ingresos.

Por ello, crearon un ambiente de temor y de intimidación contra los autónomos no asociados, llegándoles a manifestar bien personalmente en algunos casos, bien a través de terceras personas, que de no acceder a sus propósitos habrían de sufrir daños personales o patrimoniales en sus vehículos industriales.

Teófilo había confeccionado un documento con la apariencia de contrato en el que se establecían las condiciones de entrega de los 6.000 euros en concepto de "donativo de colaboración" a la asociación, llegándose a suscribir 60 contratos de este tipo, de entre 6.000 y 30.000 euros. Para crear temor entre los transportistas no asociados pincharon, dañaron y quemaron camiones de los mismos, con conminaciones violentas a otros transportistas, como la reiterada advertencia de la obligatoriedad de colaborar y tener su número para operar en el Puerto[175].

---

[175] Con variaciones, los hechos están basados en los enjuiciados por la Sentencia del Tribunal Supremo, número 1129/2010, de 27 de diciembre.

CUESTIONES DE PARTE GENERAL

ASPECTOS A ANALIZAR	PRECEPTOS DEL CÓDIGO PENAL
Responsabilidad penal de las personas jurídicas	Arts. 31 bis ss.
Autoría y participación	Arts. 27 ss.

CUESTIONES DE PARTE ESPECIAL

ASPECTOS A ANALIZAR	PRECEPTOS DEL CÓDIGO PENAL
Delito de extorsión	Art. 243
Delito de daños	Arts. 263 ss.
Estafa	Arts. 248 ss.

CASO NÚMERO 176

Luis era colaborador de una revista de ocio y cultura editada en Internet, y por ese motivo conocía su dirección de correo electrónico. Con esa información, la sometió a un bombardeo informático, conocido como "mailing boombing", enviándole miles de mensajes idénticos, con el propósito de paralizar u obstaculizar el normal desarrollo de la actividad profesional de la revista, consiguiendo su alteración, y la pérdida parcial del servicio. Para restablecerlo, el administrador, Calisto, tuvo que trabajar haciendo horas extraordinarias, cifradas en 600 euros. Fueron abortados otros dos intentos semejantes al expuesto[176].

CUESTIONES DE PARTE GENERAL

ASPECTOS A ANALIZAR	PRECEPTOS DEL CÓDIGO PENAL
Tentativa y consumación	Arts. 15 s.
Relación concursal entre los distintos delitos. Concurso de leyes y de delitos	Arts. 8, 73 ss.
Delito continuado	Art. 74

CUESTIONES DE PARTE ESPECIAL

ASPECTOS A ANALIZAR	PRECEPTOS DEL CÓDIGO PENAL
Delito de daños informáticos	Art. 264

CIRCULAR GENERAL DEL ESTADO
Véase la Circular 1/2011 de la Fiscalía General del Estado sobre la Responsabilidad Penal de las Personas Jurídicas

---

[176] Con variaciones, los hechos están basados en los enjuiciados por la Sentencia de la Audiencia Provincial de Zaragoza, número 242/2002, de 18 de julio.

CASO NÚMERO 177

El titular y administrador de una botnet dirigía una red de ordenadores zombies a través de servidores de Comando y Control. Se trata de máquinas a las que se conectan los ordenadores que componen la botnet, esperando instrucciones. Para dificultar su localización, los bot-master van cambiando de servidores de Comando y Control. Los ordenadores, a priori, no saben dónde está su Comando. El programa malicioso los convierte en robots y les fija una URL o dirección de internet donde comunicarse. Ésta corresponde con un DNS dinámico, esto es un dominio que cambia la localización del host o máquina, al antojo de su administrador. Así, en un momento la máquina infectada se conecta a un Comando determinado, y al día siguiente se conecta a otro. Cada botnet puede tener varios DNS dinámicos.

La finalidad de una botnet puede ser variada, bien el fraude malicioso, bien la distribución de material pornográfico, bien los ataques a los ordenadores de personas o entidades.

Existen varias etapas en el desarrollo de una botnet. En primer término, su creador diseña la red, definiendo los objetivos y los medios necesarios que va a emplear, incluyendo el sistema de control de la red. Además, necesitará un malware que se aloje en los equipos y permita el control del mismo, denominado bot. Este malware puede ser creado por él mismo (el creador de la red) o puede comprar este bot a un creador de malware. Finalmente, el delincuente debe distribuir el bot por cualquier método: correo basura, páginas con vulnerabilidades, ingeniería social, etc. El objetivo final es que las víctimas ejecuten el programa y se infecten. Si tiene éxito, el número de zombis puede llegar a crecer exponencialmente.

Junto a ello, el creador de la red puede alquilarla a un tercero. A cambio de una cantidad pagada, el arrendatario tendrá a su disposición todas las posibilidades de la red de ordenadores zombis para realizar ciber-ataques. Los creadores sólo se preocupan de mantener una cantidad suficiente de sistemas infectados para que resulten atractivas y puedan alquilarla por una mayor cantidad de dinero.

Un ejemplo de este tipo de organizaciones es el autodenominado grupo Días de Pesadilla (DDP Team), cuya actividad se centraba en el mantenimiento, utilización y aprovechamiento de la botnet Mariposa.

Un día "M" identificada bajo el nickname de Iserdo, desarrolló el virus denominado Mariposa. Dicho virus o código malicioso, a través de los dispositivos de almacenamiento USB, programas de mensajería instantánea, y redes de intercambio de datos, se expandía de forma automática y secreta a otros sistemas informáticos y obstaculizaba su funcionamiento, estando además diseñado para vigilar y controlar ordenadores y realizar ataques desde los mismos. Su novia, identificada como "N", era la encargada de recibir dinero por las diferentes entregas de virus y sus actualizaciones. Frente a ambos se siguió procedimiento en la República de Eslovenia.

Jacinto era la persona responsable de la adquisición y actualización del virus. Una vez que el DPP TEAM dispuso del virus, dieron comienzo a su difusión y a la infección masiva de ordenadores sirviéndose del virus, infectándose al menos 23662 ordenadores, según informe pericial realizado sobre los discos duros incautados, con un coste estimado de reparación de 3.300.000 euros, pudiendo llegar la cifra hasta los diez millones de ordenadores en todo el mundo. Normalmente la finalidad era realizar ataques de denegación de servicios, que tuvieron lugar, al menos, a las páginas web en España y, según informe del FBI, a las páginas de una empresa canadiense y de una Universidad de dicho país, destruyendo toda su red estimando los daños en 15.619,45 euros[177].

CUESTIONES DE PARTE GENERAL

ASPECTOS A ANALIZAR	PRECEPTOS DEL CÓDIGO PENAL
Tentativa y consumación	Arts. 15 s.
Autoría y participación	Arts. 27 ss.
Relación concursal entre los distintos delitos. Concurso de leyes y de delitos	Arts. 8, 73 ss.
Delito continuado	Art. 74

CUESTIONES DE PARTE ESPECIAL

ASPECTOS A ANALIZAR	PRECEPTOS DEL CÓDIGO PENAL
Delito de daños informáticos	Arts. 264, 264 bis y 264 ter

---

[177] Con variaciones los hechos están basados en los enjuiciados por la Sentencia de la Audiencia Nacional, número 17/2015, de 11 de junio.

CASO NÚMERO 178

Enrique y Alfredo, de dieciséis años, puestos previamente de común acuerdo, durante la madrugada, provistos de varios botes de pintura en sprays y rotuladores, se dirigieron a un colegio perteneciente a una Comunidad Religiosa, procediendo a efectuar pintadas en la fachada principal del pabellón de clases, en el lateral derecho y en la parte posterior. Al ser sorprendidos por la policía, que había sido advertida, los dos menores salieron corriendo hasta que fueron detenidos: Enrique, cuando saltaba la valla de arbustos que da a la carretera y Alfredo en las inmediaciones de la gasolinera situada a unos quinientos metros del Colegio. Los gastos de reparación de las pintadas efectuadas fueron peritados en la cantidad de 2.290 euros. Tanto Enrique como Alfredo, pertenecían a una familia caracterizada por las buenas relaciones existentes entre todos sus miembros con buena vinculación afectiva[178].

CUESTIONES DE PARTE GENERAL

ASPECTOS A ANALIZAR	PRECEPTOS DEL CÓDIGO PENAL
Responsabilidad penal de los menores de edad	LO 5/2000, de 12 de enero, de Responsabilidad penal de los menores
Autoría y participación	Arts. 27 ss.

CUESTIONES DE PARTE ESPECIAL

ASPECTOS A ANALIZAR	PRECEPTOS DEL CÓDIGO PENAL
Delito de daños	Arts. 263 ss.

---

[178] Con variaciones, los hechos están basados en los enjuiciados por la Sentencia de la Audiencia Provincial de Valladolid, número 308/2005, de 26 de septiembre. *(Tol 747836).*

CASO NÚMERO 179

Gemma, prestaba sus servicios de ATS en un Hospital. Por aquellos días se encontraba molesta con la Supervisión por no haber sido informada de unas jornadas de trabajo a las que pretendía haber asistido, comentándolo con las compañeras y los médicos con los que se relacionaba. Por ese motivo, incendió con alcohol un despacho del hospital así como un almacén que estaba próximo, lo que ocasionó una humareda que requirió la actuación de los bomberos. Los daños ascendieron a 124.250 euros[179].

CUESTIONES DE PARTE GENERAL

ASPECTOS A ANALIZAR	PRECEPTOS DEL CÓDIGO PENAL
Culpabilidad: eximentes y atenuantes	Arts. 20.1, 21.1, 21.3

CUESTIONES DE PARTE ESPECIAL

ASPECTOS A ANALIZAR	PRECEPTOS DEL CÓDIGO PENAL
Daños. Tipos cualificados	Arts. 263 ss.

---

[179] Con variaciones, los hechos están basados en los enjuiciados por la Sentencia del Tribunal Supremo, número 1552/2000, de 10 de octubre. *(Tol 6890)*.

CASO NÚMERO 180

Daniel, a altas horas de la madrugada y en compañía de otros jóvenes, rompió la cabina propiedad de Telefónica al golpear la misma con el auricular del teléfono. También propinó varias patadas a un aseo público propiedad de la empresa JC DECA.

Dichos hechos fueron grabados por la cámara de seguridad de Capitanía, que visionaron los Agentes de Policía quienes comprobaron cómo en la cinta indicada se veía a Daniel realizando la conducta descrita.

Los daños de la cabina telefónica fueron valorados en 247,20 euros, y los del aseo, en 77,70 euros[180].

CUESTIONES DE PARTE GENERAL

ASPECTOS A ANALIZAR	PRECEPTOS DEL CÓDIGO PENAL
Delito continuado	Art. 74
Circunstancias agravantes genéricas	Arts. 22

CUESTIONES DE PARTE ESPECIAL

ASPECTOS A ANALIZAR	PRECEPTOS DEL CÓDIGO PENAL
Delito de daños	Arts. 263 ss.

---

[180] Con variaciones, los hechos están basados en los enjuiciados por la Sentencia de la Audiencia provincial de Burgos, número 279/2006, de 11 de diciembre.

CASO NÚMERO 181

Alex manipuló una cabeza retrato femenina romana de mármol, original, de procedencia hispana y cuya datación cronológica se sitúa entre los siglos I antes o después de Cristo, retallándola al objeto de resaltar sus rasgos faciales y de peinado, que el paso del tiempo había difuminado e instalándola sobre una peana, pieza que le fue facilitada por Pedro para realizar dicha manipulación. La escultura fue vendida por Pedro, con la intermediación de Pablo a la Asociación del Arte Romano, por un precio de 1.800 euros. Alex manipuló, igualmente, otras piezas si bien no ha quedado acreditada la condición de original de las mismas[181].

CUESTIONES DE PARTE GENERAL

ASPECTOS A ANALIZAR	PRECEPTOS DEL CÓDIGO PENAL
Autoría y participación	Arts. 27 ss.

CUESTIONES DE PARTE ESPECIAL

ASPECTOS A ANALIZAR	PRECEPTOS DEL CÓDIGO PENAL
Daños. Tipos cualificados	Arts. 263 ss.
Delito contra el patrimonio histórico	Art. 323

---

[181]   Con variaciones, los hechos están basados en los enjuiciados por la Sentencia de la Audiencia Provincial de Badajoz, número 276/2001, de 11 de diciembre. *(Tol 150460).*

CASO NÚMERO 182

Francisco, comerciante de jardinería, compró una finca de 4.650 metros cuadrados de superficie, plantando, al menos 252 palmeras datileras. Posteriormente, sin obtener previa licencia administrativa, arrancó las 252 palmeras para venderlas a terceras personas no identificadas, estando valoradas en 118.000 euros[182].

CUESTIONES DE PARTE ESPECIAL

ASPECTOS A ANALIZAR	PRECEPTOS DEL CÓDIGO PENAL
Daños. Daños en cosa propia	Arts. 263 ss., 289.

---

[182]   Con variaciones, los hechos están basados en los enjuiciados por la Sentencia de la Audiencia Provincial de Alicante, número 284/1997, de 1 de septiembre.

XXIII. RECEPTACIÓN Y BLANQUEO DE CAPITALES

CASO NÚMERO 183

A través del correo electrónico, Antonio contactó con la supuesta empresa autodenominada "Finance", que le ofrecía trabajar para ellos como gestor de transferencias. Según el contrato, una vez facilitados los datos, DNI y cuenta corriente, se le ingresaría una cantidad determinada en dicha cuenta, que a su vez, él tendría que transferir a las personas y dirección que le indicaran, a cambio de una comisión del 5%. El contacto se hizo a través de un e-mail y quien firmaba a pie de página los correos era Aurelio. Así, recibió Antonio la cantidad de 2.981, 90 euros con la orden de transferencia a una persona llamada Clemencia, a una dirección de Kiev, Ucrania, a cambio de una comisión de 150 euros. Antonio efectúo la transferencia a las personas y direcciones indicadas, restando la comisión de 150 euros.

La supuesta empresa Finance había obtenido las sumas antes indicadas, sin el conocimiento ni consentimiento de su titular, de la cuenta perteneciente a Rodrigo, valiéndose para ello de la modalidad denominada "phishing", tras haber obtenido los datos de Rodrigo de forma encubierta e ilegítima[183].

CUESTIONES DE PARTE GENERAL

ASPECTOS A ANALIZAR	PRECEPTOS DEL CÓDIGO PENAL
Relación concursal entre los distintos delitos. Concurso de leyes y de delitos	Arts. 8, 73 ss.
Delito continuado	Art. 74
Autoría y participación	Arts. 27 ss.

CUESTIONES DE PARTE ESPECIAL

ASPECTOS A ANALIZAR	PRECEPTOS DEL CÓDIGO PENAL
Receptación y blanqueo de capitales	Arts. 298 ss.
Estafa	Arts. 248 ss.
Delito de descubrimiento y revelación de secretos	Art. 197

---

[183] Con variaciones, los hechos están basados en los enjuiciados por la Sentencia de la Audiencia Provincial de Valladolid, número 263/2010, de 21 de junio.

CASO NÚMERO 184

Antonio era un destacado miembro "Vor v Zakone" (ladrón en ley). Los "Vor v Zakonen" son considerados máximos dirigentes de la criminalidad organizada gestada en la antigua Unión Soviética, y en tal calidad disponía de un patrimonio notable. Con la finalidad de esconder el origen del mismo y aflorarlo de manera lícita invirtió grandes sumas de dinero en bienes de consumo así como en la adquisición de bienes inmuebles mediante la creación de sociedades instrumentales en España a través de una serie de testaferros. En tal calidad, dichos testaferros realizaban diferentes actividades para regularizar los bienes. En algunas ocasiones disponían de las cantidades de dinero que procedente del extranjero entraron en España a sabiendas de su origen delictivo para su inversión en bienes inmuebles, siendo "2000 SL" y "E, SL" las sociedades instrumentales utilizadas para ello. Otras veces servían de cobertura al ocultamiento de los bienes adquiridos, escondiendo la relación de Antonio con la referidas sociedades e inversiones realizadas, permitiendo su impunidad[184].

CUESTIONES DE PARTE GENERAL

ASPECTOS A ANALIZAR	PRECEPTOS DEL CÓDIGO PENAL
Relación concursal entre los distintos delitos. Concurso de leyes y de delitos	Arts. 8, 73 ss.
Delito continuado	Art. 74
Autoría y participación	Arts. 27 ss.

CUESTIONES DE PARTE ESPECIAL

ASPECTOS A ANALIZAR	PRECEPTOS DEL CÓDIGO PENAL
Receptación y blanqueo de capitales.	Arts. 298 ss.

CIRCULAR GENERAL DEL ESTADO
Véase la Circular 2/2011 de la Fiscalía General del Estado sobre Organizaciones Criminales

---

[184]   Con variaciones, los hechos están basados en los enjuiciados por la Sentencia del Tribunal Supremo, número 156/2011, de 21 de marzo.

CASO NÚMERO 185

Mario, dada su residencia habitual en Bélgica, se puso en contacto con otras personas para formar una organización dedicada a la sustracción de automóviles de elevada cilindrada a los que, una vez conseguidos, se les alteraba el número original del bastidor y las etiquetas de identificación, consiguiendo los datos reales de otro automóvil de igual marca y modelo de los impresos oficiales que previamente se habían sustraído de las oficinas de tráfico. Seguidamente Mario, que ya había mantenido contacto con diversos compradores españoles, procedía a traer personalmente los vehículos o los remitía a través de una agencia de transporte, llevando todos ellos la documentación alterada, percibiendo por ello una cantidad inicial al recibir el encargo y el resto del precio a la entrega del vehículo. En el desarrollo de tal actividad Mario procedió a la venta de veinte automóviles, que una vez en España, tras pasar la Inspección Técnica, les fueron asignadas las correspondientes matrículas españolas, expidiéndose el permiso de circulación por la Jefatura Provincial de Tráfico respectiva a favor de los compradores españolas relacionados[185].

CUESTIONES DE PARTE GENERAL

ASPECTOS A ANALIZAR	PRECEPTOS DEL CÓDIGO PENAL
Relación concursal entre los distintos delitos. Concurso de leyes y de delitos	Arts. 8, 73 ss.
Delito continuado	Art. 74

CUESTIONES DE PARTE ESPECIAL

ASPECTOS A ANALIZAR	PRECEPTOS DEL CÓDIGO PENAL
Receptación y blanqueo de capitales	Arts. 298 ss.
Hurto	Arts. 234 ss.
Robo con fuerza en las cosas	Arts. 237 ss.
Estafa. Estafas específicas	Arts. 248 ss.
Falsificación de documentos	Arts. 390 ss.

CIRCULAR GENERAL DEL ESTADO
Véase la Circular 2/2011 de la Fiscalía General del Estado sobre Organizaciones Criminales

---

[185]   Con variaciones, los hechos están basados en los enjuiciados por la Sentencia del Tribunal Supremo, número 1481/2005, de 7 de diciembre. *(Tol 795492).*

CASO NÚMERO 186

Miguel, politoxicómano de larga duración y con adicción a la heroína, penetró en las oficinas de la Compañía de Aguas de la localidad en la que residía con una llave previamente sustraída, y con ánimo de beneficio personal se apoderó de un ordenador portátil valorado pericialmente en 1.500 euros. Más tarde, siendo conocedor de que Íñigo se dedicaba a la venta de sustancias estupefacientes, se puso en contacto con él y le entregó el ordenador portátil a cambio de medio gramo de heroína, sabiendo aquél la procedencia ilícita del aparato[186].

CUESTIONES DE PARTE GENERAL

ASPECTOS A ANALIZAR	PRECEPTOS DEL CÓDIGO PENAL
Culpabilidad: eximentes y atenuantes	Arts. 20.2, 21.1, 21.2
Relación concursal entre los distintos delitos. Concurso de leyes y de delitos	Arts. 8, 73 ss.

CUESTIONES DE PARTE ESPECIAL

ASPECTOS A ANALIZAR	PRECEPTOS DEL CÓDIGO PENAL
Receptación y blanqueo de capitales	Arts. 298 ss.
Delitos contra la salud pública: tráfico de drogas	Arts. 368 ss.

ACUERDO DE PLENO DEL TRIBUNAL SUPREMO
Véase Anexo I.12. Acuerdo del día 18 de julio de 2006

---

[186] Con variaciones, los hechos están basados en los enjuiciados por la Sentencia del Tribunal Supremo, número 1085/2006, de 27 de octubre. *(Tol 1014182)*.

CASO NÚMERO 187

Ramón adquirió una embarcación neumática semi-rígida, por la que abonó la cantidad de 34.078 euros. Posteriormente la embarcación fue vendida en contrato de compraventa privado por su propietario inicial a Roberto. Más tarde este último vendió a su vez la embarcación a Faustino. En la declaración de la renta, Ramón hizo constar que adquirió la referida embarcación por la cantidad de 34.078 euros. Por su parte, Roberto, en igual período, percibió por ingresos legales y fiscalmente correctos la cantidad de 13.903,17 euros habiendo adquirido y registrado a su nombre, además de la reseñada embarcación, tres motocicletas, bienes que en su conjunto se valoraron en 54.209,41 euros. Las compras efectuadas por ambos se realizaron con pleno conocimiento de que el capital procedía de una organización criminal, de la que formaban parte y que estaba dirigida a introducir en España por mar, importantes cantidades de sustancias estupefacientes, y especialmente hachís, que llegaba a nuestro país desde Marruecos a través de Ceuta, así como a introducir en el mercado las ganancias que se obtienen con el mencionado tráfico ilícito[187].

CUESTIONES DE PARTE GENERAL

ASPECTOS A ANALIZAR	PRECEPTOS DEL CÓDIGO PENAL
Autoría y participación	Arts. 27 ss.
Relación concursal entre los distintos delitos. Concurso de leyes y de delitos	Arts. 8, 73 ss.
Delito continuado	Art. 74

CUESTIONES DE PARTE ESPECIAL

ASPECTOS A ANALIZAR	PRECEPTOS DEL CÓDIGO PENAL
Estafa	Arts. 248 ss.
Receptación y blanqueo de capitales	Arts. 298 ss.
Delitos contra la salud pública: tráfico de drogas	Arts. 368 ss.

ACUERDO DE PLENO DEL TRIBUNAL SUPREMO
Véase Anexo I.12. Acuerdo del día 18 de julio de 2006
Véase Anexo I.18. Acuerdo del día 19 de octubre de 2001

---

[187] Con variaciones, los hechos están basados en los enjuiciados por la Sentencia del Tribunal Supremo, número 586/2006, de 29 de mayo. *(Tol 961866)*.

CASO NÚMERO 188

Braulio era abogado en un despacho especializado en inversiones inmobiliarias. Para facilitar esta actividad a los clientes, recurría a la creación de sociedades de responsabilidad limitada en España, participadas por inversores directamente o por medio de otra sociedad extranjera, lo que facilitaba tanto la transmisión de los bienes como la opacidad de la titularidad del cliente, con la consiguiente dificultad para una eventual inspección fiscal. En concreto, Braulio tenía participación en 149 sociedades extranjeras. Entre otros clientes, puede citarse los siguientes casos: A) Daniel, traficante de drogas que invertía el dinero procedente de tal actividad gracias a los servicios de Braulio; b) Ana, que invirtió por el mismo procedimiento el dinero procedente de un fraude basado en la venta de componentes electrónicos; c) Teodoro, que realizó inversiones por el mismo procedimiento estando condenado por un delito fiscal y delitos de contabilidad. Las inversiones provenían de las ganancias blanqueadas no declaradas a la agencia tributaria; d) Leopoldo, que invirtió por el mismo método ganancias procedentes de su pertenencia a una organización criminal dedicada al tráfico de cocaína; e) Abraham, que invirtió por idéntico procedimiento el dinero procedente de la previa comisión de extorsiones, secuestro, prostitución coactiva, tráfico de drogas y de armas.

Como consecuencia de la actividad profesional que realizaba Braulio, obtuvo ganancias no declaradas a la Hacienda Pública y que ocultó a través de distintas sociedades en el extranjero que superaban en cada ejercicio con creces los 120.000 euros[188].

CUESTIONES DE PARTE GENERAL

ASPECTOS A ANALIZAR	PRECEPTOS DEL CÓDIGO PENAL
Autoría y participación	Arts. 27 ss.
Relación concursal entre los distintos delitos. Concurso de leyes y de delitos	Arts. 8, 73 ss.
Delito continuado	Art. 74

---

[188] Con variaciones, los hechos están basados en los enjuiciados por la Sentencia del Tribunal Supremo, número 974/2012, de 5 de diciembre de 2012.

CUESTIONES DE PARTE ESPECIAL

ASPECTOS A ANALIZAR	PRECEPTOS DEL CÓDIGO PENAL
Receptación y blanqueo de capitales	Arts. 298 ss.
Delitos contra la salud pública: tráfico de drogas	Arts. 368 ss.
Delitos contra la Hacienda Pública y la Seguridad Social	Arts. 305
Otros delitos: estafas, delitos de extorsión, secuestro, prostitución y tráfico de armas	Arts. 248, 243, 163 ss., 187 ss., 566 ss.

XXIV. DELITOS CONTRA EL MEDIO AMBIENTE, PATRIMONIO HISTÓRICO Y ORDENACIÓN DEL TERRITORIO

CASO NÚMERO 189

Andrés, Presidente del Consejo de Administración y Gerente de la empresa DEMSA dedicada a la actividad industrial de recuperación de plomo, antimonio y otros metales de las baterías electroquímicas de automoción, realizó en el ejercicio de su actividad industrial vertidos de aguas residuales industriales y de lixiviados sin depuración ni tratamiento a los terrenos de la empresa, que fluían a un torrente cuyo cauce desembocaba en varios afluentes de un río. Los vertidos y sus lixiviados, posteriormente contaminaron tres pozos debido al metal tóxico antimonio.

La Sociedad DEMSA poseía Licencia Municipal de Actividades Industriales expedida por el Ayuntamiento, y estaba autorizada para verter aguas residuales domésticas derivadas de su industria, pero con prohibición expresa de vertido de cualquier otro tipo de aguas residuales y requerimiento expreso por el organismo autonómico de acatamiento de esta prohibición, ante el incumplimiento detectado. El requerimiento no fue atendido[189].

CUESTIONES DE PARTE GENERAL

ASPECTOS A ANALIZAR	PRECEPTOS DEL CÓDIGO PENAL
Relación de causalidad e imputación objetiva	
Responsabilidad penal de las personas jurídicas	Arts. 31 bis ss.
Tipo subjetivo: límites de la imprudencia y dolo eventual	Véanse los artículos relativos a los correspondientes tipos de la Parte Especial
Error sobre los elementos del tipo	Art. 14
Autoría y participación	Arts. 27 ss.
Delito continuado	Art. 74

---

[189] Con variaciones, los hechos están basados en los enjuiciados por la Sentencia del Tribunal Supremo, número 1914/2000, de 12 de diciembre. *(Tol 117422)*.

CUESTIONES DE PARTE ESPECIAL

ASPECTOS A ANALIZAR	PRECEPTOS DEL CÓDIGO PENAL
Delito contra los recursos naturales y medio ambiente: dolo	Arts. 325 ss.

CIRCULAR GENERAL DEL ESTADO
Véase la Circular 1/2011 de la Fiscalía General del Estado sobre la Responsabilidad Penal de las Personas Jurídicas

CASO NÚMERO 190

Cornelio, en calidad de propietario y Administrador Único y gerente de la empresa O., SL obtuvo una licencia municipal ordinaria para la apertura de un Bar Musical, según la cual, no podría superar en el interior los 70 dB.

Sin embargo, su actividad superaba dichos límites, hasta el punto de que el fuerte ruido motivó continuas denuncias de los vecinos.

El elevado nivel de ruidos en horas durante siete meses provocó en los vecinos insomnio, dolores de cabeza y mal humor, sin que se haya acreditado que necesitaran de tratamiento médico[190].

CUESTIONES DE PARTE GENERAL

ASPECTOS A ANALIZAR	PRECEPTOS DEL CÓDIGO PENAL
Responsabilidad penal de las personas jurídicas	Arts. 31 bis ss.
Relación de causalidad e imputación objetiva	
Tipo subjetivo: límites de la imprudencia y dolo eventual	Véanse los artículos relativos a los correspondientes tipos de la Parte Especial

CUESTIONES DE PARTE ESPECIAL

ASPECTOS A ANALIZAR	PRECEPTOS DEL CÓDIGO PENAL
Delito contra los recursos naturales y el medio ambiente	Arts. 325 ss.
Delito de lesiones	Arts. 147 ss.

---

[190] Con variaciones, los hechos están basados en los enjuiciados por la Sentencia del Tribunal Supremo, número 1112/2009, de 16 de noviembre.

CASO NÚMERO 191

En su condición de alcalde de una localidad, Arturo tuvo conocimiento de los vertidos de escombros y otros productos que se venían realizando en una serie de parcelas ubicadas en un polígonos cuyo suelo estaba clasificado como "no urbanizable protegido". A fin de poder controlar tales vertidos, previa petición de los propietarios o cultivadores, fue concediendo en nombre del Ayuntamiento unas autorizaciones que decían: "En contestación a su atento escrito se le autoriza a efectuar almacenamientos de escombros, procedentes de obras, en la parcela abajo detallada, por un período de días desde la fecha de este permiso. Esta autorización no ampara la siguiente relación de residuos: vidrios, plásticos, cartones, papeles, neumáticos, botes, latas y otros envases; –maderas, muebles, chatarra, metales, electrodomésticos; productos genéricos de cualquier categoría tóxica, pinturas, alquitranes, herbicidas, aceites usados, etc.; baterías, acumuladores y similares; –en general, cualquier producto considerado tóxico o peligroso, con un claro impacto negativo para el medio; –todo tipo de materia orgánica. Por parte de esta Corporación se seguirá un control de los depósitos realizados, que, en caso de incumplimiento, llevará a la imposición de la oportuna sanción", figurando la fecha del escrito, el sello del Ayuntamiento y la firma del Alcalde.

En el año 1995 se concedieron diez autorizaciones, en el año 1996 seis autorizaciones, en el año 1997 se concedieron dieciséis, añadiendo el texto "que el dueño de la parcela deberá retirar los objetos flotantes"; en 1998 se concedieron diez, añadiendo el texto que "el dueño de la parcela deberá de dejar en buen estado el camino durante el depósito del material".

Durante esos años y al amparo de las autorizaciones se fueron vertiendo en las parcelas principalmente escombros procedentes de la construcción, así como productos como envases, enseres domésticos, algunos envases de plástico y de productos fitosanitarios, así como arenas y otros productos inertes. Todo ello fue depositado no sólo sobre la superficie firme de las parcelas, sino también sobre una suerte de balsas anejas a algunas parcelas, la mayoría con cultivos de naranjos en producción, formados por la extracción de tierras que se aprovechaban para elevar el terreno, y también de forma natural por el agua que manaba de los acuíferos. Tales vertidos sobre las parcelas autorizadas y el aterramiento producido sobre parte de las balsas produjo una incidencia medioambiental de un valor "2-incidencia baja"[191].

---

[191] Con variaciones, los hechos están basados en los enjuiciados por la Sentencia del Tribunal Supremo, número 1073/2003, de 25 de septiembre. *(Tol 312056).*

CUESTIONES DE PARTE GENERAL

ASPECTOS A ANALIZAR	PRECEPTOS DEL CÓDIGO PENAL
Autoría y participación	Arts. 27 ss.
Tipo subjetivo: límites de la imprudencia y dolo eventual	Véanse los artículos relativos a los correspondientes tipos de la Parte Especial
Relación concursal entre los distintos delitos. Concurso de leyes y de delitos	Arts. 8, 73 ss.

CUESTIONES DE PARTE ESPECIAL

ASPECTOS A ANALIZAR	PRECEPTOS DEL CÓDIGO PENAL
Delito contra los recursos naturales y el medio ambiente	Arts. 325 ss.

CASO NÚMERO 192

Las sociedades "A" y "B", administradas por Jorge y Lucas respectivamente, explotaban una cantera y con ánimo de lucro e indiferentes al perjuicio ecológico que pudieran causar con sus acciones, fueron avanzando sucesivamente en la explotación hasta llegar a ocupar un total de 6.375 hectáreas de monte público de zona forestal y de labranza, introduciéndose en el terreno de un Parque. Su actuación generó una pared de roca prácticamente vertical de una altura aproximada de cien metros, que destruyó grandes superficies de monte, así como la eliminación en 30 metros de un camino, con el subsiguiente peligro para quien lo transitase. Igualmente provocó que se arrasara toda la vegetación existente, compuesta por pino silvestres y otros matorrales (aulaga, romero, tomillo y espliego), dejando fuertes cicatrices en el terreno y produciendo un impacto visual irreparable de color gris, claramente visualizado desde la carretera.

La actuación llevada a cabo tuvo lugar en un espacio físico calificado como "complejo serrano de interés ambiental" con vocación forestal e importantes valores paisajísticos, declarado reserva de la biosfera y enriquecido con un importantísimo número de endemismos vegetales, en el que se destruyeron los pilares de repoblación, imposibilitando la misma. Todo ello pese a existir Resolución de impacto ambiental de su actividad desfavorable y no contar con licencia urbanística municipal del Ayuntamiento. Por la Consejería de Medio Ambiente se dictó Acuerdo para la iniciación de los trabajos de restauración de la zona afectada por la cantera, resolución que incluía un orden de suspensión de las actividades, la cual fue notificada a los responsables. No obstante, la actividad de extracción y avance de la cantera continuó con normalidad. De otra parte, con posterioridad a los hechos los responsables de la cantera, tras la intervención judicial, procedieron a iniciar los trabajos de restauración de la zona afectada a satisfacción de la comisión de seguimiento de dichos trabajos.

Los hechos anteriores fueron realizados con la aquiescencia de algunos responsables del Ayuntamiento, concretamente con la intervención de Eusebio, que fue Alcalde de la localidad en la época en que se produjo una mayor virulencia en la invasión de la cantera en el Parque Nacional. Pese a que Eusebio tenía conocimiento de que la citada cantera no tenía concedida licencia de obras así como de los previos intentos de que la actividad cesara, cobraba 20 céntimos de euro por cada tonelada métrica del material extraído, teniendo incluso personas contratadas por dicho ente municipal como controladores de la extracción, con lo que de este modo coadyuvaba a las daños ecológicos relacionados anteriormente. No obstante, el Ayuntamiento presidido por Eusebio puso finalmente los hechos en conocimiento de la Consejería de Medio Ambiente. Igualmente se contribuyó a los hechos descritos, en detrimento de la riqueza ecológica de la zona, desde la Consejería de Medio Ambiente, en concreto, por parte del que fuera Delegado de la misma, Serafín, quien había sido Director de la Agencia de Medio Ambiente, el cual siendo el responsable máximo de las materias de Medio Ambiente en la provincia, pese a conocer que la actividad de la cantera había merecido la declaración de impacto ambiental negativo y de ser su Consejería la encomendada precisamente de la administración, gestión y el desarrollo del Parque Natural y la competente para exigir la autorización para la ocupación de Monte Público, ni actuó en consecuencia ante las ausencias de las autorizaciones oportunas, ni acordó clausurar la actividad pese a los daños a la naturaleza que se causaban. Serafín firmó un informe favorable a un Plan de Restauración que sólo sirvió de pantalla formal para continuar el desarrollo de la actividad depredadora de la cantera con el consiguiente perjuicio ecológico; consagrando un plan de explotación no autorizado.

A través de sus actuaciones también contribuyó a la producción de los hechos previamente descrito José, Jefe del Departamento de Minas de la Consejería de Empleo y Desarrollo Tecnológico, quien pese a informar negativamente el Plan de Restauración de la cantera por considerar que supondría consagrar un plan de explotación no autorizado, posteriormente informó favorablemente el mismo, afirmando que la restauración debería conseguirse con la explotación y beneficio del recurso más que con un sistema de terrazas, determinando con dicho informe que se aprobara el Plan de Restauración presentado por la cantera.

Dicho Plan fue aprovechado para continuar con la labor extractiva que se estaba realizando, dejando la administración minera, con injustificada pasividad, de realizar el seguimiento de lo dispuesto en el Plan de Restauración y permitiendo de esta forma el incumplimiento sistemático del mismo y el avance de la cantera[192].

CUESTIONES DE PARTE GENERAL

ASPECTOS A ANALIZAR	PRECEPTOS DEL CÓDIGO PENAL
Responsabilidad penal de las personas jurídicas	Arts. 31 bis ss.
Comisión por omisión	Art. 11
Autoría y participación	Arts. 27 ss.
Relación concursal entre los distintos delitos. Concurso de leyes y de delitos	Arts. 8, 73 ss.

---

[192] Con variaciones, los hechos están basados en los enjuiciados por la Sentencia del Tribunal Supremo, número 711/2006, de 8 de junio. *(Tol 964499)*.

CUESTIONES DE PARTE ESPECIAL

ASPECTOS A ANALIZAR	PRECEPTOS DEL CÓDIGO PENAL
Delito contra los recursos naturales y el medio ambiente	Arts. 325 ss.
Prevaricación	Arts. 404 ss.

CIRCULAR GENERAL DEL ESTADO
Véase la Circular 1/2011 de la Fiscalía General del Estado sobre la Responsabilidad Penal de las Personas Jurídicas

CASO NÚMERO 193

Tras la obtención del permiso municipal y sin realizar ninguna obra previa de acondicionamiento del fondo y de las paredes laterales de la cantera, Joaquín y Alejandro comenzaron su actividad de llenado de la misma mediante sucesivos vertidos incontrolados, realizados directamente sobre el terreno sin ningún tipo de selección previa. De esta forma ocuparon una superficie total de unos 8.000 metros cuadrados con una altura total de 15 metros lineales de la cantera adquirida, hasta completar un volumen de vertidos de 115.000 metros cúbicos, llegando a elevar el nivel del terreno rellenado en una altura de 3 metros sobre el primitivo nivel natural de la parcela.

Un estudio de medición de gases ordenado por la Consejería de Medio Ambiente reveló que se estaban produciendo procesos de fermentación anaeróbica en el emplazamiento citado, con formación de metano susceptible de producir explosiones e incendios, habiéndose constatado la existencia de focos de combustión interna que generan humaredas. También se constató la existencia de algún incendio en el mismo vertedero. Esta contaminación atmosférica derivada de la actividad desplegada ocasionó esporádicamente nubes tóxicas productoras de molestias, irritaciones y picor de ojos y garganta para los habitantes de los núcleos poblados cercanos, así como malos olores.

En los pozos de agua situados en las zonas limítrofes a la cantera se verificó la contaminación bacteriológica por coliformes fecales y concentraciones de aceites minerales, zinc, nitratos y compuestos órganohalogenados absorbibles, debido a la permeabilidad del terreno. Esta contaminación afectó a los pozos vecinos debido a la infiltración de lixiviados en el primero de los casos y a la infiltración de escorrentías en el segundo. El agua subterránea presentó contaminación química por aceite mineral y compuestos organohalogenados que la hicieron no apta para el consumo humano y no aconsejable para otros usos[193].

---

[193]   Con variaciones, los hechos están basados en los enjuiciados por la Sentencia del Tribunal Supremo, número 875/2006, de 6 de septiembre. *(Tol 1002349)*.

CUESTIONES DE PARTE GENERAL

ASPECTOS A ANALIZAR	PRECEPTOS DEL CÓDIGO PENAL
Tipo subjetivo: límites de la imprudencia y dolo eventual	Véanse los artículos relativos a los correspondientes tipos de la Parte Especial
Autoría y participación	Arts. 27 ss.

CUESTIONES DE PARTE ESPECIAL

ASPECTOS A ANALIZAR	PRECEPTOS DEL CÓDIGO PENAL
Delito contra los recursos naturales y el medio ambiente	Arts. 325 ss.

CASO NÚMERO 194

Pedro Antonio y Oscar, administradores solidarios de una sociedad dedicada a la explotación de un bar, poseían únicamente licencia municipal de actividad (restauración), concedida por el Ayuntamiento, pero carecían de la preceptiva licencia de funcionamiento y apertura, la cual fue solicitada por Pedro Antonio, pero nunca le fue concedida al no haber adoptado durante todo ese tiempo las medidas correctoras exigidas por el Consistorio, entre ellas la de insonorización del local, a fin de que los ruidos provocados por la actividad de restauración y sus instalaciones y maquinaria (montacargas, persianas metálicas, extractores de humos, etc.) no afectaron a los habitantes de las viviendas y pisos sitos en el mismo edificio y colindantes.

Pese a carecer de la preceptiva licencia municipal de funcionamiento y apertura, y sin adoptar las medidas correctoras requeridas por el Ayuntamiento —alegando falsamente sí haberlo hecho— Pedro Antonio inició la actividad de Bar-Restaurante en los bajos del edificio, lo que provocó en breve las sucesivas y reiteradas denuncias ante el Ayuntamiento de los vecinos afectados, dado que los ruidos provocados por la actividad de restauración y su maquinaria les impedían el necesario descanso y sueño en horas nocturnas. A consecuencia de las referidas denuncias, el Ayuntamiento incoó al Bar-Restaurante el expediente administrativo de cese de actividad por carecer de la licencia de funcionamiento y por no adoptar medidas correctoras. Ante la reiteración de las denuncias de los vecinos, inspecciones y control y la no adopción de las medidas por parte de los titulares, el Ayuntamiento precintó el local. La inspección del Ayuntamiento comprobó que Pedro Antonio había quebrantado el precinto del Bar-Restaurante, el cual seguía en plena actividad. A consecuencia de la reiterada inmisión de ruidos en horas nocturnas procedentes del Bar-Restaurante, gestionado y explotado por Pedro Antonio, los vecinos se vieron sometidos a una continuada situación de insomnio y estrés, que determinó incluso en que alguno desarrollase un cuadro clínico ansioso-depresivo que precisó tratamiento farmacológico y homeopático[194].

---

[194]   Con variaciones, los hechos están basados en los enjuiciados por la Sentencia de la Audiencia Provincial de Barcelona de 20 de marzo de 2006, número de procedimiento 97/2005 *(Tol 1010176)*.

CUESTIONES DE PARTE GENERAL

ASPECTOS A ANALIZAR	PRECEPTOS DEL CÓDIGO PENAL
Responsabilidad penal de las personas jurídicas	Arts. 31 bis ss.
Autoría y participación	Arts. 27 ss.
Relación concursal entre los distintos delitos. Concurso de leyes y de delitos	Arts. 8, 73 ss.

CUESTIONES DE PARTE ESPECIAL

ASPECTOS A ANALIZAR	PRECEPTOS DEL CÓDIGO PENAL
Delito de lesiones	Arts. 147 ss.
Delito contra los recursos naturales y el medio ambiente	Arts. 325 ss.

CIRCULAR GENERAL DEL ESTADO
Véase la Circular 1/2011 de la Fiscalía General del Estado sobre la Responsabilidad Penal de las Personas Jurídicas

CASO NÚMERO 195

Ambrosio, en su condición de agricultor y con el fin de destinarlas para el cultivo de especies agrícolas, utilizando un arado de vertedora roturó una serie de parcelas que se encontraban dentro de la demarcación de un Refugio de Fauna Silvestre, que tenían la consideración de prados salinos, hallándose cubierta de vegetación natural entre la que se hallaba la especie "puccinellia pungens", catalogada como especie en peligro de extinción. Como consecuencia de tal actuación, se transformó de forma absoluta la realidad física y biológica de los terrenos, destruyendo su hábitat natural y provocando la muerte de los ejemplares de la "puccinellia pungens" que allí crecían, hasta tal punto que para la recuperación de tales prados salinos será preciso el transcurso de al menos una década[195].

CUESTIONES DE PARTE GENERAL

ASPECTOS A ANALIZAR	PRECEPTOS DEL CÓDIGO PENAL
Autoría y participación	Arts. 27 ss.
Relación concursal entre los distintos delitos. Concurso de leyes y de delitos	Arts. 8, 73 ss.

CUESTIONES DE PARTE ESPECIAL

ASPECTOS A ANALIZAR	PRECEPTOS DEL CÓDIGO PENAL
Delitos relativos a la protección de la flora y fauna	Arts. 332 ss.

---

[195] Con variaciones, los hechos están basados en los enjuiciados por la Sentencia de la Audiencia Provincial de Teruel, número 10/2001, de 6 de marzo. *(Tol 112544)*.

CASO NÚMERO 196

Arturo, se descolgó por un acantilado hasta donde se hallaba un nido de halcón tagarote, especie en peligro de extinción, en el que había dos polluelos y un huevo por eclosionar con la intención simplemente de examinarlos de cerca. Como consecuencia de su acción, al aproximarse al nido uno de los pollos de halcón cayó al vacío y falleció[196].

CUESTIONES DE PARTE GENERAL

ASPECTOS A ANALIZAR	PRECEPTOS DEL CÓDIGO PENAL
Tipo subjetivo	Arts. 5, 10, 12
Autoría y participación	Arts. 27 ss.

CUESTIONES DE PARTE ESPECIAL

ASPECTOS A ANALIZAR	PRECEPTOS DEL CÓDIGO PENAL
Delitos relativos a la protección de la flora y fauna	Arts. 332 ss.

---

[196]   Con variaciones, los hechos están basados en los enjuiciados por la Sentencia de la Audiencia Provincial de las Palmas, número 50/2006, de 27 de febrero. *(Tol 971466).*

CASO NÚMERO 197

Javier tuvo que abandonar su domicilio por resolución judicial de separación de mutuo acuerdo, quedando en dicho domicilio sus perros bajo la custodia de su mujer, Itziar. Uno de los perros falleció a consecuencia de la falta de alimentación y por una gran cantidad de garrapatas[197].

CUESTIONES DE PARTE GENERAL

ASPECTOS A ANALIZAR	PRECEPTOS DEL CÓDIGO PENAL
Excusa absolutoria	Art. 268
Autoría y participación	Arts. 27 ss.
Relación concursal entre los distintos delitos. Concurso de leyes y de delitos	Arts. 8, 73 ss.

CUESTIONES DE PARTE ESPECIAL

ASPECTOS A ANALIZAR	PRECEPTOS DEL CÓDIGO PENAL
Delito de daños	Art. 263
Delito contra los animales domésticos.	Arts. 337 y 337 bis

---

[197] Con variaciones, los hechos están basados en los enjuiciados por la Sentencia de la Audiencia Provincial de Madrid, número 196/2006, de 30 de marzo.

CASO NÚMERO 198

Julio, se encontraba practicando el deporte de la caza sirviéndose para ello de dos perros de su propiedad. En un determinado momento, una de sus perras fue atacada por la perra de raza galgo de Pedro, que se encontraba en la zona con el mismo fin, de forma que Julio realizó tres disparos al aire con su escopeta, con el fin de ahuyentar a la perra aludida y dos perros galgos también propiedad de éste que habían acudido al lugar. Pasados unos segundos, Julio volvió a cargar su escopeta y disparó con ella a unos dos o tres metros de distancia a la perra, ocasionándole la muerte; acto seguido, efectuó dos disparos dirigidos a los otros dos perros de Pedro, a una distancia de unos seis u ocho metros, provocando en uno de ellos heridas mortales de forma que su sacrificio se consideró inevitable y en el segundo de ellos graves heridas que, aunque no supusieron riesgo vital, determinaron su sacrificio, a juicio de Pedro, ya que las mismas suponían que el animal habría de devenir inservible para la caza de la liebre. El valor estimado de los tres perros fallecidos es de 2.700 €[198].

CUESTIONES DE PARTE GENERAL

ASPECTOS A ANALIZAR	PRECEPTOS DEL CÓDIGO PENAL
Relación concursal entre los distintos delitos. Concurso de leyes y de delitos	Arts. 8, 73 ss.

CUESTIONES DE PARTE ESPECIAL

ASPECTOS A ANALIZAR	PRECEPTOS DEL CÓDIGO PENAL
Delito de daños	Art. 263
Delito contra los animales domésticos	Arts. 337 y 337 bis

---

[198]   Con variaciones, los hechos están basados en los enjuiciados por la Sentencia de la Audiencia Provincial de Teruel, número 12/2011, de 15 de febrero.

CASO NÚMERO 199

David poseía un perro. Un día, llegó a su domicilio, se encerró en su habitación y allí colgó por ahorcamiento al animal de la parte superior de un saco de boxeo, mediante una suerte de collar realizado con bolsas de plástico. A continuación, estando ya el animal indefenso y próximo a la muerte por asfixia, le propinó multitud de navajazos por todo el cuerpo, que provocaron que muriera desangrado.

David padece un trastorno obsesivo compulsivo y rasgos límites de personalidad, lo cual disminuye notablemente sin anularlas sus facultades intelectivas y volitivas, estando actualmente en tratamiento[199].

CUESTIONES DE PARTE GENERAL

ASPECTOS A ANALIZAR	PRECEPTOS DEL CÓDIGO PENAL
Culpabilidad: eximentes y atenuantes	Arts. 20.1, 21.1, 21.3
Relación concursal entre los distintos delitos. Concurso de leyes y de delitos	Arts. 8, 73 ss.

CUESTIONES DE PARTE ESPECIAL

ASPECTOS A ANALIZAR	PRECEPTOS DEL CÓDIGO PENAL
Delito de daños	Arts. 263 ss.
Delito contra los animales domésticos	Arts. 337 y 337 bis

---

[199]   Con variaciones, los hechos están basados en los enjuiciados por la Sentencia de la Audiencia Provincial de Islas Baleares, número 373/2010, de 19 de noviembre.

CASO NÚMERO 200

Federico, experto tirador, disparó a los dos gatos de su vecina pensando que éste sería el método más indoloro de matarlos, causándole a uno la muerte y a otro una cojera permanente. Ambos gatos estaban valorados en 200 euros[200].

CUESTIONES DE PARTE GENERAL

ASPECTOS A ANALIZAR	PRECEPTOS DEL CÓDIGO PENAL
Autoría y participación	Arts. 27 ss.
Relación concursal entre los distintos delitos. Concurso de leyes y de delitos	Arts. 8, 73 ss.

CUESTIONES DE PARTE ESPECIAL

ASPECTOS A ANALIZAR	PRECEPTOS DEL CÓDIGO PENAL
Delito de daños	Arts. 263 ss.
Delito contra los animales domésticos	Arts. 337 y 337 bis

---

[200] Con variaciones los hechos están basados en los enjuiciados por la Sentencia de la Audiencia Provincial de Asturias, número 36/2006, de 2 de marzo.

CASO NÚMERO 201

Marcelo se dirigió a una finca que uno de sus hermanos tenía arrendada destinándola al cuidado de animales. Una vez allí, observó como dos crías de cerdo yacían muertas en el suelo, e inmediatamente pensó que los había matado un perro de raza pastor alemán. Por ello, valiéndose de una soga, con ánimo de causarle la muerte, le rodeó el cuello con un nudo corredero y procedió a colgarlo de la rama de un olivo existente en el interior de la finca. La Guardia Civil halló al perro colgado de la rama del olivo cuando todavía estaba convulsionándose, y pese a que inmediatamente lo bajaron al suelo, murió momentos después. El perro de raza pastor alemán carecía de chip canino, tatuaje o collar identificativo[201].

CUESTIONES DE PARTE GENERAL

ASPECTOS A ANALIZAR	PRECEPTOS DEL CÓDIGO PENAL
Autoría y participación	Arts. 27 ss.
Relación concursal entre los distintos delitos. Concurso de leyes y de delitos	Arts. 8, 73 ss.

CUESTIONES DE PARTE ESPECIAL

ASPECTOS A ANALIZAR	PRECEPTOS DEL CÓDIGO PENAL
Delito de daños	Arts. 263 ss.
Delito contra los animales domésticos	Arts. 337 y 337 bis

---

[201] Con variaciones los hechos están basados en los enjuiciados por la Sentencia de la Audiencia Provincial de Castellón, de 2 de febrero de 2006. Recurso de apelación número 426/2005.

CASO NÚMERO 202

Evaristo, administrador de Construcciones SA, fue denunciato por el propietario de un palacio declarado como bien de interés cultural e integrado en el inventario del Patrimonio Artístico y Arqueológico de España, por determinados daños aparecidos en el mismo coetáneamente a la realización de las obras de construcción, a escasos metros, de un hotel y restaurante.

Los daños en cuestión consistían en la aparición de determinadas grietas en el edificio, particularmente en la zona de su torre, y en el desconchado de las bóvedas de ladrillo visto de algunas salas de la planta baja. Tales daños se imputan a la injustificada utilización por parte de quienes realizan la obra del nuevo hotel de un martillo percutor o neumático para la fractura de roca dura al realizar la excavación necesaria para el sótano del nuevo edificio[202].

CUESTIONES DE PARTE GENERAL

ASPECTOS A ANALIZAR	PRECEPTOS DEL CÓDIGO PENAL
Responsabilidad penal de las personas jurídicas	Arts. 31 bis ss.
Autoría y participación	Arts. 27 ss.

CUESTIONES DE PARTE ESPECIAL

ASPECTOS A ANALIZAR	PRECEPTOS DEL CÓDIGO PENAL
Delito sobre el patrimonio histórico	Arts. 321 ss.

CIRCULAR GENERAL DEL ESTADO
Véase la Circular 1/2011 de la Fiscalía General del Estado sobre la Responsabilidad Penal de las Personas Jurídicas

---

[202] Con variaciones, los hechos están basados en los enjuiciados por el Auto de la Audiencia Provincial de Cáceres, número 89/2010, de 15 de marzo.

CASO NÚMERO 203

Con ocasión de las labores de excavación arqueológica que se venían realizando en un yacimiento, Segismundo acudía los fines de semana a esa zona declarada bien de Interés Cultural con la categoría de Zona Arqueológica, y en el perímetro protegido realizaba sondeos con un detector de metales, excavando el suelo protegido cuando el detector indicaba la presencia de algún metal. Dichos sondeos, de carácter furtivo, ocasionaron daños importantes e irreversibles, tanto de carácter secuencial como estratigráfico que impidieron la interpretación científica del yacimiento. Pese a todo, Segismundo no extrajo objetos de interés arqueológico[203].

CUESTIONES DE PARTE ESPECIAL

ASPECTOS A ANALIZAR	PRECEPTOS DEL CÓDIGO PENAL
Delito sobre el patrimonio histórico	Arts. 321 ss.

---

[203] Con variaciones, los hechos están basados en los enjuiciados por la Sentencia del Juzgado de lo penal de Ciudad Real, de 18 de diciembre de 2002, número de procedimiento 189/2001.

CASO NÚMERO 204

César, Jorge, Alfonso, José, Pedro, Pablo y Luis, con edades que oscilaban entre los 21 y los 22 años en el momento de los hechos, se dirigieron de madrugada a la Plaza de la Cibeles de Madrid con la intención de darse un baño en la fuente del monumento existente en el centro de dicha plaza. Una vez en el lugar se quedaron en ropa interior y se introdujeron en la pileta del conocido monumento histórico. En tales circunstancias Jorge decidió encaramarse a la parte más alta del conjunto escultórico y para ello comenzó a trepar, siendo así que cuando estaba apoyándose en uno de los brazos de la estatua que representa a la diosa para ascender por la misma, dicho brazo se rompió, cayendo al suelo. Ante ello se quedó inicialmente sorprendido, descendió del monumento, cogió el brazo, que había caído en la pileta y se lo mostró al resto de sus amigos, que justo en ese instante tuvieron perfecto conocimiento de lo ocurrido, marchándose del lugar precipitadamente. Jorge se llevó consigo el brazo de la estatua en el interior del vehículo que conducía.

Al día siguiente, todos ellos se reunieron para decidir qué hacer con la parte desprendida de la estatua, que hasta entonces había permanecido en poder de Jorge, y finalmente la depositaron en un cubo de basura de los destinados al reciclado de plásticos y otros productos con la finalidad de que pudiera ser recuperada por alguien. En la mañana siguiente, como quiera que el brazo no había sido recuperado, efectuaron una llamada a un conocido periódico dando aviso del lugar exacto donde la habían depositado, trasladando de forma inmediata dicha información el diario a la Policía Municipal, que pese a efectuar una intensa batida por la zona no halló la porción de estatua que buscaban.

El valor de la porción de estatua fracturada supera con creces los 300,51 euros y el importe de su reposición ha ascendido a 23.918 euros[204].

---

[204] Con variaciones, los hechos están basados en los enjuiciados por la Sentencia del Juzgado de lo Penal de Madrid de 27 abril 2004. *(Tol 223636)*.

CUESTIONES DE PARTE GENERAL

ASPECTOS A ANALIZAR	PRECEPTOS DEL CÓDIGO PENAL
Tipo subjetivo: límites de la imprudencia y dolo eventual	Véanse los artículos relativos a los correspondientes tipos de la Parte Especial
Autoría y participación	Arts. 27 ss.
Circunstancias atenuantes genéricas	Art. 21. 5

CUESTIONES DE PARTE ESPECIAL

ASPECTOS A ANALIZAR	PRECEPTOS DEL CÓDIGO PENAL
Delito sobre el patrimonio histórico	Arts. 321 ss.

CASO NÚMERO 205

Rafael promovió la construcción de una casa unifamiliar para uso residencial de dos plantas de 125 metros cuadrados cada una, con el correspondiente cerramiento en suelo clasificado como no urbanizable común, no siendo la obra legalizable. Los constructores fueron Carlos y Cayetano, conocedores de la situación urbanística de la construcción.

Rafael promovió la construcción de una casa unifamiliar para uso residencial de una planta de 209 metros cuadrados, con una piscina, en suelo clasificado como no urbanizable común, no siendo la obra legalizable. El constructor fue Melchor, representante legal de Construcciones "M", bajo la dirección técnica del arquitecto superior Claudio, conocedores todos ellos de la situación urbanística de la construcción.

Para esta última construcción ilegal solicitó licencia al Ayuntamiento, emitiendo el aparejador municipal un informe, en el cual se indicaba que existían parcelas muy próximas, del mismo promotor, en suelo no urbanizable.

Ignacio, a sabiendas del contenido del informe anterior, deliberadamente y prescindiendo del preceptivo informe jurídico del Secretario del Ayuntamiento emitió acto administrativo favorable a la concesión de licencia de primera ocupación, conocedor de la situación ilegal de la finca de Jaime[205].

CUESTIONES DE PARTE GENERAL

ASPECTOS A ANALIZAR	PRECEPTOS DEL CÓDIGO PENAL
Responsabilidad penal de las personas jurídicas	Arts. 31 bis ss.
Autoría y participación	Arts. 27 ss.
Relación concursal entre los distintos delitos. Concurso de leyes y de delitos	Arts. 8, 73 ss.

---

[205]   Con variaciones, los hechos están basados en los enjuiciados por la Sentencia de la Audiencia Provincial de Jaén, número 4/2011, de 4 de enero.

CUESTIONES DE PARTE ESPECIAL

ASPECTOS A ANALIZAR	PRECEPTOS DEL CÓDIGO PENAL
Delito sobre la ordenación del territorio y urbanismo	Arts. 319 s.
Prevaricación	Art. 404

CIRCULAR GENERAL DEL ESTADO
Véase la Circular 1/2011 de la Fiscalía General del Estado sobre la Responsabilidad Penal de las Personas Jurídicas

CASO NÚMERO 206

Mauricio, mayor de edad, de profesión albañil, con instrucción y sin antecedentes penales, inició en una parcela de su propiedad el desbroce del terreno sin contar con licencia de obras, (que no solicitó porque conocía por otros vecinos del lugar que no se la podían conceder porque los terrenos eran rústicos y no urbanizables). De esta forma dio lugar a dos explanadas, una de las cuales se encontraba con cimentación y diverso material (puntales, hierros, etc.) de albañilería, destinada a la construcción de viviendas.

Este inicio de las obras fue inmediatamente comprobado por el único Policía Local del Ayuntamiento, que lo puso en conocimiento de la Sra. Alcaldesa, que reaccionó rápidamente dictando un Decreto donde se ordenó a Mauricio la inmediata suspensión de las obras porque la zona de ubicación de su parcela estaba clasificada como no urbanizable.

Mauricio recibió la notificación de ese Decreto, y como sabía leer y no poseía ninguna tara psíquica que afectase a su capacidad para entender, a través de ese Decreto tuvo cabal conocimiento de las siguientes circunstancias: 1) que el suelo de su parcela por ser rústico no era urbanizable; 2) de la contundencia con que se expresaba el Ayuntamiento, puesto que expresamente se le advertía que se podría ordenar la demolición a su costa de lo que construyera a partir de ese momento; y, 3) también se le indicaba expresamente que se encargaba al Policía Local la vigilancia del cumplimiento de ese Decreto.

A pesar de ello, Mauricio ni siquiera se molestó en pedir licencia de obras, y siguió construyendo porque pensó que si las obras estaban terminadas ya no podían demolérselas.

El Policía Local pudo comprobar el proceso de construcción, llevado a cabo haciendo caso omiso a la orden de paralización. Dicho Policía denunció que tras la vigilancia oportuna para cumplimiento del Decreto comprobó que seguía con las obras, reconociéndole Mauricio ser el constructor y promotor, y, ante la advertencia del agente sobre la responsabilidad en la que incurría, afirmó que le constaba pero que seguiría porque lo único que pretendía era construir las viviendas. En esa fecha era ya evidente que Mauricio estaba construyendo cinco viviendas.

Las advertencias y denuncias del Policía Local se reiteraron hasta en tres ocasiones más a lo largo de tres años, comprobando no sólo que Mauricio continuaba las obras sino que junto a una de las viviendas estaba construyendo una piscina y que de las otras cuatro viviendas una de ellas tenía dos plantas.

El suelo sobre el que asienta la finca donde Mauricio ha construido las cinco viviendas y piscina está clasificado como suelo rústico no urbanizable y sin que sea susceptible de legalización[206].

CUESTIONES DE PARTE GENERAL

ASPECTOS A ANALIZAR	PRECEPTOS DEL CÓDIGO PENAL
Error de tipo. Error de prohibición	Art. 14
Autoría y participación	Arts. 27 ss.

CUESTIONES DE PARTE ESPECIAL

ASPECTOS A ANALIZAR	PRECEPTOS DEL CÓDIGO PENAL
Delito sobre la ordenación del territorio y urbanismo	Arts. 319 s.
Resistencia y desobediencia a la autoridad	Art. 556

---

[206] Con variaciones, los hechos están basados en los enjuiciados por la Sentencia del Juzgado de lo Penal de Córdoba, número 401/2006, de 7 de noviembre.

CASO NÚMERO 207

Guillermo, mayor de edad y sin antecedentes penales, propietario de una casa/cueva, compuesta de vivienda y terraza que daba a la playa, solicitó licencia de obras de reparación general de la vivienda con restauración de forjados al Ayuntamiento, no obteniéndola por carecer de la preceptiva autorización de Costas.

Sin perjuicio de ello y en la creencia de que su vivienda no se encontraba dentro de la zona marítimo terrestre, aún sin contar con la preceptiva licencia municipal para la realización de tales obras, procedió a llevarlas a cabo, sin que fuera paralizada la obra por autoridad competente hasta estar prácticamente finalizada la misma[207].

CUESTIONES DE PARTE GENERAL

ASPECTOS A ANALIZAR	PRECEPTOS DEL CÓDIGO PENAL
Error de tipo. Error de prohibición	Art. 14
Autoría y participación	Arts. 27 ss.

CUESTIONES DE PARTE ESPECIAL

ASPECTOS A ANALIZAR	PRECEPTOS DEL CÓDIGO PENAL
Delito sobre la ordenación del territorio y urbanismo	Arts. 319 s.

---

[207] Con variaciones, los hechos están basados en los enjuiciados por la Sentencia del Tribunal Supremo, número 1067/2006, de 17 de octubre. *(Tol 1009749)*.

XXV. DELITOS CONTRA LA SEGURIDAD COLECTIVA I: ESTRAGOS E INCENDIOS

CASO NÚMERO 208

Isidra se encontraba en una parada de autobús situada junto a la gasolinera, cuando escuchó una voz que le decía "buenos días señora ¿qué tal su hija?". Al levantar la cabeza y ver que era Evaristo, que se encontraba de permiso carcelario por la violación de su hija, Adela, a la edad de 13 años, le gritó: "maldito, maldito, eres tú", alejándose aquél del lugar en dirección a un bar.

Isidra sufría desde la violación de su hija un trastorno adaptativo mixto con síntomas ansiosos-depresivos del que venía siendo tratada. Esta anomalía, unida a la visión de Evaristo, al que creía en la cárcel, en las proximidades de su domicilio provocó en ella tal estado emocional, que le llevó a que se dirigiera a la gasolinera y llenara una botella de gasolina.

Al llegar al bar vio a Evaristo hablando con Alberto y tras darle por detrás una palmada en el hombro, le inquirió ¿te acuerdas de mí?, contestándole aquél "con usted no tengo nada que hablar", a lo que respondió Isidra: "pues para que no me olvides". Acto seguido abrió la botella y lo roció con la gasolina por encima de la cabeza, prendiendo fuego con una cerilla, que arrojó al suelo y produjo la combustión, comenzando Evaristo a arder de pies a cabeza. Pablo el dueño del Bar, procedió a apagar el fuego con un extintor.

Alberto, al estar justamente al lado, fue salpicado por la gasolina, y a consecuencia del fuego, sufrió lesiones consistentes en quemaduras de 2º grado profundo en miembro inferior izquierdo (8%) - salpicaduras en pie derecho y mano derecha. Evaristo falleció a consecuencia de las quemaduras.

Isidra, al producirse el incendio, salió corriendo del establecimiento, siendo detenida en estado desorientado[208].

---

[208] Con variaciones, los hechos están basados en los enjuiciados por la Sentencia de la Audiencia Provincial de Alicante, número 100/2009, de 17 de julio.

CUESTIONES DE PARTE GENERAL

ASPECTOS A ANALIZAR	PRECEPTOS DEL CÓDIGO PENAL
Culpabilidad: eximentes y atenuantes	Arts. 20.1, 21.1, 21.3
Relación concursal entre los distintos delitos. Concurso de leyes y de delitos	Arts. 8, 73 ss.

CUESTIONES DE PARTE ESPECIAL

ASPECTOS A ANALIZAR	PRECEPTOS DEL CÓDIGO PENAL
Asesinato	Arts. 139 s.
Lesiones	Arts. 147 ss., 152
Incendios. Tipos delictivos.	Arts. 351 ss., 358
Delimitación con el delito de daños	Art. 266

CASO NÚMERO 209

Jesús, Esteban y Carlos, habían protagonizado un incidente con unos magrebís que acabó en intercambio de golpes entre ambos bandos. Esa misma noche se dirigieron a un bar donde acordaron la necesidad de vengarse. A tal fin, se concertaron con Ramón y, provistos de palos, se dirigieron hacia la vivienda en la que se encontraban los magrebís. Una vez allí comenzaron a proferir gritos e insultos tales como "os vamos a matar a todos", mientras intentaban acceder violentamente al interior de la vivienda tanto por el balcón como a través de la puerta de entrada, cuya cerradura llegaron a romper, sin conseguir ese propósito debido a la oposición de los moradores.

Los tres sujetos portaban un botellín de cerveza con gasolina, y, movidos por esa ansia de venganza, y a pesar de saber que la vivienda se encontraba habitada por varias personas, prendieron fuego al papel y lanzaron la botella contra una ventana con el propósito de que penetrara en su interior. Por suerte para sus moradores el artefacto golpeó en la fachada al lado del marco de la ventana por la que lo pretendían introducir en la vivienda, donde explosionó y produjo una fuerte llamarada a consecuencia de la violenta combustión de la gasolina.

Cuando todos aquellos se marchaban ya de la vivienda, Raimundo que se encontraba en su interior durante el ataque, salió detrás de ellos y al ser identificado como uno de los magrebís que la ocupaban, los atacantes de la morada, con intención de causarle la muerte le golpearon reiteradamente con palos y cascos, y pese a que ya estaba doblado en el suelo continuaron agrediéndole con los puños y también dándole patadas por el cuerpo.

A consecuencia de la brutal agresión Ricardo sufrió graves heridas que no llegaron a producir la muerte del agredido debido a la pronta atención médica[209].

---

[209]   Con variaciones, los hechos están basados en los enjuiciados por la Sentencia del Tribunal Supremo, número 338/2010, de 16 de abril.

CUESTIONES DE PARTE GENERAL

ASPECTOS A ANALIZAR	PRECEPTOS DEL CÓDIGO PENAL
Autoría y participación	Arts. 27 s.
Tentativa y consumación	Arts. 15 s.
Relación concursal entre los distintos delitos. Concurso de leyes y de delitos	Arts. 8, 73 ss.
Circunstancia agravante genérica de actuar por motivos racistas	Art. 22.4

CUESTIONES DE PARTE ESPECIAL

ASPECTOS A ANALIZAR	PRECEPTOS DEL CÓDIGO PENAL
Asesinato	Arts. 139 s.
Lesiones	Arts. 147 ss., 152
Incendios. Tipos delictivos.	Arts. 351 ss., 358
Delimitación con el delito de daños	Art. 266

CASO NÚMERO 210

Luis Miguel, tras mantener una discusión con su vecino Emiliano, esperó a que éste saliera de la casa, y una vez se quedó sólo en su interior, roció todo el suelo de la vivienda con el contenido de una botella de alcohol y le prendió fuego con un mechero, cerrando la puerta y marchándose del lugar. Su acción ocasionó un pavoroso incendio, que después de devastar la vivienda se extendió a las zonas comunes del edificio y tuvo que ser sofocado por los bomberos, causando daños que han sido pericialmente tasados en 6.100 euros. La edificación en la que se materializaron los hechos descritos era un edificio de viviendas sociales de varias plantas atestado de vecinos y sus familias en el momento de ocurrir los hechos, circunstancia que conocía Luis Miguel, cuyas vidas e integridad física corrieron un serio peligro por la descabellada acción del mismo[210].

CUESTIONES DE PARTE GENERAL

ASPECTOS A ANALIZAR	PRECEPTOS DEL CÓDIGO PENAL
Relación concursal entre los distintos delitos. Concurso de leyes y de delitos	Arts. 8, 73 ss.

CUESTIONES DE PARTE ESPECIAL

ASPECTOS A ANALIZAR	PRECEPTOS DEL CÓDIGO PENAL
Incendios. Tipos delictivos.	Arts. 351 ss., 358
Delimitación con el delito de daños	Art. 266

---

[210] Con variaciones, los hechos están basados en los enjuiciados por la Sentencia del Tribunal Supremo, número 381/2001, de 13 de marzo. *(Tol 27513).*

CASO NÚMERO 211

Jaime, con el fin de provocar que la Comunidad de propietarios incrementara las medidas de seguridad del garaje del inmueble en el que guardaba su ciclomotor, rompió el cristal de un vehículo estacionado en dicho garaje y revolvió los papeles existentes en la guantera. Tras esparcirlos por el asiento delantero procedió a aplicar el cigarrillo encendido que estaba fumando a dichos papeles y a la tapicería del vehículo, a fin de ocasionar pequeños desperfectos en su interior. Pero por causa que no ha sido suficientemente acreditada se produjo la combustión de la tapicería, originándose una pequeña llama que no fue capaz de apagar, ante lo cual, y como quiera que iba en aumento la intensidad del fuego, decidió abandonar el garaje y dirigirse a la Comisaría de Policía, en la que informó de la existencia del incendio. Los agentes de policía acudieron inmediatamente al lugar, quienes no pudieron acceder al interior del garaje porque la puerta se encontraba bloqueada, por lo que, auxiliados por una patrulla de la policía local, bajaron a través del ascensor del inmueble y observaron la existencia de una gran cantidad de humo que impedía la visión de lo que acontecía. Los agentes dieron aviso al Cuerpo de bomberos, que llevaron a cabo las labores de extinción. Los agentes de la autoridad presentes en el lugar de los hechos decidieron proceder al desalojo de las viviendas del edificio, tareas en las que colaboró el propio Jaime, así como en las tareas de extinción. Como consecuencia de la acción del fuego, se originaron una serie de desperfectos que ascendieron en total a 120.000 euros[211].

CUESTIONES DE PARTE GENERAL

ASPECTOS A ANALIZAR	PRECEPTOS DEL CÓDIGO PENAL
Circunstancias atenuantes genéricas	Arts. 21.4, 21.5
Tentativa y consumación	Arts. 15 s.
Relación concursal entre los distintos delitos. Concurso de leyes y de delitos	Arts. 8, 73 ss.

CUESTIONES DE PARTE ESPECIAL

ASPECTOS A ANALIZAR	PRECEPTOS DEL CÓDIGO PENAL
Incendios. Tipos delictivos. Delimitación con el delito de daños.	Arts. 351 ss., 358 Arts. 266 s.

---

[211] Con variaciones, los hechos están basados en los enjuiciados por la Sentencia del Tribunal Supremo, número 2201/2001, de 6 de marzo de 2002. *(Tol 155880).*

CASO NÚMERO 212

A altas horas de la madrugada José Luis había discutido con un grupo de jóvenes, entre los que se encontraba Rafael, por sospechar que le habían sustraído el día anterior un ciclomotor y le habían volcado el coche. José Luis se dirigió hasta la residencia del joven Rafael donde, en un cobertizo allí existente y en el que, entre otros objetos de fácil combustión se encontraba la motocicleta utilizada por Rafael, esparció una sustancia inflamable y prendió fuego a la misma, extendiéndose las llamas rápidamente hasta alcanzar enseguida a la vivienda colindante. Como consecuencia del fuego, y a pesar de la rápida intervención de los bomberos, resultaron desperfectos en las citadas viviendas y solares, así como en los efectos allí contenidos, pericialmente tasados en 11.779,66 euros los que afectaron a la vivienda propiedad de Emilio; y en 3.926,75 euros los que interesaron a la propiedad de Humberto; en concreto quedaron inservibles por la combustión, entre otros efectos, un turismo cuyo valor de sustitución fue peritado en 781'32 euros, propiedad de Humberto, y un ciclomotor propiedad de Emilio, valorado en 1177 euros.

Emilio sufrió quemaduras de segundo grado en ambas manos y en la cara cuando quitaba de las inmediaciones del referido cobertizo unas botellas de butano para evitar que explotaran, precisando de cura tópica y tratamiento preventivo, prescrito en la inicial y única asistencia médica. Humberto sufrió quemaduras en el cuello, en el dorso de la mano derecha y en la frente, precisando cura tópica y tratamiento preventivo, prescrito en la inicial y única asistencia médica[212].

CUESTIONES DE PARTE GENERAL

ASPECTOS A ANALIZAR	PRECEPTOS DEL CÓDIGO PENAL
Relación concursal entre los distintos delitos. Concurso de leyes y de delitos	Arts. 8, 73 ss.

CUESTIONES DE PARTE ESPECIAL

ASPECTOS A ANALIZAR	PRECEPTOS DEL CÓDIGO PENAL
Delito de lesiones	Arts. 147 ss.
Incendios. Tipos delictivos. Delimitación con el delito de daños.	Arts. 351 ss.

---

[212] Con variaciones, los hechos están basados en los enjuiciados por la Sentencia la Audiencia Provincial de Baleares de 8 de abril de 2003.

CASO NÚMERO 213

Pablo prendió fuego con un mechero a la vegetación existente junto a un camino enclavado en un paraje, afectando a seis hectáreas, formadas por pastos y, en menor medida, por jérguenes, matorrales y arbustos. El referido terreno se hallaba destinado a actividades ganaderas. El coste de la extinción del incendio, soportado por la "Empresa Medio Ambiental SA, ascendió a 4000 euros[213].

CUESTIONES DE PARTE ESPECIAL

ASPECTOS A ANALIZAR	PRECEPTOS DEL CÓDIGO PENAL
Incendios forestales	Arts. 352 ss.

---

[213] Con variaciones, los hechos están basados en los enjuiciados por la Sentencia de la Audiencia Provincial de Cádiz, número 186/2001, de 19 de noviembre. *(Tol 141782)*.

CASO NÚMERO 214

Juan se desplazó hacia unas parcelas forestales que colindaban entre sí, y tras rociarlas con un líquido inflamable, les prendió fuego y huyó del lugar. A consecuencia del estado del monte y las condiciones climatológicas, se inició un fuerte incendio forestal que afectó a unas 2.350 hectáreas de pinos maderables y pimpollos. Pese a darse por extinguido el incendio en las primeras horas del día, por causas indeterminadas, se reprodujo en diversos focos, extendiéndose por los términos municipales colindantes, hasta unas 2.963 nuevas hectáreas, aproximándose el incendio tanto hasta una población que precisó de la evacuación de casi 100 personas. Finalmente, tras intervenir varios helicópteros, hidroaviones, avionetas y una compañía del ejército, además de otro personal, se extinguió totalmente. Dado la extensión total afectada, superior a las 5.000 hectáreas, 93 propietarios de las fincas en las que se produjo la combustión solicitaron diversas ayudas económicas con cargo a los organismos oficiales, sin haberse podido cuantificar dada su imposibilidad material de su fijación, pero en todo caso, ascendente a varios centenares de millones[214].

CUESTIONES DE PARTE ESPECIAL

ASPECTOS A ANALIZAR	PRECEPTOS DEL CÓDIGO PENAL
Incendios forestales. Tipos cualificados	Arts. 352 ss.

---

[214]   Con variaciones, los hechos están basados en los enjuiciados por la Sentencia del Tribunal Supremo, número 69/1998, de 27 de enero. *(Tol 78383)*.

CASO NÚMERO 215

César, viendo que el incendio declarado en un monte podía afectar a una viña de su propiedad, plantó en la misma un cortafuego alterando así el plan establecido para la extinción del fuego por la brigada de incendios de Protección Civil. El incendio afectó a 30 hectáreas de monte bajo ocasionándose gastos por importe de 1.900 euros. y perjuicios valorados en 2.900 euros[215].

CUESTIONES DE PARTE ESPECIAL

ASPECTOS A ANALIZAR	PRECEPTOS DEL CÓDIGO PENAL
Incendios forestales. Imprudencia	Arts. 352 ss.

---

[215] Con variaciones, los hechos están basados en los enjuiciados por la Sentencia de la Audiencia Provincial de Ourense número83/2000, de 26 de abril.

CASO NÚMERO 216

Cristóbal se había separado, y como tenía que hacer frente a mayores cargas económicas, ideó la forma de obtener dinero mediante el siguiente artificio: produjo un pequeño incendio en el interior del Chalet que todavía pertenecía a él y a su ex mujer, dado que no se había liquidado la sociedad de gananciales, asegurado en la compañía en la que él mismo trabajaba. Acto seguido dio parte del siniestro y se dirigió a un hotel cercano, en el que los agentes y personal de la Compañía de seguros se hallaban reunidos. Allí se entrevistó con directivos de la Compañía, manifestándoles que un determinado asegurado le había dado cuenta del siniestro y, por marchase éste de viaje, le era urgente proceder a la peritación del siniestro; por lo que pedía autorización para efectuar él mismo el peritaje. Los directivos no tuvieron inconveniente en confiarle la peritación, debido a la confianza que le tenían fundada en muchos años de trabajo conjunto.

Cristóbal confeccionó el informe pericial del siniestro, al que unió un reportaje fotográfico en el que incluía las fotografías que él mismo había obtenido anteriormente. Hizo constar que el incendio se debió a un cortocircuito. La compañía aceptó y liquidó el siniestro conforme a la peritación efectuada, entregando como la cantidad 29.913,38 euros. Cristóbal, además, percibió sus honorarios como perito, por importe de 1.026,52 euros.

Meses más tarde Cristóbal vendió el Chalet a Juan Miguel y a su esposa María Rosa por precio de 120.000 euros, acordando que la entrega del mismo no se efectuaría hasta dos meses después de la firma de la escritura. Con la idea de obtener un beneficio ilícito, y sabedor de que los compradores habían asegurado por su cuenta el chalet con otra compañía a fin de concertar el préstamo hipotecario que precisaban para la compra, Cristóbal decidió quemar de nuevo el chalet para cobrar la indemnización a que tendría derecho. Aprovechando que aún tenía las llaves del inmueble, acudió al mismo, prendiéndole fuego, que se extendió por todo el interior del chalet. Cristóbal atribuyó la causa a un cortocircuito. Por los daños sufridos en el Chalet como consecuencia de éste siniestro, sus propietarios, Juan Miguel y María Rosa, fueron indemnizados en la cantidad de 15.565,53 euros en base a una póliza de seguros.

Al comenzar a fallar su vehículo y al no estar la avería cubierta por el seguro a todo riesgo que mantenía y que importaba una suma elevada, Cristóbal ideó dar un parte de siniestro a la Sociedad de Seguros, indicando que el coche había sufrido un accidente al salirse de la calzada por ser deslumbrado el conductor por otro vehículo, sufriendo daños de chapa y pintura, amén de mecánicos, con la finalidad de ordenar la reparación del motor y pagarla con la indemnización que obtuviera, solicitando para ello a la Compañía que se le permitiera hacer él mismo el peritaje, con la finalidad de que no se descubriera el artificio. No obstante, el Jefe de

Siniestros de la entidad decidió investigar él mismo el siniestro, y de esta forma descubrió el engaño no sólo del coche, sino del anterior incendio de la casa[216].

CUESTIONES DE PARTE GENERAL

ASPECTOS A ANALIZAR	PRECEPTOS DEL CÓDIGO PENAL
Posibilidades de aplicación de la excusa absolutoria entre parientes, caso de apreciarse un delito de daños.	Art. 268
Autoría y participación	Arts. 27
Relación concursal entre los distintos delitos. Concurso de leyes y de delitos	Arts. 8, 73 ss.
Delito continuado	Art. 74
Circunstancias agravantes genéricas: abuso de confianza	Art. 22.6, art. 67

CUESTIONES DE PARTE ESPECIAL

ASPECTOS A ANALIZAR	PRECEPTOS DEL CÓDIGO PENAL
Estafa. Tipo cualificado	Arts. 248 ss.
Daños	Arts. 263 ss.
Incendio en bienes propios	Art. 357
Incendios. Tipos delictivos	Arts. 351 ss.

[216] Con variaciones, los hechos están basados en los enjuiciados por la Sentencia del Tribunal Supremo, número 634/2006, de 2 de junio. *(Tol 961878)*.

XXVI. DELITOS CONTRA LA SEGURIDAD COLECTIVA II: DELITOS CONTRA LA SALUD PÚBLICA: DELITOS SOBRE SUSTANCIAS CUYA INGESTIÓN O USO PRODUCE DAÑOS EN LA SALUD. DELITO DE DOPAJE EN EL DEPORTE. TRÁFICO DE DROGAS

CASO NÚMERO 217

Ignacio, licenciado en Medicina y Cirugía, que desde hacía varios años trataba en su consulta privada a pacientes con problemas de obesidad, había solicitado del Ministerio de Sanidad y Consumo la autorización para la fabricación, envasado y venta de un medicamento idóneo para adelgazar, cuya composición tenía como base exclusivamente productos vegetales, haciendo constar en dicha solicitud que el supuesto medicamento sólo contenía vegetales inocuos para la salud. Tras analizar los productos, el Ministerio lo autorizó. No obstante, Ignacio antes de pedir la solicitud ya se lo había enviado a algunos pacientes por correo. La composición auténtica de las cápsulas difería totalmente de la que había presentado, ya que contenían sustancias como diazepán, un ansiolítico de larga duración encuadrado en el grupo de los psicotrópicos, que puede causar daños graves a la salud de personas con hipertensión o a pacientes de corazón.

A consecuencia de la ingestión de las pastillas Diana, paciente de Ignacio, sufrió un grave hipertiroidismo agudo del que tardó en curar cinco años. Asimismo resultaron con secuelas derivadas del consumo de dichas pastillas un elevado número de personas[217].

---

[217] Con variaciones, los hechos están basados por los enjuiciados por la Sentencia del Tribunal Supremo, número 1207/2004, de 11 de octubre. *(Tol 514592)*.

CUESTIONES DE PARTE GENERAL

ASPECTOS A ANALIZAR	PRECEPTOS DEL CÓDIGO PENAL
Relación concursal entre los distintos delitos. Concurso de leyes y de delitos	Arts. 8, 73 ss.
Delito continuado	Art. 74

CUESTIONES DE PARTE ESPECIAL

ASPECTOS A ANALIZAR	PRECEPTOS DEL CÓDIGO PENAL
Lesiones	Arts. 147 ss.
Elaboración de sustancias nocivas para la salud	Arts. 359 s.
Delito farmacológico	Arts. 361 ss.

CASO NÚMERO 218

Evaristo, médico, tras haber trabajado en algunas investigaciones médicas relacionadas con el tratamiento del cáncer, se dedicó al tratamiento de enfermos desahuciados, aquejados de cáncer y que se pusieron en sus manos al haber conocido a través de los medios de comunicación que poseía un producto de fórmula magistral de su invención para curar dicha enfermedad, cuya eficacia era tal que solamente habían fallecido un 20% de los enfermos.

A pesar de que había sido expedientada en el Colegido de Médicos, Evaristo, abrió una Clínica Residencial, en la que atendía a pacientes neoplásicos y a los que para administrarles el tratamiento de su invención, les aseguraba la necesidad de permanecer dos meses residiendo en la clínica.

Evaristo había solicitado la previa autorización para llevar a cabo la fase de ensayo clínico de su producto, pero al serle exigidas por el Ministerio de Sanidad con carácter imprescindible determinadas precisiones y requisitos complementarios de tipo técnico, que él no facilitó, se acabó denegando dicha solicitud de ensayo. Evaristo ocultó dicha circunstancia y siguió dando a entender que su solicitud estaba autorizada y respaldada por las autoridades sanitarias en sus frecuentes apariciones ante medios de comunicación, así como en contactos con enfermos y sus familiares.

En su residencia los enfermos carecían de historia clínica, y no disponía de un equipamiento técnico, ni material ni humano, que permitiera realizar con garantías suficientes el diagnóstico, seguimiento y control de este tipo de patología. El equipo de colaboradores se reducía a Esteban, médico en trámite de colegiación y un ATS. Además demandaba la remisión de enfermos en estados tumorales precoces, para ser tratados por sus procedimientos, apartándoles así de otros procedimientos de salud pública de eficacia probada. Evaristo afirmaba que el tratamiento de quimioterapia debía suprimirse, por considerarlo equivocado e inútil, al igual que la extirpación de determinados tumores, pues, consideraba que de esa forma el mal se expandía con mayor rapidez. Además del producto de su invención, administraba a algunos enfermos corticoides, anabolizantes y una milagrosa vacuna, igualmente de supuesta invención, que realmente encubría un tratamiento de quimioterapia tradicional como los administrados en los hospitales de la sanidad pública, pero que dispensaba a los enfermos sin que ni ellos ni los médicos que ayudaban profesionalmente, conocieran exactamente de qué se trataba.

El producto contra el cáncer solamente había sido probado en ratones y respecto de la toxicidad del mismo, pero no respecto a la pretendida eficacia terapéutica que le atribuía.

Los pacientes no solamente no experimentaron mejoría de clase alguna, sino un notable empeoramiento, falleciendo la inmensa mayoría de ellos. Los pacientes abonaban por el tratamiento y el producto cantidades que oscilaban entre los 200 a 6.000 euros[218].

CUESTIONES DE PARTE GENERAL

ASPECTOS A ANALIZAR	PRECEPTOS DEL CÓDIGO PENAL
Autoría y participación	Arts. 27 ss.
Relación concursal entre los distintos delitos. Concurso de leyes y de delitos	Arts. 8, 73 ss.
Delito continuado	Art. 74
Delito masa	Art. 74.2

CUESTIONES DE PARTE ESPECIAL

ASPECTOS A ANALIZAR	PRECEPTOS DEL CÓDIGO PENAL
Estafa	Arts. 248 ss.
Elaboración de sustancias nocivas para la salud	Arts. 359 s.
Delito farmacológico	Arts. 361 ss.
Intrusismo	Art. 403

---

[218] Con variaciones, los hechos están basados en los enjuiciados por la Sentencia del Tribunal Supremo, número 1612/2003, de 1 de abril. *(Tol 275494)*.

CASO NÚMERO 219

Esteban, médico, era el encargado de velar por el correcto estado de salud de un equipo deportivo ciclista. Debido a que dicho equipo participaba en una importante competición internacional, durante la previa concentración de los deportistas les extrajo muestras de sangre para conservarlas y transfundirlas posteriormente a cada deportista durante la competición (a cada uno su propia sangre), con el fin de aumentar sus capacidades deportivas. En el laboratorio de Esteban se encontraron veinte bolsas de plasma sanguíneo congelado. Algunos de los ciclistas de su equipo dieron positivo en los controles antidopaje, admitiendo que se les administró la hormona EPO humana recombinada tres veces por semanas durante un periodo de nueve meses. Entre los riesgos reconocidos de la administración reiterada de EPO se encuentra el de un exagerado aumento de la tensión arterial, que a largo plazo puede determinar el desarrollo de enfermedades cardiocirculatorias.

Igualmente, tras un registro se encontró a los ciclistas de su equipo medicamentos broncodilatadores y vasodilatadores, aduciendo solamente algunos de ellos que padecían la enfermedad del asma, pero no ninguna enfermedad circulatoria.

Luis, entrenador del equipo, recogía alguno de los envases de los medicamentos, para llevárselos a Esteban[219].

CUESTIONES DE PARTE GENERAL

ASPECTOS A ANALIZAR	PRECEPTOS DEL CÓDIGO PENAL
Autoría y participación	Arts. 27 ss.
Relación concursal entre los distintos delitos. Concurso de leyes y de delitos	Arts. 8, 73 ss.

CUESTIONES DE PARTE ESPECIAL

ASPECTOS A ANALIZAR	PRECEPTOS DEL CÓDIGO PENAL
Lesiones	Arts. 147 ss.
Delito de dopaje deportivo	Art. 361 bis
Delito farmacológico	Arts. 361 ss.
Elaboración, despacho, suministro o comercio de sustancias nocivas o productos químicos que produzcan estragos	Arts. 359 s.

---

[219] Con variaciones, los hechos están basados en los enjuiciados por la Sentencia del Juzgado de lo Penal Número 21 de Madrid, número 144/2013, de 29 de abril.

CASO NÚMERO 220

Balbino constituyó la empresa "C", SA, cuyo objeto social lo constituía la realización de trabajos de investigación farmacéutica y registro farmacéutico, y la comercialización, compra y venta de productos farmacéuticos, a pesar de no aparecer registrada como laboratorio farmacéutico.

Uno de los objetivos de dicha sociedad, cuyos administradores solidarios eran Balbino y su padre, Jesús Luis, fue la producción y comercialización del producto "B". Para dicha finalidad, la empresa de Balbino contaba con la colaboración de la empresa "Laboratorios e industrias I", cuyo consejero y director general concluyó con Balbino los contratos de producción y venta del producto "B" para uso humano. Dicha empresa estaba autorizada para la elaboración de productos veterinarios y, por lo tanto, carecía de la pertinente autorización del Ministerio de Sanidad para actuar como laboratorio farmacéutico en la elaboración de productos destinados al uso humano.

En dicho laboratorio se elaboraban los medicamentos ilegales, distribuidos posteriormente por la empresa farmacéutica "C", siendo en esta empresa donde se etiquetaban, empaquetaban y almacenaban los productos previamente embotellados en "I", utilizando para su producción botellas de plástico, tapones termosellables y una precintadora.

En el citado laboratorio veterinario fueron hallados en la entrada y registro la cantidad de 20.000 envases de "B".

La empresa farmacéutica "C" comercializó el producto en dos formas de presentación: El "B" oral, y la inyección intramuscular.

El producto del que deriva "B" no cumplía con la legislación vigente en relación con los medicamentos, siendo requerido el inventor para su adecuación. Al no cumplir el requerimiento, el Ministerio de Sanidad dictó resolución en la que declaraba que la autovacuna para la inmunoterapia específica de las enfermedades producidas por enzimas vivientes inactivados no podía ser considerada como medicamento ni como fórmula magistral, por no haber quedado acreditada su eficacia clínica, calidad, seguridad y pureza.

Posteriormente, Balbino sometió el producto a unos ensayos clínicos con la finalidad de obtener, de nuevo, la autorización por la Administración sanitaria del medicamento, pero dichos ensayos, realizados en pacientes aquejados del virus VIH, y de artrosis de cadera y de rodilla, correspondieron a un desarrollo clínico incompleto e insuficiente para las dos patologías, y no constituyeron prueba suficiente de la eficacia y seguridad del FR91 en su tratamiento.

A pesar de ello, el acusado procedió, a través de su farmacéutica y con la colaboración de Laboratorios "I", a producir y comercializar el producto como medicamento.

La comercialización del producto "B" se realizaba, bien a través de médicos que creían que se trataba de un medicamento, bien a través del boca a boca llamando a los teléfonos de la centralita instalada en la empresa "C Farmacéutica", o bien a través de una página web.

En el prospecto que, igualmente se entregaba a los pacientes, se presentaba como un producto natural y a la vez, y como propiedades del mismo, se señalaba que era inmunoestimulante, antimetastásico y condroprotector, refiriendo que su acción se basa en el incremento y activación de los linfocitos T que se produce de forma continuada y sostenida, incremento de los sinoviocitos y acción citotóxica selectiva.

En el apartado de "indicaciones" se hacía constar lo siguiente: "trastornos por inmunodeficiencia celular primaria, SIDA. Como estimulante de las defensas orgánicas; está también indicado en inmunodeficiencias secundarias a enfermedades o fármacos y en general como tratamiento coadyuvante de terapias específicas en aquellos procesos neoplásicos o infecciosos, en los que exista un déficit de la inmunidad celular, osteoartrosis, enfermedades virales, hepatitis, cáncer, Sida".

A los médicos que decidieron prescribir el producto se les entregaba una información, en la que se hacían constar las propiedades terapéuticas señaladas anteriormente.

La comercialización del producto se realizó por Balbino, en colaboración con el resto, a pesar de conocer la falta de acreditación de la eficacia terapéutica del "B".

No ha quedado acreditado que el producto causara un peligro para la vida o salud de la personas, al tratarse de un compuesto de proteínas y aminoácidos, habiendo llegado a consumir el producto unas dos mil personas aquejadas de graves enfermedades, sin que se generara peligro alguno. Tampoco se acredita que los acusados incitaran al abandono por parte de los pacientes enfermos del tratamiento convencional que estuvieran recibiendo, como quimioterapia o radioterapia[220].

---

[220] Con variaciones, los hechos están basados en los enjuiciados por la Sentencia del Juzgado de lo Penal, número 18 de Madrid, número 268/2014, de 4 de julio.

CUESTIONES DE PARTE GENERAL

ASPECTOS A ANALIZAR	PRECEPTOS DEL CÓDIGO PENAL
Autoría y participación	Arts. 27 ss.
Relación concursal entre los distintos delitos. Concurso de leyes y de delitos	Arts. 8, 73 ss.

CUESTIONES DE PARTE ESPECIAL

ASPECTOS A ANALIZAR	PRECEPTOS DEL CÓDIGO PENAL
Lesiones	Arts. 147 ss.
Delito farmacológico	Arts. 361 ss.
Delito farmacológico. Responsabilidad penal de las personas jurídicas.	Arts. 366, 31 bis ss.
Elaboración, despacho, suministro o comercio de sustancias nocivas o productos químicos que produzcan estragos	Arts. 359 s.
Delito de estafa	Arts. 248 ss.

CASO NÚMERO 221

Ricardo, administrador de una empresa importadora de aceites para usos industriales, acordó con Sandra, administradora de una empresa envasadora de aceites para el consumo de boca, destinar aceites industriales para el consumo alimenticio, en concreto de colza. Dado que conocían esta circunstancia decidieron proceder a un proceso de refinamiento del aceite para hacerlo apto para el consumo. Ya sea debido al transporte en malas condiciones higiénicas o al proceso de refinamiento, en el aceite se originó una sustancia altamente tóxica. A consecuencia de la ingestión del aceite decenas de personas desarrollaron una grave enfermedad que presentaba los síntomas de una neumonía atípica, provocándose incluso la muerte de algunos consumidores a causa de dicha enfermedad[221].

CUESTIONES DE PARTE GENERAL

ASPECTOS A ANALIZAR	PRECEPTOS DEL CÓDIGO PENAL
Tipo subjetivo: dolo e imprudencia	Véanse los artículos relativos a los correspondientes tipos de la Parte Especial.
Consecuencias accesorias aplicables a entidades sin personalidad jurídica	Art. 129
Autoría y participación	Arts. 27 ss.
Relación concursal entre los distintos delitos. Concurso de leyes y de delitos	Arts. 8, 73 ss.
Delito continuado	Art. 74
Delito masa	Art. 74.2

---

[221]   Con variaciones, los hechos están basados en los enjuiciados por la Sentencia del Tribunal Supremo, número 3654/1992, de 23 de abril. *(Tol 30647).*

CUESTIONES DE PARTE ESPECIAL

ASPECTOS A ANALIZAR	PRECEPTOS DEL CÓDIGO PENAL
Homicidio. Tipo doloso	Art. 138
Homicidio. Tipo imprudente	Art. 142
Lesiones. Tipo doloso	Arts. 147 ss.
Lesiones. Tipo imprudente	Art. 152
Estafa	Arts. 248 ss.
Delito alimentario	Arts. 363 ss.

CIRCULAR GENERAL DEL ESTADO
Véase la Circular 1/2011 de la Fiscalía General del Estado sobre la Responsabilidad Penal de las Personas Jurídicas

CASO NÚMERO 222

Amalia era dueña de una pastelería, en cuyo obrador trabajaba Mauricio. Con motivo de unas fiestas patronales, ambos elaboraron unas cocas de crema sin usar instrumentos para controlar la temperatura y el tiempo, extendiendo la crema sobre las superficies sobre las que también se había trabajado con huevo crudo. Esta superficie se había secado con paños de ropa, dejando los dulces a temperatura ambiente y transportándolos posteriormente en vehículos no refrigerados.

Como consecuencia de la ingesta de las cocas de crema, decenas de personas sufrieron una intoxicación alimentaria[222].

CUESTIONES DE PARTE GENERAL

ASPECTOS A ANALIZAR	PRECEPTOS DEL CÓDIGO PENAL
Tipo subjetivo: dolo e imprudencia	Véanse los artículos relativos a los correspondientes tipos de la Parte Especial.
Autoría y participación	Arts. 27 ss.
Relación concursal entre los distintos delitos. Concurso de leyes y de delitos	Arts. 8, 73 ss.

CUESTIONES DE PARTE ESPECIAL

ASPECTOS A ANALIZAR	PRECEPTOS DEL CÓDIGO PENAL
Delito alimentario	Arts. 363 s.
Delito de lesiones	Arts. 147 ss., 152.

---

[222] Con variaciones, los hechos están basados en los enjuiciados por la Sentencia de la Audiencia Provincial de Girona, número 186/2009, de 9 de marzo.

CASO NÚMERO 223

Renato, guiado por el ánimo de favorecer el consumo ilegal de sustancias estupefacientes a terceras personas, algunas de ellas menores de edad, entregó a cambio de 15 euros a Laureano un envoltorio que contenía 0,19 gramos de cocaína con una riqueza del 0,4%.

En el momento de la detención llevaba escondidas en la costura de su sombrero dos envoltorios que contenían un total de 0,47 de heroína con una pureza del 41% destinados al consumo de terceros, y 91 euros en moneda fraccionada procedentes de su ilícita actividad[223].

CUESTIONES DE PARTE GENERAL

ASPECTOS A ANALIZAR	PRECEPTOS DEL CÓDIGO PENAL
Tentativa y consumación	Arts. 15 s.
Autoría y participación	Arts. 27 ss.

CUESTIONES DE PARTE ESPECIAL

ASPECTOS A ANALIZAR	PRECEPTOS DEL CÓDIGO PENAL
Delitos contra la salud pública: tráfico de drogas. Principio de insignificancia	Arts. 368 ss.

ACUERDO DE PLENO DEL TRIBUNAL SUPREMO
Véase Anexo I.14. Acuerdo del día 25 de octubre de 2005

ACUERDO DE PLENO DEL TRIBUNAL SUPREMO
Véase Anexo I.6. Acuerdo del día 26 de febrero de 2009

---

[223] Con variaciones, los hechos están basados en los enjuiciados por la Sentencia del Tribunal Supremo, número 269/2011, de 14 de abril.

CASO NÚMERO 224

Hugo, mayor de edad y ejecutoriamente condenado en sentencia firme en Francia como autor de un delito de importación no autorizada de estupefacientes a la pena de dos años de prisión; y en sentencia firme por un delito de tráfico de drogas sin grave daño a la salud a la pena de tres años y seis meses de prisión por el Tribunal Regional de Düsseldorf (Alemania), llegó a la Terminal T-4 del aeropuerto Adolfo Suárez Madrid-Barajas, en un vuelo procedente de Santo Domingo (República Dominicana), ocultas en su equipaje y entre sus efectos personales cinco botes de cosméticos (laca, limpiador de zapatos, desodorante, gel de afeitar y champú) que contenían cocaína, con pesos netos, respectivamente, de 384, 460, 364, 296 y 240 gramos, y purezas en cocaína del 43,4%, los dos primeros, de 44,1%, 44% y 42,3% los restantes, lo que totaliza 758,58 gramos de cocaína pura, que pensaba entregar a terceras personas, con un precio conjunto tasado en 106.266,24 euros en su venta al por menor y 40.406,59 en su venta al por mayor[224].

CUESTIONES DE PARTE GENERAL

ASPECTOS A ANALIZAR	PRECEPTOS DEL CÓDIGO PENAL
Tentativa y consumación	Arts. 15 s.
Autoría y participación	Arts. 27 ss.

CUESTIONES DE PARTE ESPECIAL

ASPECTOS A ANALIZAR	PRECEPTOS DEL CÓDIGO PENAL
Delitos contra la salud pública: tráfico de drogas	Arts. 368 ss.

---

[224] Con variaciones, los hechos están basados en los enjuiciados por la Sentencia de la Audiencia Provincial de Madrid, número 166/2015, de 24 de marzo.

ACUERDO DE PLENO DEL TRIBUNAL SUPREMO
Véase Anexo I.14. Acuerdo del día 25 de octubre de 2005

ACUERDO DE PLENO DEL TRIBUNAL SUPREMO
Véase Anexo I.17. Acuerdo del día 19 de octubre de 2001

ACUERDO DE PLENO DEL TRIBUNAL SUPREMO
Véase Anexo I.8. Acuerdo del día 25 de noviembre de 2008

CASO NÚMERO 225

Lucas, mayor de edad, fue sorprendido por efectivos policiales cuando se disponía a entregar un envoltorio de cocaína a cambio de dinero a Julio, ocupándosele por la policía un bote con nueve envoltorios que contenían cocaína en su interior. Igualmente la Policía halló en su vehículo una papelina de cocaína en el portamonedas del salpicadero, así como setenta euros en el interior de la guantera, todo lo cual le fue intervenido[225].

CUESTIONES DE PARTE GENERAL

ASPECTOS A ANALIZAR	PRECEPTOS DEL CÓDIGO PENAL
Tentativa y consumación	Arts. 15 s.

CUESTIONES DE PARTE ESPECIAL

ASPECTOS A ANALIZAR	PRECEPTOS DEL CÓDIGO PENAL
Delitos contra la salud pública: tráfico de drogas	Arts. 368 ss.

ACUERDO DE PLENO DEL TRIBUNAL SUPREMO
Véase Anexo I.18. Acuerdo del día 19 de octubre de 2001

---

[225] Con variaciones, los hechos están basados en los enjuiciados por la Sentencia del Tribunal Supremo, número 1052/2006, de 23 de octubre. *(Tol 1009748).*

CASO NÚMERO 226

Puestos de común acuerdo, Victoriano y Guillermo idearon la introducción y distribución en España de sustancias estupefacientes, con reparto de distintas funciones y actividades. A tal fin, Victoriano dirigía el grupo y realizaba los viajes a Colombia con la finalidad de abastecerse de cocaína, que posteriormente suministraba a Guillermo y a otra persona con la que éste compartía la citada vivienda y que actuaba como intermediario, buscando clientes e interviniendo en las operaciones de venta de droga concertadas. Además el primero supervisaba la llevanza por otra persona de las "finanzas y contabilidad" del grupo.

La arrendataria del piso era Virginia, quien también ayudaba a custodiar la cocaína y auxiliaba a Guillermo en el acopio de sustancias y útiles necesarios para su adulteración.

Sobre las 13'05 horas del día 26 de abril de 2002 los funcionarios de policía adscritos al grupo de Policía Judicial, provistos del correspondiente mandamiento judicial, efectuaron una entrada y registro en el domicilio, en cuyo interior se encontraban Guillermo y Victoriano, saliendo en ese momento del mismo Victoria, que fue detenida por la policía en el portal. En la vivienda se encontraron importantes cantidades de distintas drogas, dinero y útiles para su manipulación. De la sustancia estupefaciente intervenida se podrían obtener 17.000.000 dosis, lo que supondría un beneficio de 22.807.000 euros. La venta al por mayor de la sustancia arrojaría un beneficio de 6 millones de euros.

Guillermo actuaba también a través de Mariano, mayor de edad, y sin antecedentes penales, colaborador del anterior, con quien constituyó una sociedad ficticia para lavar el dinero procedente de la venta de droga, en la que Mariano ostentaba el cargo de administrador único. En la cuenta de la sociedad se ingresó la cantidad de 18.030 euros[226].

CUESTIONES DE PARTE GENERAL

ASPECTOS A ANALIZAR	PRECEPTOS DEL CÓDIGO PENAL
Tentativa y consumación	Arts. 15 s.
Autoría y participación	Arts. 27 ss.
Relación concursal entre los distintos delitos. Concurso de leyes y de delitos	Arts. 8, 73 ss.

[226] Con variaciones, los hechos corresponden a los enjuiciados por la Sentencia del Tribunal Supremo, número 1012/2006, de 19 de octubre. *(Tol 1014217).*

CUESTIONES DE PARTE ESPECIAL

ASPECTOS A ANALIZAR	PRECEPTOS DEL CÓDIGO PENAL
Receptación y banqueo de capitales	Arts. 301 ss.
Delitos contra la salud pública: tráfico de drogas. Organización delictiva.	Arts. 368 ss.

ACUERDOS DE PLENO DEL TRIBUNAL SUPREMO
Véase Anexo I.8. Acuerdo del día 25 de noviembre de 2008 Véase Anexo I.18. Acuerdo del día 19 de octubre de 2001

CIRCULAR DE LA FISCALÍA GENERAL DEL ESTADO
Véase la Circular 2/2011 de la Fiscalía General del Estado sobre Organizaciones Criminales

CASO NÚMERO 227

Dos policías observaron cómo Mario se introducía en el automóvil que conducía su propietario, Sergio, entregándole el primero al segundo un paquete a cambio de cierta cantidad de dinero en efectivo. Los policías lo detuvieron inmediatamente, ocupándosele al último dos papelinas que resultaron contener una mezcla de 0,76 gramos y 1,01 gramos de paracetamol y cocaína, con una riqueza media de esta última sustancia de 64,36% y 53%, respectivamente, cada papelina. También se le ocupó la suma de dinero entregada. Inspeccionado detenidamente el vehículo, apareció bajo el asiento del conductor el objeto previamente entregado, que resultó ser una bolsa-monedero que contenía un esnifador de droga y dos envoltorios con 4,69 gramos y 9,23 gramos de paracetamol y cocaína con una riqueza media de esta última sustancia de 62,92% y 25,85%, respectivamente, que Sergio había comprado por encargo de unos amigos para consumirla juntos. Mario había adquirido droga por el mismo procedimiento, por lo menos, en tres ocasiones[227].

CUESTIONES DE PARTE GENERAL

ASPECTOS A ANALIZAR	PRECEPTOS DEL CÓDIGO PENAL
Tentativa y consumación	Arts. 15 s.
Autoría y participación	Arts. 27 ss.
Delito continuado	Art. 74

CUESTIONES DE PARTE ESPECIAL

ASPECTOS A ANALIZAR	PRECEPTOS DEL CÓDIGO PENAL
Delitos contra la salud pública: tráfico de drogas	Arts. 368 ss.

ACUERDO DE PLENO DEL TRIBUNAL SUPREMO
Véase Anexo I.18. Acuerdo del día 19 de octubre de 2001

---

[227] Con variaciones, los hechos están basados en los enjuiciados por la Sentencia del Tribunal Supremo, número 878/2006, de 24 de septiembre. *(Tol 1002357).*

XXVII. DELITOS CONTRA LA SEGURIDAD COLECTIVA III: DELITOS CONTRA LA SEGURIDAD VIAL

CASO NÚMERO 228

Adriano circulaba por una vía conduciendo un vehículo propiedad de su amigo Cristóbal, y lo hacía con sus facultades de atención y percepción mermadas por la previa ingesta de bebidas alcohólicas, motivo por el que circulaba de forma anómala, derrapando y acelerando.

Dado el alto por una patrulla de la policía local, los agentes observaron que presentaba síntomas de la previa ingesta de bebidas alcohólicas, como el olor a alcohol en el aliento o su habla en voz alta, por lo que fue requerido para someterse a las pruebas de impregnación alcohólica, que arrojaron un resultado de 0,73 y 0,68 miligramos de alcohol por litro de aire espirado.

Adriano iba circulando el día mencionado conociendo que carecía de habilitación legal para hacerlo por haber sido acordada su pérdida de vigencia por la pérdida de los puntos inicialmente asignados, en virtud de resolución administrativa de fecha 16.8.2007, notificada personalmente.

Adriano había sido condenado en sentencia firme de fecha 18.8.2009 como autor de un delito de conducción sin habilitación legal por pérdida de puntos, en sentencia firme de fecha 22.6.2010 por la comisión de idéntico delito, así como en sentencias firmes de 23.11.2010 y 28.12.2010 por la comisión del mismo delito[228].

CUESTIONES DE PARTE GENERAL

ASPECTOS A ANALIZAR	PRECEPTOS DEL CÓDIGO PENAL
Autoría y participación	Arts. 27 ss.
Relación concursal entre los distintos delitos. Concurso de leyes y de delitos	Arts. 8, 73 ss.

---

[228] Con variaciones, los hechos están basados en los enjuiciados por la Sentencia de la Audiencia Provincial de Pontevedra, de 3 de diciembre de 2013, número 311.

CUESTIONES DE PARTE ESPECIAL

ASPECTOS A ANALIZAR	PRECEPTOS DEL CÓDIGO PENAL
Delitos contra la seguridad vial	Arts. 379 ss.

CIRCULAR DE LA FISCALÍA GENERAL DEL ESTADO
Véase la Circular del Fiscalía General del Estado 10/2011, *sobre criterios para la unidad de actuación especializada del Ministerio Fiscal en materia de Seguridad Vial.*

CASO NÚMERO 229

Pese a saber que después tenía que conducir, Rubén ingirió elevadas cantidades de alcohol en un pub. Posteriormente condujo con merma de sus facultades psicofísicas, con la consiguiente lentitud de reflejos, reducción del campo visual y alteraciones de la percepción. Al transitar no respetó un semáforo en fase roja que le afectaba. Esa infracción fue observada por una patrulla de agentes de la Policía Local, quienes procedieron a perseguirlo en el vehículo policial, sin que Rubén, que conducía su coche haciendo zigzag, hiciera caso de las clarísimas señales que los policías le efectuaban (señales de sirena y lanza destellos).

En un momento dado Rubén estacionó su vehículo en el margen izquierdo de la calle y salió andando por la acera, pretendiendo ignorar la presencia de los agentes. Uno de ellos bajó del automóvil y requirió a Rubén la documentación. En un primer momento Rubén facilitó su permiso de conducir al agente, pero se lo retiró bruscamente de la mano antes de que el policía apuntase los datos. Fue informado por los agentes de la necesidad de someterse a una prueba de detección alcohólica en las dependencias de la Policía Local, o en su caso de esperar la llegada del equipo policial de atestados, posibilidades a las que se negó reiteradamente, queriendo marcharse del lugar, lo que trataron de impedir los agentes. En esa situación tuvo lugar un forcejeo, en el cual los policías tuvieron que emplear la fuerza indispensable para reducirlo y conducirlo a las dependencias de la Policía Local, donde fue puesto a disposición de los instructores del atestado correspondiente.

Rubén presentaba claros síntomas de embriaguez, tales como fuerte olor a alcohol, trato altanero, irrespetuoso y provocador para con los agentes, ojos brillantes, sudores, habla titubeante y repeticiones[229].

CUESTIONES DE PARTE GENERAL

ASPECTOS A ANALIZAR	PRECEPTOS DEL CÓDIGO PENAL
Culpabilidad: eximentes y atenuantes	Arts. 20.2, 21.1, 21.2
Actio libera in causa	Art. 20.2

---

[229] Con variaciones, los hechos están basados en los enjuiciados por la Sentencia del Tribunal Supremo, número 867/2006, de 15 de septiembre. *(Tol 995521).*

CUESTIONES DE PARTE ESPECIAL

ASPECTOS A ANALIZAR	PRECEPTOS DEL CÓDIGO PENAL
Delitos contra la seguridad vial	Arts. 379 ss.

CONSULTA DE LA FISCALÍA GENERAL DEL ESTADO
Véase la Consulta 1/2006 de la Fiscalía General del Estado sobre la calificación jurídico-penal de la conducción de vehículos de motor a velocidad extremadamente elevada.

CIRCULAR DE LA FISCALÍA GENERAL DEL ESTADO
Véase la Circular del Fiscalía General del Estado 10/2011, *sobre criterios para la unidad de actuación especializada del Ministerio Fiscal en materia de Seguridad Vial*

CASO NÚMERO 230

Esteban conducía un ciclomotor en dirección prohibida, por lo que los agentes de la Guardia Civil y Policía Local que se encontraban prestando servicios en las inmediaciones del lugar procedieron a darle el alto. Al percatarse de la presencia de los agentes Esteban aceleró el vehículo y esquivó al policía local, yendo hacia uno de los guardias civiles que hubo de retirarse para evitar ser atropellado. Acto seguido, continuó la huida por las calles de la localidad conduciendo la motocicleta a gran velocidad y haciendo caso omiso a las señales de prohibición, obligaciones y demás normas mínimas de precaución necesarias para una conducción segura, de manera que puso en concreto peligro la vida, no sólo de los agentes de la autoridad sino también de los peatones y demás usuarios de la vía[230].

CUESTIONES DE PARTE GENERAL

ASPECTOS A ANALIZAR	PRECEPTOS DEL CÓDIGO PENAL
Culpabilidad: eximentes y atenuantes	Arts. 20.2, 21.1, 21.2

CUESTIONES DE PARTE ESPECIAL

ASPECTOS A ANALIZAR	PRECEPTOS DEL CÓDIGO PENAL
Delitos contra la seguridad vial	Arts. 379 ss.

CONSULTA DE LA FISCALÍA GENERAL DEL ESTADO
Véase la Consulta 1/2006 de la Fiscalía General del Estado sobre la calificación jurídico-penal de la conducción de vehículos de motor a velocidad extremadamente elevada.

CIRCULAR DE LA FISCALÍA GENERAL DEL ESTADO
Véase la Circular del Fiscalía General del Estado 10/2011, *sobre criterios para la unidad de actuación especializada del Ministerio Fiscal en materia de Seguridad Vial*

---

[230] Con variaciones, los hechos están basados en los enjuiciados por la Sentencia del Tribunal Supremo, número 2012/2004, de 8 de octubre. *(Tol 514531).*

CASO NÚMERO 231

Almudena conducía su vehículo previa ingestión del ansiolítico "Orfidal", sustancia psicotrópica, mezclada con bebidas alcohólicas, lo que mermaba sus facultades psicofísicas para el manejo de un vehículo de motor. Al atravesar un puente de entrada, vía de un solo sentido de 7 metros de ancho y arcenes a ambos lados, perdió el control de la dirección del coche, girando éste hacia la izquierda de la calzada hasta llegar al arcén del mismo lado donde colisionó frontalmente con un ciclista que en ese momento circulaba de forma antirreglamentaria, ya que lo hacía en dirección prohibida por el borde del arcén. A consecuencia del impacto, el ciclista falleció.

Más de cuatro horas después del accidente la Guardia Civil de Tráfico efectuó la prueba de alcoholemia a Almudena, que arrojó un resultado de 0,28 mg de etanol por litro de aire espirado. Almudena olía a alcohol, por lo que al momento de ocurrir los hechos debía haber dado una tasa positiva[231].

CUESTIONES DE PARTE GENERAL

ASPECTOS A ANALIZAR	PRECEPTOS DEL CÓDIGO PENAL
Culpabilidad: eximentes y atenuantes	Arts. 20.2 y 21.1, 21.2

CUESTIONES DE PARTE ESPECIAL

ASPECTOS A ANALIZAR	PRECEPTOS DEL CÓDIGO PENAL
Delitos contra la seguridad vial	Arts. 379 ss.

CONSULTA DE LA FISCALÍA GENERAL DEL ESTADO
Véase la Consulta 1/2006 de la Fiscalía General del Estado sobre la calificación jurídico-penal de la conducción de vehículos de motor a velocidad extremadamente elevada.

CIRCULAR DE LA FISCALÍA GENERAL DEL ESTADO
Véase la Circular del Fiscalía General del Estado 10/2011, *sobre criterios para la unidad de actuación especializada del Ministerio Fiscal en materia de Seguridad Vial.*

---

[231]   Con variaciones, los hechos están basados en los enjuiciados por la Sentencia del Tribunal Supremo, número 636/2002, de 15 de abril. *(Tol 162228).*

CASO NÚMERO 232

Josué, que era conductor novel, recorrió unos 16 kilómetros a velocidad excesiva, realizando adelantamientos en lugares prohibidos, obligando a los vehículos que circulaban por el carril contrario a salirse al arcén, e incorporándose al carril propio sin tener en cuenta la existencia de los vehículos que por él circulaban, que debieron retirarse al arcén para evitar la colisión. De repente perdió totalmente el control del turismo, por lo que invadió el arcén derecho y derrapó realizando una trayectoria curva hacia la izquierda, invadiendo totalmente el carril contrario de circulación y dejando una huella de frenada en trayectoria recta sobre el arcén de 22,00 metros, y una huella de derrape del vehículo de 23,00 metros hasta colisionar frontalmente con el vehículo que circulaba correctamente. El conductor de este vehículo falleció a consecuencia de la colisión. Junto a él viajaban su hijo, que también falleció, y su cónyuge que iba sentada en la parte de atrás del vehículo y que resultó con lesiones consistentes en fractura cúbito y radio izquierdos, fisura hepática, fisura esplénica, y fractura muñeca derecha.

Josué es adicto al consumo de sustancias tóxicas, heroína y cocaína, con dependencia de estas sustancias durante varios años antes de ocurrir los hechos, habiendo realizado procesos de desintoxicación en la Unidad de Conductas Adictivas del Ayuntamiento. En la fecha de los hechos no había consumido sustancias tóxicas que alteraran sus facultades intelectivas y volitivas, ni sus facultades mentales estaban mermadas por enfermedad o trastorno que le impidiera conocer y comprender la realidad y la trascendencia de los hechos que realizaba[232].

CUESTIONES DE PARTE GENERAL

ASPECTOS A ANALIZAR	PRECEPTOS DEL CÓDIGO PENAL
Culpabilidad: eximentes y atenuantes	Arts. 20.2, 21.1, 21.2
Relación concursal entre los distintos delitos. Concurso de leyes y de delitos	Arts. 8, 73 ss.

---

[232] Con variaciones, los hechos están basados en los enjuiciados por la Sentencia del Tribunal Supremo, número 561/2002, de 1 de abril. *(Tol 162085).*

CUESTIONES DE PARTE ESPECIAL

ASPECTOS A ANALIZAR	PRECEPTOS DEL CÓDIGO PENAL
Homicidio: tipo doloso	Arts. 138
Homicidio: tipo imprudente	Arts. 142
Lesiones	Arts. 147 ss.
Delitos contra la seguridad vial	Arts. 379 ss.

CONSULTA DE LA FISCALÍA GENERAL DEL ESTADO
Véase la Consulta 1/2006 de la Fiscalía General del Estado sobre la calificación jurídico-penal de la conducción de vehículos de motor a velocidad extremadamente elevada.

CIRCULAR DE LA FISCALÍA GENERAL DEL ESTADO
Véase la Circular del Fiscalía General del Estado 10/2011, *sobre criterios para la unidad de actuación especializada del Ministerio Fiscal en materia de Seguridad Vial*

CASO NÚMERO 233

Horacio había resuelto suicidarse, a cuyo fin se encerró en la habitación de un hotel e ingirió un elevado número de pastillas de benzodiacepina, sustancias estupefacientes y psicotrópicas, además de alcohol en abundancia tal que le produjo una profunda somnolencia que se prolongó hasta las horas postreras del día.

Esa misma noche tomó su coche y circuló durante un trayecto de varios kilómetros con la rueda delantera izquierda reventada y el faro delantero de esa misma parte izquierda inutilizado a consecuencia de una previa colisión. En un momento dado se quitó el cinturón de seguridad, puso la quinta velocidad, y consciente y voluntariamente realizó una maniobra de giro para empotrarse contra el vehículo que circulaba en dirección contraria, con la intención de producir una colisión que terminase con su vida, y consciente también del peligro inherente a tal maniobra, así como de la elevada probabilidad del resultado mortal y lesivo para los ocupantes del vehículo colisionado. En concreto, con su maniobra invadió en 2,25 metros el carril de dirección contraria a su sentido de marcha. A consecuencia de la colisión, el conductor del otro vehículo sufrió un politraumatismo que le provocó un shock traumático y la muerte. Además, la acompañante padeció también, entre otras secuelas, traumatismo craneoencefálico, latigazo cervical, fractura del segundo metacarpio del pie derecho y de hueso en muñeca izquierda, para cuya curación precisó tratamiento psicológica, traumatológico y neurológico, además de 214 días impeditivos. Horacio sólo resultó lesionado[233].

CUESTIONES DE PARTE GENERAL

ASPECTOS A ANALIZAR	PRECEPTOS DEL CÓDIGO PENAL
Culpabilidad: eximentes y atenuantes	Arts. 20.2, 21.1, 21.2
Relación concursal entre los distintos delitos. Concurso de leyes y de delitos	Arts. 8, 73 ss.

---

[233] Con variaciones, los hechos están basados en los enjuiciados por la Sentencia de la Audiencia Provincial de Barcelona, número 18/2006, de 4 de julio.

CUESTIONES DE PARTE ESPECIAL

ASPECTOS A ANALIZAR	PRECEPTOS DEL CÓDIGO PENAL
Homicidio: tipo doloso	Art. 138
Homicidio: tipo imprudente	Art. 142
Lesiones	Arts. 147 ss.
Delitos contra la seguridad vial	Arts. 379 ss.

CONSULTA DE LA FISCALÍA GENERAL DEL ESTADO
Véase la Consulta 1/2006 de la Fiscalía General del Estado sobre la calificación jurídico-penal de la conducción de vehículos de motor a velocidad extremadamente elevada.

CIRCULAR DE LA FISCALÍA GENERAL DEL ESTADO
Véase la Circular del Fiscalía General del Estado 10/2011, *sobre criterios para la unidad de actuación especializada del Ministerio Fiscal en materia de Seguridad Vial*

CASO NÚMERO 234

Ambrosio estuvo conversando con Cristina sobre las competiciones de velocidad que se hacían por la zona con vehículos particulares, y finalmente ambos decidieron entablar una carrera, sin autorización administrativa. Ambrosio pilotaba su vehículo, en el que también iban su novia como copiloto y un amigo en los asientos traseros, y Cristina conducía otro vehículo acompañada de un amigo como copiloto.

Los dos conductores partieron a gran velocidad y ambos pilotos aceleraron de forma brusca y circularon a velocidad elevadísima, muy próximos el uno al otro, hasta que Ambrosio reintegró su vehículo sin permitir el paso a la otra conductora, que perdió el control, desplazándose al carril izquierdo de circulación y luego al derecho, hasta chocar contra un talud. Cristina, que no hacía uso del cinturón de seguridad, salió despedida del vehículo que conducía, y falleció a consecuencia del impacto que recibió. Su acompañante sufrió lesiones consistentes en fractura esternal, policontusiones y esguince cervical.

La competición de velocidad se desarrolló en una carretera nacional, con limitación de velocidad a 100 km/h., alcanzando de forma aproximada los 170 km/h., poniendo en peligro la vida de los demás intervinientes en la carrera y de los demás usuarios de la vía. Dos vehículos resultaron alcanzados y dañados por restos del vehículo accidentado[234].

CUESTIONES DE PARTE GENERAL

ASPECTOS A ANALIZAR	PRECEPTOS DEL CÓDIGO PENAL
Autoría y participación	Arts. 27 ss.
Relación concursal entre los distintos delitos. Concurso de leyes y de delitos	Arts. 8, 73 ss.

CUESTIONES DE PARTE ESPECIAL

ASPECTOS A ANALIZAR	PRECEPTOS DEL CÓDIGO PENAL
Homicidio: tipo doloso	Art. 138
Homicidio: tipo imprudente	Arts. 142
Lesiones	Arts. 147 ss.
Delitos contra la seguridad vial	Arts. 379 ss.

---

[234] Con variaciones, los hechos están basados en los enjuiciados por la Sentencia del Audiencia Provincial de Lugo, número 51/2006, de 6 de abril.

CONSULTA DE LA FISCALÍA GENERAL DEL ESTADO
Véase la Consulta 1/2006 de la Fiscalía General del Estado sobre la calificación jurídico-penal de la conducción de vehículos de motor a velocidad extremadamente elevada.

CIRCULAR DE LA FISCALÍA GENERAL DEL ESTADO
Véase la Circular del Fiscalía General del Estado 10/2011, *sobre criterios para la unidad de actuación especializada del Ministerio Fiscal en materia de Seguridad Vial*

XXVIII. DELITOS CONTRA LA FE PÚBLICA

CASO NÚMERO 235

Iñigo, Rogelio y Juan Manuel, eran general de División del cuerpo de Sanidad, comandante y capitán médico, respectivamente. Un avión militar se estrelló cuando realizaba una maniobra de aproximación al aeropuerto de Trebizonda (Trabzon, Turquía), falleciendo en el acto la totalidad de sus ocupantes, que eran sesenta y dos militares españoles que tras concluir su misión en Afganistán regresaban a España, doce miembros de la tripulación, de nacionalidad ucraniana y un ciudadano bielorruso.

Tras la recogida de los cadáveres, que fueron introducidos en bolsas individualizadas y numeradas, se dispuso su traslado a una morgue improvisada ubicada en las proximidades de Trebizonda. Conocida la noticia del accidente en España, fueron comisionados por el Ministerio de Defensa para la identificación y repatriación de los cadáveres de los militares españoles Iñigo, Rogelio y Juan Manuel. Una vez en el lugar donde se hallaban los cuerpos sin vida de los españoles, procedieron a su examen, labor que realizaron conjuntamente con un equipo de médicos forenses turcos que también se había desplazado hasta allí. A continuación, basándose en signos externos tales como los uniformes, arma y/o cuerpo al que pertenecían, graduación, apellidos adheridos al uniforme o a otras ropas, documentos, chapas de identidad, tarjetas de identidad, objetos personales como anillos, cadena y otros signos distintivos, llegaron a la razonable certeza de la identidad de treinta y dos cadáveres. Por el contrario, los treinta cadáveres restantes presentaban tal estado que no fue posible identificarlos mediante el examen visual y la deducción, por lo que el equipo turco que había tomado muestras de ADN para la obtención de la huella genética advirtió a los acusados de la necesidad de utilizar dicha técnica respecto de esos treinta cuerpos para poder identificarlos.

El resultado de la observación o examen de cada cadáver era recogido por el comandante Rogelio y el capitán Juan Manuel en una nota o ficha que, entregada al general Iñigo, servía a éste para asignar una identidad a cada cuerpo. Sólo con ellas, sin realizar diligencia o análisis complementario alguno, a pesar de ser consciente de que era imposible identificar con tales datos todos los cuerpos, Iñigo elaboró una lista en la que junto al número asignado a cada cuerpo aparecía un nombre y apellidos correspondiente a uno de los 62 militares españoles fallecidos, de modo que aparentaba que todos ellos habían sido identificados, cuando lo cierto es que las identidades habían sido asignadas de forma aleatoria en treinta casos.

Tras diversas conversaciones y negociaciones entre las autoridades turcas y españolas, comenzó la entrega de las sesenta y dos bolsas con los cadáveres a las autoridades españolas. Este documento fue suscrito por parte española por los generales Aurelio e Iñigo, que eran conscientes de que recibían 30 cuerpos sin identificar.

En España se entregó a la familia de cada uno de los fallecidos el ataúd que según la identidad asignada por Iñigo contenía los restos mortales de su ser querido, procediendo a su inhumación o incineración en distintos cementerios de España. Como consecuencia de las actas que fueron unilateral y aleatoriamente asignadas por Iñigo, muchas familias enterraron o incineraron a fallecidos que no era su familiar[235].

CUESTIONES DE PARTE GENERAL

ASPECTOS A ANALIZAR	PRECEPTOS DEL CÓDIGO PENAL
Autoría y participación	Arts. 27 ss.
Delito continuado	Art. 74
Relación concursal entre los distintos delitos. Concurso de leyes y de delitos	Arts. 8, 73 ss.

CUESTIONES DE PARTE ESPECIAL

ASPECTOS A ANALIZAR	PRECEPTOS DEL CÓDIGO PENAL
Falsedades documentales	Arts. 390 ss.

---

[235] Con variaciones, los hechos están basados en los enjuiciados por la Sentencia del Tribunal Supremo, número 40/2009, de 16 de mayo.

CASO NÚMERO 236

Millán y Bernardo acudieron a las consultas de diferentes médicos adscritos a ambulatorios de la Seguridad Social en diferentes localidades, donde tras presentar su cartilla médica y la de los padres de Millán, aduciendo su condición de desplazados, obtenían recetas de medicamentos de alto valor que no obedecían a la patología de los beneficiarios o que respondían a tratamientos no indicados para los mismos. Posteriormente, retiraban dichos medicamentos en la farmacia de José Pablo, quien, con conocimiento de que los medicamentos no iban dirigidos a los que figuraban como beneficiarios ni éstos tenían necesidad de los mismos para curar sus dolencias, expendía las medicinas que figuraba en las referidas recetas tras desprender de los respectivos envases el correspondiente cupón precinto que unía a la receta en la que ponía su estampilla y cuyo importe le era posteriormente abonado por el Servicio de Salud. El importe de dichas recetas ascendía a 86.308,51 euros, habiendo sido abonadas gran parte de ellas por el Servicio de Salud[236].

CUESTIONES DE PARTE GENERAL

ASPECTOS A ANALIZAR	PRECEPTOS DEL CÓDIGO PENAL
Autoría y participación	Arts. 27 ss.
Delito continuado	Art. 74
Relación concursal entre los distintos delitos. Concurso de leyes y de delitos	Arts. 8, 73 ss.

CUESTIONES DE PARTE ESPECIAL

ASPECTOS A ANALIZAR	PRECEPTOS DEL CÓDIGO PENAL
Estafa	Arts. 248 ss.
Falsedades documentales	Arts. 390 ss.

---

[236] Con variaciones, los hechos están basados en los enjuiciados por la Sentencia del Tribunal Supremo, número 1280/2006, de 28 de diciembre. *(Tol 1026934)*.

CASO NÚMERO 237

La Sociedad limitada Frumesa de la que era administrador único, Jon, adquirió mediante escritura de venta una finca urbana, que servía como almacén relacionado con la actividad mercantil de venta de frutas. Sobre dicha finca se constituyó un préstamo hipotecario a favor de una entidad bancaria, cuyas cuotas de amortización resultaron impagadas. Por tal motivo, la entidad crediticia ejerció la acción hipotecaria ante los Juzgados, dictándose auto de adjudicación de la finca a favor de la entidad bancaria. Jon, al tiempo de la constitución y posterior adjudicación del inmueble era, además de socio único de la mercantil, alcalde de su localidad.

Jon, actuando como representante legal de la sociedad en connivencia con Ramiro, confeccionó un documento que denominó "contrato privado de arrendamiento de local", por el cual, bajo apariencia negocial onerosa, el primero arrendaba la finca al segundo, pactándose un régimen negocial irreal en el que se fijaba un plazo contractual prorrogable por meses si no existiera previo aviso de resolución y una renta mensual. Ramiro al tiempo de la confección del documento era trabajador de la sociedad e íntimo y directo colaborador de Jon.

Jon, conocedor de que la sociedad de la que era único administrador y accionista ya no era propietaria del inmueble, remitió una carta al Ayuntamiento por la cual informaba que el arrendatario del local, que era utilizado a precario por el Ayuntamiento para la guarda de vehículos municipales y la celebración de algunos actos populares, era el Sr. Ramiro y que, probablemente, se pondrían en contacto con la corporación para regularizar la situación. En su condición de Alcalde dictó un decreto por el que, amparándose en la normativa de régimen local, decidía abstenerse del procedimiento destinado a alquilar un local para depositar el parque móvil municipal y diversas herramientas de fiestas y ferias, ordenando expresamente delegar sus competencias a favor del Teniente de Alcalde, Jesús Carlos.

Ramiro, conocedor de que el local ya no era propiedad de Frumesa, remitió una carta al Ayuntamiento por la cual vino a ofrecer, en su condición de arrendatario del local, el subarriendo del referido local a la corporación, para que depositasen en el mismo coches y otras instalaciones municipales por una renta mensual de 900 euros, solicitando, al tiempo, dada la situación de uso prolongado por parte de la Corporación y ante la necesidad de realizar obras urgentes que, en caso de interesarles la oferta, le fueran abonadas la seis primeras mensualidades por adelantado. La Comisión de la Corporación presidida por el Alcalde, Jon, aprobó por unanimidad la propuesta introducida en el orden del día de subarrendar el local cuya titularidad arrendaticia firmaba ostentar Ramiro, mediante el procedimiento directo y de urgencia, a tenor de las condiciones expresadas por éste en su carta dirigida al ayuntamiento. La cantidad total satisfecha en concepto de rentas ascendió a 12.000 euros[237].

CUESTIONES DE PARTE GENERAL

ASPECTOS A ANALIZAR	PRECEPTOS DEL CÓDIGO PENAL
Responsabilidad penal de las personas jurídicas	Arts. 31 bis ss.
Autoría y participación	Arts. 27 ss.
Relación concursal entre los distintos delitos. Concurso de leyes y de delitos	Arts. 8, 73 ss.

CUESTIONES DE PARTE ESPECIAL

ASPECTOS A ANALIZAR	PRECEPTOS DEL CÓDIGO PENAL
Falsedades documentales	Arts. 390 ss.
Fraudes y exacciones ilegales, negociaciones prohibidas a funcionarios públicos	Arts. 436 ss.

CIRCULAR GENERAL DEL ESTADO
Véase la Circular 1/2011 de la Fiscalía General del Estado sobre la Responsabilidad Penal de las Personas Jurídicas

---

[237] Con variaciones, los hechos están basados en los enjuiciados por la Sentencia del Tribunal Supremo, número 168/2006, de 30 de enero. *(Tol 850012)*.

XXIX. DELITOS CONTRA LA ADMINISTRACIÓN PÚBLICA

CASO NÚMERO 238

Rodolfo fue Concejal en el Ayuntamiento de su pueblo, siendo Elisenda Concejal de Territorio, Obras y Mantenimiento. Leovigildo fue Teniente de Alcalde, ostentando la Portavocía del Gobierno Local y la Concejalía de Hacienda en la que sucedió a Claudio.

Cipriano era un conocido empresario dedicado al ramo de la construcción y reparaciones y llevaba la dirección y gestión directa y dos empresas creadas por él. Rodolfo conoció a Cipriano siendo alcalde y dicha relación profesional derivó en que le contratara en numerosas ocasiones, acudiendo siempre a Cipriano, bien como persona física bien a través de sus dos empresas, de suerte que de facto se le estaban adjudicando labores de mantenimiento, reparación, reposición y obras sin concurrencia ni pública licitación respecto de terceros empresarios del sector que interesados.

Esta situación era conocida y consentida por los demás acusados, ya que Adela conocía a Cipriano por la previa pertenencia a un partido político. Asimismo sabía que Leovigildo, Rodolfo y Elisenda acudían directamente a Cipriano para todo tipo de obras, sabedores de que no preguntaba ni planteaba problemas, favoreciéndole.

A pesar de que todos conocían cuál era el importe máximo que permitía la contratación menor (50.000 euros, en el caso de contratos de obras, o 18.000 euros, cuando se trate de otros contratos), se le otorgó contratos a Cipriano por importe de 149.052 euros y 208.170'72 euros[238].

---

[238]   Con variaciones, los hechos están basados en los enjuiciados por la Sentencia de la Audiencia Provincial de Cáceres, número 135/2015, de 27 de marzo.

CUESTIONES DE PARTE GENERAL

ASPECTOS A ANALIZAR	PRECEPTOS DEL CÓDIGO PENAL
Autoría y participación	Arts. 27 ss.

CUESTIONES DE PARTE ESPECIAL

ASPECTOS A ANALIZAR	PRECEPTOS DEL CÓDIGO PENAL
Prevaricación	Arts. 404 ss.
Tráfico de influencias	Arts. 428 ss.

CASO NÚMERO 239

Artemidoro, Secretario municipal, a sabiendas de su ilegalidad, presentó un documento-informe suscrito con el fin de respaldar la actuación de un letrado ante el Colegio de Abogados, presentando una factura que había de abonar el Ayuntamiento por una cantidad de 36.000 euros, cuando la actuación del letrado había sido innecesaria e irrelevante.

Benito, abogado, emitió una serie de minutas por servicios inexistentes. El Ayuntamiento pagó dichas minutas[239].

CUESTIONES DE PARTE GENERAL

ASPECTOS A ANALIZAR	PRECEPTOS DEL CÓDIGO PENAL
Autoría y participación	Arts. 27 ss.

CUESTIONES DE PARTE ESPECIAL

ASPECTOS A ANALIZAR	PRECEPTOS DEL CÓDIGO PENAL
Prevaricación	Arts. 404 ss.
Cohecho	Arts. 419 ss.

---

[239] Con variaciones, los hechos están basados en los enjuiciados por la Sentencia del Tribunal Supremo, número 841/2013, de 18 de noviembre.

CASO NÚMERO 240

Edmundo, Presidente de un gobierno autonómico, contactó con Leandro, administrador de la compañía mercantil "Hotel, SA" Aprovechando la ascendencia que le otorgaba a Edmundo el ser Presidente de un gobierno autonómico, le pidió que entregase a su esposa Visitación 3.000 € cada mes, durante un año. A efectos de aparentar que se trataban de ingresos legítimos, Edmundo pidió a Leandro que, a través de la empresa de este, simulase un contrato de trabajo con su cónyuge, por el referido periodo y cantidad.

Leandro se sintió comprometido y presionado ante su proposición, por lo que accedió a la petición, fingiendo como administrador de la entidad mercantil Hotel SA la celebración de un contrato de trabajo con Visitación en virtud del cual, supuestamente, esta debía desarrollar funciones de relaciones públicas para dicha empresa. Visitación cobró un total neto de 42.111,13€, aunque no desarrolló trabajo alguno[240].

CUESTIONES DE PARTE GENERAL

ASPECTOS A ANALIZAR	PRECEPTOS DEL CÓDIGO PENAL
Autoría y participación	Arts. 27 ss.

CUESTIONES DE PARTE ESPECIAL

ASPECTOS A ANALIZAR	PRECEPTOS DEL CÓDIGO PENAL
Prevaricación	Arts. 404 ss.
Cohecho	Arts. 419 ss.

---

[240] Con variaciones, los hechos están basados en los enjuiciados por la Sentencia del Tribunal Supremo, número 14/2015, de 26 de enero.

CASO NÚMERO 241

Cipriano, Narciso, Ovidio, Justino y Primitivo venían prestando servicios en calidad de funcionarios públicos en diversos cargos relevantes de la Inspección Regional de Tributos de Cataluña. Su competencia abarcaba procedimientos de inspección fiscal referidos a importantes empresas y conglomerados empresariales.

En reiteradas ocasiones estos inspectores se mostraron propicios a los intereses de determinados contribuyentes de elevado perfil económico, alentados por las ventajas o beneficios patrimoniales que éstos les ofrecieron con la finalidad de ganarse sus voluntades en perjuicio del Erario Público.

Los contactos entre funcionarios y empresarios se instrumentalizaron en algunos casos a través de los asesores legales y/o fiscales de los empresarios, movidos por las significativas recompensas, beneficios o ventajas económicas proporcionadas por dichos contribuyentes o sus representantes. Los mencionados Inspectores de Hacienda torcieron intencionada y deliberadamente el ejercicio de sus funciones públicas con la finalidad de beneficiar la posición tributaria de aquéllos en detrimento de la Hacienda Pública.

Estas conductas se fueron generalizando y convirtiéndose en práctica de otros inspectores de Hacienda, quienes realizaban "encargos de indebido ahorro fiscal", generándose entre ellos incluso una colaboración cuando el asunto requería la actuación de varios inspectores. Resultaba así que cada uno hacia lo suyo y ayudaba el compañero.

De esta forma dejaron de ser ingresados a la Hacienda Pública más de trece millones de euros[241].

---

[241] Con variaciones, los hechos están basados en los enjuiciados por la Sentencia del Tribunal Supremo, número 990/2013, de 30 de diciembre.

CUESTIONES DE PARTE GENERAL

ASPECTOS A ANALIZAR	PRECEPTOS DEL CÓDIGO PENAL
Autoría y participación	Arts. 27 ss.
Relación concursal entre los distintos delitos. Concurso de leyes y de delitos Arts. 8, 73 ss.	Arts. 8,73

CUESTIONES DE PARTE ESPECIAL

ASPECTOS A ANALIZAR	PRECEPTOS DEL CÓDIGO PENAL
Prevaricación	Arts. 404 ss.
Cohecho	Arts. 419 ss.
Delito contra la Hacienda Pública	Art. 305

CASO NÚMERO 242

Luis Manuel, Juan Francisco y Teófilo, movidos por un interés común y con el fin de ganarse la amistad, el mejor trato y el favor de algunos funcionarios públicos y autoridades con importantes responsabilidades en altas instituciones y organismos de una Comunidad Autónoma, realizaron las gestiones necesarias para hacer llegar a éstos de forma continuada y en consideración particular a la naturaleza y el rango de sus cargos determinados regalos para su uso personal, tales como trajes confeccionados a medida, calzado y otras prendas de vestir.

Esos objetos eran adquiridos en establecimientos que vendían marcas consideradas de alto nivel y se facturaban, según los casos, a distintas sociedades, todas ellas vinculadas a Luis Manuel y gestionadas por Teófilo, las cuales pagaban las correspondientes facturas y tickets de caja, bien en efectivo, o mediante transferencia o entrega de cheques. Previamente, personal de estos establecimientos contactaba con los interesados y realizaba las mediciones necesarias para confeccionar sus tallas.

Finalmente las prendas y demás objetos se entregaban a sus destinatarios bien en sus propios domicilios, bien en la sede de la sociedad o en el domicilio de Juan Francisco, quien participaba directamente en la administración de la mercantil.

Entre los destinatarios de esos regalos figuraba Mateo, quien recibió regalos por un importe total de 13.121,5 €.

Mateo aceptó esos regalos sabedor de que le eran entregados en reiterada consideración al cargo público de Presidente de una Comunidad Autónoma que ejercía entonces y desde el que podía tomar decisiones o desplegar su personal influencia sobre determinadas materias en relación con las cuales Luis Manuel, Juan Francisco y Teófilo mantenían importantes intereses económicos[242].

CUESTIONES DE PARTE GENERAL

ASPECTOS A ANALIZAR	PRECEPTOS DEL CÓDIGO PENAL
Autoría y participación	Arts. 27 ss.
Relación concursal entre los distintos delitos. Concurso de leyes y de delitos Arts. 8, 73 ss.	Arts. 8, 73

CUESTIONES DE PARTE ESPECIAL

ASPECTOS A ANALIZAR	PRECEPTOS DEL CÓDIGO PENAL
Cohecho	Arts. 419 ss.

---

[242] Con variaciones, los hechos están basados en los enjuiciados por la Sentencia del Tribunal Supremo, número 323/2013, de 23 de abril.

CASO NÚMERO 243

Armando ideó un plan para beneficiarse económicamente de forma ilícita. Consistía en obtener de modo fraudulento pensiones de incapacidad laboral o invalidez del Instituto Nacional de la Seguridad Social (INSS) para personas a las que previamente captaba y a las que a cambio les pedía determinadas cantidades de dinero. Para ello se puso de acuerdo con Luis, Inspector Médico de la Unidad de Valoración Médica de Incapacidades, adscrito a la Delegación Provincial de Salud, tras recuperar e intensificar una amistad que venía de antiguo. Luis tenía entre sus competencias el control y tramitación de las situaciones de altas y bajas en los expedientes de incapacidad laboral, por lo que podía influir de forma determinante en el reconocimiento de prestaciones a los aspirantes a ellas.

En ejecución de dicho plan, Armando se encargaba de contactar con personas que, en numerosos casos, no reunían los requisitos legalmente exigidos, a los que le ofrecía la obtención segura de una pensión a cambio, normalmente, del pago de grandes sumas de dinero por gestionar la tramitación de los expedientes. Luis emitía, como inspector médico, informes en que falseaba la situación real de los interesados. El peso de su informe determinaba que en la gran mayoría de los casos la decisión última atinente al reconocimiento de derechos económicos terminara coincidiendo con el deseo del candidato captado.

Por su imprescindible e insustituible intervención, Armando compensaba lucrativamente a Luis Antonio de diversas maneras: con prestaciones personales y profesionales por las que no le cobraba (por ejemplo preparándole documentos contractuales para la adquisición de inmuebles), invitándole con frecuencia a comer, gestionando parte de su patrimonio sin cobrarle gasto alguno por ello, haciéndole favores personales u ofreciéndose a hacerlos a terceras personas por las que aquél intercedía, etc.[243].

---

[243] Con variaciones, los hechos están basados en los enjuiciados por la Sentencia del Tribunal Supremo, número 636/2012, de 13 de julio.

CUESTIONES DE PARTE GENERAL

ASPECTOS A ANALIZAR	PRECEPTOS DEL CÓDIGO PENAL
Autoría y participación	Arts. 27 ss.
Relación concursal entre los distintos delitos. Concurso de leyes y de delitos Arts. 8, 73 ss.	Arts. 8,73

CUESTIONES DE PARTE ESPECIAL

ASPECTOS A ANALIZAR	PRECEPTOS DEL CÓDIGO PENAL
Prevaricación	Arts. 404 ss.
Cohecho	Arts. 419 ss.
Delito de defraudación a la Seguridad Social	Art. 307

CASO NÚMERO 244

La inmobiliaria "M., SA" pretendía construir un edificio en una parcela respecto a las que las Normas subsidiarias de Planeamiento Municipal limitaban el número de plantas en altura y restringía el volumen de edificabilidad de los edificios con fachadas opuestas a calles de diferente ancho. Por eso, solicitó una propuesta de modificación para permitir la construcción.

Pese a que el arquitecto municipal informó que esa propuesta incumplía la normativa urbanística, algunos integrantes del Pleno (compuesto por 13 miembros) continuaron insistiendo en autorizar la construcción. En concreto uno de ellos, Eulogio, afirmó "que cualquier variación de una norma urbanística supone una ilegalidad con respecto a la normativa…, pero no por esa razón no se va a adoptar un acuerdo porque la normativa urbanística no se cambia de un día para otro".

La Secretaría intervino e informó "que existía una responsabilidad de los que voten a favor de los acuerdos de los órganos colegiados, pudiendo darse una responsabilidad añadida dado que hay un informe en el que se dice claramente que se está incumpliendo la normativa; que la propuesta está en contradicción con la normativa aprobada por el Pleno de la Corporación, y que el aumento del volumen constituye una infracción urbanística grave". A pesar de la advertencia de ilegalidad efectuada por la Secretaría, la propuesta fue aprobada por mayoría de ocho votos favorables, todos los cuales tenían pleno conocimiento de que la aprobación de la propuesta de aumento de volumen implicaba, de hecho, que la inmobiliaria iniciaría la construcción del edificio sujetándose a los volúmenes que proponía[244].

CUESTIONES DE PARTE GENERAL

ASPECTOS A ANALIZAR	PRECEPTOS DEL CÓDIGO PENAL
Responsabilidad penal de las personas jurídicas	Arts. 31 bis ss.
Autoría y participación	Arts. 27 ss.

---

[244] Con variaciones, los hechos están basados en los enjuiciados en la Sentencia del Tribunal Supremo, número 935/2003, de 26 de junio. *(Tol 293901).*

CUESTIONES DE PARTE ESPECIAL

ASPECTOS A ANALIZAR	PRECEPTOS DEL CÓDIGO PENAL
Prevaricación	Arts. 404 ss.
Prevaricación urbanística	Art. 320

CIRCULAR GENERAL DEL ESTADO
Véase la Circular 1/2011 de la Fiscalía General del Estado sobre la Responsabilidad Penal de las Personas Jurídicas

CASO NÚMERO 245

Imanol y Manuel, de manera estable y organizada, se dedicaban a la introducción en España de ciudadanos marroquíes sin documentación, los cuales una vez en Melilla, pretendían acceder a territorio europeo. Para ello se encargaban de contactar con los inmigrantes que deseaban hacer el traslado, exigiéndoles por este servicio 3000 euros, y les facilitaban el pasaporte o documentación necesaria para entrar en España.

Para superar los controles policiales sitos en los embarques de puerto y aeropuerto, contaban con la colaboración del agente de Policía Rafael, que tenía encomendada la función de control de documentación de viajeros en los precitados puestos, recibiendo por sus servicios una cantidad de dinero que era abonada por Imanol[245].

CUESTIONES DE PARTE GENERAL

ASPECTOS A ANALIZAR	PRECEPTOS DEL CÓDIGO PENAL
Autoría y participación	Arts. 27 ss.
Relación concursal entre los distintos delitos. Concurso de leyes y de delitos	Arts. 8, 73 ss.
Delito continuado	Art. 74

CUESTIONES DE PARTE ESPECIAL

ASPECTOS A ANALIZAR	PRECEPTOS DEL CÓDIGO PENAL
Delitos contra los derechos de los ciudadanos extranjeros	Art. 318 bis
Falsedades documentales	Arts. 390 ss.
Cohecho	Arts. 419 ss.

CIRCULAR GENERAL DEL ESTADO
Véase la Circular 2/2011 de la Fiscalía General del Estado sobre Organizaciones Criminales

---

[245] Con variaciones, los hechos están basados en los enjuiciados por la Sentencia del Tribunal Supremo, número 1294/2006, de 27 de diciembre de 2006. *(Tol 1028214)*.

CASO NÚMERO 246

Alejandro concertaba citas con mujeres extranjeras en situación ilegal en España y les hacía creer que era abogado y que podía obtener, a cambio del pago de 300 o 350 euros, un documento sellado por las oficinas de extranjería que, según les decía, legalizaría su situación en España y garantizaría su no expulsión durante el plazo de un año. Alejandro rellenaba simplemente los formularios, siendo conocedor de que faltaban documentos esenciales para tramitar la solicitud. Héctor, funcionario de las oficinas de extranjería, de acuerdo con Alejandro, procedía a estampar, de forma indebida, en el único ejemplar de solicitud que Alejandro presentaba dos sellos, pero sin número de registro, previo pago de ciento cincuenta euros. Alejandro les entregaba el impreso así sellado a las solicitantes, asegurándoles que el mismo acreditaba que se había pedido el permiso de trabajo residencia y que las legalizaba administrativamente hasta la resolución del expediente. En la oficina de extranjería no quedaba ninguno de los otros tres ejemplares que debían acompañar a la solicitud, ni la documentación acreditativa de los extremos consignados ni del cumplimiento de los requisitos reglamentariamente estipulados, con lo no se tramitaban los expedientes de concesión de permiso de trabajo y residencia, que en cualquier caso serían denegados al carecerse de la documentación y de las menciones esenciales[246].

CUESTIONES DE PARTE GENERAL

ASPECTOS A ANALIZAR	PRECEPTOS DEL CÓDIGO PENAL
Autoría y participación	Arts. 27 ss.
Relación concursal entre los distintos delitos. Concurso de leyes y de delitos	Arts. 8, 73 ss.
Delito continuado	Art. 74

CUESTIONES DE PARTE ESPECIAL

ASPECTOS A ANALIZAR	PRECEPTOS DEL CÓDIGO PENAL
Cohecho	Arts. 419 ss.
Estafa	Arts. 248 ss.

---

[246] Con variaciones, los hechos están basados en los enjuiciados por la Sentencia del Tribunal Supremo, número 709/2006, de 21 de junio. *(Tol 964479).*

CASO NÚMERO 247

Marisol, casada con Rodolfo, era funcionaria encargada de la contabilidad del Ayuntamiento, manejando la contabilidad de los Patronatos de Turismo. En el ámbito de sus funciones exclusivas, Marisol tenía muy amplias competencias, de modo que comprobaba las facturas remitidas, la aplicación presupuestaria, elaboraba los correspondientes mandamientos de pago, tenía control efectivo de los ingresos de los distintos patronatos, así como control y oportunidad de pago en cuanto a seguridad social en materia de seguros sociales, en cuanto retenciones a trabajadores, respecto de las nóminas del personal de los distintos patronatos, control y oportunidad de pago a proveedores.

Marisol, aprovechando sus conocimientos en informática y contabilidad y la disponibilidad de claves reservadas que le permitían el acceso a los asientos contables en relación con la nómina del personal del Patronato, efectuó el asiento contable de la misma contabilizando la cantidad de 4.528 euros, cuando su importe real era de 3.000 euros, emitiendo por la diferencia un cheque que no obedecía al pago de gasto alguno, y que cobró Marisol. Dicha operación se realizó en diversas ocasiones.

Asimismo, a pesar de que Marisol sabía que los gastos derivados de una cena del patronato por importe de 180 euros habían sido abonados por transferencia bancaria, emitió una factura por su importe y cobró ella misma esa cantidad de nuevo, a través de un cheque. Esta misma actividad la realizó en relación con otros proveedores. A través de tales operaciones Marisol detrajo de las arcas públicas de los Patronatos la cantidad de 123.480,68 euros. Rodolfo y Marisol compraron un terreno en una zona residencial comenzando la construcción de un chalet con piscina[247].

---

[247] Con variaciones, los hechos están basados en los enjuiciados por la Sentencia del Tribunal Supremo, número 1313/2006, de 28 de noviembre. *(Tol 1038348)*.

CUESTIONES DE PARTE GENERAL

ASPECTOS A ANALIZAR	PRECEPTOS DEL CÓDIGO PENAL
Autoría y participación	Arts. 27 ss.
Relación concursal entre los distintos delitos. Concurso de leyes y de delitos	Arts. 8, 73 ss.
Delito continuado	Art. 74

CUESTIONES DE PARTE ESPECIAL

ASPECTOS A ANALIZAR	PRECEPTOS DEL CÓDIGO PENAL
Malversación de caudales públicos	Arts. 432 ss.
Falsedades documentales	Arts. 390 ss.
Encubrimiento	Arts. 451 ss.

CASO NÚMERO 248

Manuel, alcalde, sabía que en el Pleno del Ayuntamiento se había adoptado un acuerdo para asumir la recaudación en período voluntario de las Contribuciones Territoriales, Rústica, Pecuaria y Urbana, así como de las Licencias Fiscales Comerciales e Industriales, y de Actividades Profesionales y artísticas, conforme permitía la legislación vigente. El nombramiento de recaudador municipal recayó a favor de Carlos, hermano de Manuel, sin previa licitación y sin necesidad de prestar fianza. Carlos, en connivencia con éste y guiado por el ánimo de beneficiarse ilícitamente, distrajo un total de 20.900,29 euros procedentes del dinero recaudado tributariamente, que no fue ingresado en las arcas municipales.

Para ocultar la distracción del dinero se trató de justificar documentalmente la misma a través de recibos de contribución urbana pendientes de cobro. A tal fin Manuel alteró 129 recibos de Contribución Urbana pendientes de pago[248].

CUESTIONES DE PARTE GENERAL

ASPECTOS A ANALIZAR	PRECEPTOS DEL CÓDIGO PENAL
Autoría y participación	Arts. 27 ss.
Relación concursal entre los distintos delitos. Concurso de leyes y de delitos	Arts. 8, 73 ss.

CUESTIONES DE PARTE ESPECIAL

ASPECTOS A ANALIZAR	PRECEPTOS DEL CÓDIGO PENAL
Falsedades documentales	Arts. 390 ss.
Malversación de caudales públicos	Arts. 432 ss.

---

[248] Con variaciones, los hechos están basados en los enjuiciados por la Sentencia del Tribunal Supremo 57/2006, de 27 de enero. *(Tol 839481)*.

CASO NÚMERO 249

Tomás, hijo del Presidente de la Diputación, prometió a José que le haría beneficiario de una concesión administrativa para explotar un complejo hotelero propiedad de la Diputación si contrataba a Teresa, su mujer, en una de sus empresas. José contrató a Teresa y el Pleno de la Diputación concedió a José la concesión de la que él era el único solicitante[249].

CUESTIONES DE PARTE GENERAL

ASPECTOS A ANALIZAR	PRECEPTOS DEL CÓDIGO PENAL
Autoría y participación	Arts. 27 ss.

CUESTIONES DE PARTE ESPECIAL

ASPECTOS A ANALIZAR	PRECEPTOS DEL CÓDIGO PENAL
Tráfico de influencias	Arts. 428 ss.

CIRCULAR GENERAL DEL ESTADO
Véase la Circular 1/2011 de la Fiscalía General del Estado sobre la Responsabilidad Penal de las Personas Jurídicas

---

[249] Con variaciones, los hechos están basados en los enjuiciados por la Sentencia del Tribunal Supremo, número 335/2006, de 24 de marzo de 2006. *(Tol 883164).*

CASO NÚMERO 250

A Felipe, funcionario del Cuerpo Superior de Inspectores de Trabajo y de la Seguridad Social, le fue asignada la especialización en Seguridad Social y Salud Laboral en el sector de obras en la construcción.

Los Delegados de personal de la empresa "S" denunciaron ante la inspección de trabajo a la referida empresa por vulnerar el Convenio Colectivo de la Industria Química, por cuanto parecía que la empresa pretendía implantar un sistema de rendimiento en base a primas o incentivos o un cambio en los métodos de trabajo.

Tras la incoación de expediente, el asunto se asignó a Felipe, quien realizó una visita a la empresa y la citó para que compareciera ante la Inspección de Trabajo. Felipe archivó el expediente provisionalmente mientras se llevaban a cabo negociaciones entre la empresa y los trabajadores. Posteriormente ambas partes alcanzaron un acuerdo, que entregaron a Felipe y éste exigió al abogado de la empresa una cantidad de dinero por su intervención en el asunto; en concreto, 400 euros por sesión, computando un total de cinco.

Por su parte, el presidente de Comité de la empresa "Aluminio SA" denunció a la misma ante la Inspección de Trabajo por incumplir una serie de normas relativas a la seguridad de los trabajadores así como por no respetar otros derechos de éstos. Cada una de las denuncias, en total cinco, dieron lugar a la apertura de respectivos expedientes ante la Inspección de Trabajo, que fueron tramitados por Felipe. En el mes de noviembre éste realizó una visita a la empresa y la citó para que compareciera ante la Inspección de Trabajo, pero Felipe sobreseyó provisionalmente los expedientes a petición del Comité de Empresa que presentó una solicitud en este sentido. Finalmente la empresa y el Comité no llegaron a alcanzar ningún acuerdo, informando Felipe a la abogada de la empresa que minutaría una cantidad por desplazamiento para el caso de que el mismo se alcanzara.

Asimismo, Felipe tramitó tres expedientes relativos a la empresa AMetal S. AM y a consecuencia de esa inspección entabló amistad con el dueño de la Asesoría Jurídica y Fiscal de dicha empresa, Alberto. Este fue requerido para que la empresa matriculara a todos sus trabajadores en los cursos que impartía Felipe, procediendo la empresa a la inscripción de sus 18 trabajadores y al pago de la matrícula de 100 euros por cada uno de ellos. Igualmente fue requerido a pagar una determinada cantidad de dinero. El resultado fue el archivo de los expedientes.

Felipe por razón de su cargo entabló un intenso contacto con el gremio de la construcción. La empresa "Piedras SA" estaba siendo sometida a diferentes expedientes. A la asesora de la empresa le surgieron dudas sobre la tramitación del caso, por lo que a través de una persona del gremio de la construcción consiguió una cita para que la asesorase su amigo Felipe. Este alegó que desconocía que no podía asesorar como Inspector.

Por otra parte, Felipe inició la tramitación del expediente contra la empresa "Sal SL" El dueño de la asesoría jurídica y fiscal de la empresa era amigo de Felipe, quien llamó a éste para decirle que su hijo le llevaría la documentación requerida, a la vez que le pedía que "diera carpetazo al asunto". Finalmente los hechos fueron sobreseídos[250].

CUESTIONES DE PARTE GENERAL

ASPECTOS A ANALIZAR	PRECEPTOS DEL CÓDIGO PENAL
Responsabilidad penal de las personas jurídicas	Arts. 31 bis ss.
Error de prohibición	Art. 14
Autoría y participación	Arts. 27 ss.
Relación concursal entre los distintos delitos. Concurso de leyes y de delitos	Arts. 8, 73 ss.
Delito continuado	Art. 74

CUESTIONES DE PARTE ESPECIAL

ASPECTOS A ANALIZAR	PRECEPTOS DEL CÓDIGO PENAL
Cohecho	Arts. 419 ss.
Negociaciones prohibidas a funcionarios públicos	Art. 441
Tráfico de influencias	Arts. 428 ss.

CIRCULAR GENERAL DEL ESTADO
Véase la Circular 1/2011 de la Fiscalía General del Estado sobre la Responsabilidad Penal de las Personas Jurídicas

---

[250] Con variaciones, los hechos están basados en los enjuiciados por la Sentencia de la Audiencia Provincial de Barcelona de 17 de abril de 2007.

XXX. DELITOS CONTRA LA ADMINISTRACIÓN DE JUSTICIA

CASO NÚMERO 251

Entre Rogelio y Leonor existió en su día una relación sentimental, dictándose a su finalización una orden de alejamiento a Rogelio. Un día, Rogelio llamó al telefonillo del piso de Leonor para que bajara, lo que ella voluntariamente hizo[251].

CUESTIONES DE PARTE GENERAL

ASPECTOS A ANALIZAR	PRECEPTOS DEL CÓDIGO PENAL
Autoría y participación	Arts. 27 ss.

CUESTIONES DE PARTE ESPECIAL

ASPECTOS A ANALIZAR	PRECEPTOS DEL CÓDIGO PENAL
Quebrantamiento de condena	Art. 468

ACUERDO DE PLENO DEL TRIBUNAL SUPREMO
Véase Anexo I.9 Acuerdo del día 25 de noviembre de 2008

---

[251] Con variaciones los hechos están basados en los enjuiciados por la Sentencia de la Audiencia Provincial de Pontevedra, número 70/2011, de 14 de abril.

CASO NÚMERO 252

Ignacio, Magistrado, desempeñando su función jurisdiccional en el Juzgado de Primera Instancia, tuvo conocimiento por su esposa, Carlota, que en el Juicio de Faltas seguido en el Juzgado de Instrucción e iniciado en virtud de denuncia de ésta última contra Marco por una presunta falta de coacciones, se hicieron por Victoriano, el Letrado del denunciado, alusiones a su persona y cargo; y al considerar afectadas su imparcialidad e independencia y la buena marcha de la Administración de Justicia, reflexionó sobre el modo más correcto de proceder ante esas declaraciones. Tras plantearse varias posibilidades, resolvió que la más acertada era la iniciación de un expediente gubernativo, lo que llevó a cabo mediante un Acuerdo, en el que literalmente dispuso: "Habiendo tenido conocimiento, de que en el Juicio de Faltas celebrado el día de ayer en horas de tarde ante el Juzgado de Instrucción, se hicieron alusiones por el Letrado defensor contra la persona y cargo del que acuerda, fórmese Expediente Gubernativo encabezado por esta resolución orientado al esclarecimiento de lo ocurrido y, en su caso, en orden a exigir por quien corresponda las responsabilidades de cualquier índole que procedan. A tal fin, líbrese exhorto al citado Juzgado de Instrucción a fin de que remita testimonio de la totalidad de las actuaciones que componen dicho Juicio de Faltas; y, de ser necesario, se transcriba mecanográficamente por el Sr. Secretario Judicial el contenido del acta del Juicio. A los efectos legales procedentes y para su debido conocimiento, notifíquese por el Sr. Secretario Judicial al susodicho Letrado por correo certificado con acuse de recibo la incoación de este expediente, adjuntándole copia de este acuerdo".

Dicho Acuerdo fue notificado a Victoriano. Posteriormente, al recibir Ignacio dicha documentación y apreciar que de la redacción dada por el Sr. Secretario Judicial al acta del Juicio de Faltas no se derivaba responsabilidad alguna, procedió al archivo del Expediente sin más trámite, siéndole notificado igualmente al letrado implicado. Entre Ignacio y el cliente de Victoriano existía una relación de enfrentamiento vecinal[252].

---

[252]   Con variaciones los hechos están basados en los enjuiciados por la Sentencia del Tribunal Supremo, número 1333/2006, de 15 de febrero de 2006. *(Tol 1019025).*

CUESTIONES DE PARTE GENERAL

ASPECTOS A ANALIZAR	PRECEPTOS DEL CÓDIGO PENAL
Autoría y participación	Arts. 27 ss.

CUESTIONES DE PARTE ESPECIAL

ASPECTOS A ANALIZAR	PRECEPTOS DEL CÓDIGO PENAL
Prevaricación judicial	Arts. 446 ss.

CASO NÚMERO 253

Jaime le debía dinero a Rubén a consecuencia de una operación de tráfico de drogas. Por ello, Rubén decidió ponerse en contacto con Federico para que matase a Jaime a cambio de 8000 dólares. Rubén, comentó a Ricardo sus propósitos, y a pesar de que el segundo conocía a Jaime y sabía las intenciones de Rubén, en ningún momento acudió a la Autoridad competente para evitar la comisión de tales hechos, cuando esto hubiera sido posible sin ningún peligro razonable para él o para terceras personas. Jaime falleció por los disparos ocasionados por Federico a la puerta de su domicilio.

De nuevo, en otra ocasión al deberle Marcelo dinero a Rubén por una venta de drogas, éste decidió matarle, contratando de nuevo a Federico, quien mató a Marcelo. Rubén también había narrado sus propósitos a Ricardo.

Una vez ocurridos los hechos, Rubén se puso en contacto con Ricardo y le contó lo ocurrido para posteriormente pedirle dinero para huir del país, y así evitar las posibles consecuencias legales que se derivarían de todo lo ocurrido. Ricardo le dio dos mil euros[253].

CUESTIONES DE PARTE GENERAL

ASPECTOS A ANALIZAR	PRECEPTOS DEL CÓDIGO PENAL
Autoría y participación	Arts. 27 ss.
Relación concursal entre los distintos delitos. Concurso de leyes y de delitos	Arts. 8, 73 ss.

CUESTIONES DE PARTE ESPECIAL

ASPECTOS A ANALIZAR	PRECEPTOS DEL CÓDIGO PENAL
Asesinato	Arts. 139 s.
Omisión del deber de impedir un delito	Art. 450
Encubrimiento	Art. 451

---

[253] Con variaciones los hechos están basados en los enjuiciados por la Sentencia del Tribunal Supremo, número 1151/2005, de 11 de octubre. *(Tol 731559).*

CASO NÚMERO 254

Evaristo y Aurelio se personaron en la sede de la empresa "Aislamientos SA", con el fin de cobrar unas deudas que se habían generado por unas obras con la empresa "Construcción SL", con la que guardaban relación laboral. Pronto comenzaron a discutir con Octavio, administrador de la empresa "Aislamientos SA", creándose una situación tensa y violenta. En un momento determinado Evaristo ordenó a Aurelio que cogiera diversos materiales de obra, propiedad de Aislamientos, como también otros objetos, entre ellos, una fotocopiadora, para con todo ello hacerse cobro de la deuda. Posteriormente bajaron los objetos al vehículo que tenían aparcado en las inmediaciones, siendo posteriormente sorprendidos por la policía tras ser avisados por la persona que ejercitaba las funciones de Secretaría en la oficina[254].

CUESTIONES DE PARTE GENERAL

ASPECTOS A ANALIZAR	PRECEPTOS DEL CÓDIGO PENAL
Autoría y participación	Arts. 27 ss.

CUESTIONES DE PARTE ESPECIAL

ASPECTOS A ANALIZAR	PRECEPTOS DEL CÓDIGO PENAL
Realización arbitraria del propio derecho	Art. 455

---

[254] Con variaciones, los hechos están basados en los enjuiciados por la Sentencia del Tribunal Supremo, número 778/2005, de 18 de mayo. *(Tol 674641).*

CASO NÚMERO 255

Sobre las 19.55 horas se produjo un accidente de circulación, en el que se vieron implicados un ciclomotor conducido por su propietario, Mauricio, y un vehículo conducido por su propietaria Ascensión.

El ciclomotor, circulaba sin luces y cuando Ascensión realizó un giro, no se percató de la presencia en ese momento del ciclomotor, produciéndose el cruce en la trayectoria de ambos, colisionando el ciclomotor con la parte trasera derecha del vehículo Citroën, cayendo sobre la calzada el ciclomotor y su conductor.

Juan Antonio, circulaba por la misma carretera que los anteriores a los mandos del vehículo de su propiedad viajando en compañía de Elisenda, cuando se vio sorprendido por la presencia del ciclomotor y su conductor caídos en el carril por el que venía circulando.

Juan Antonio efectuó un leve giro a la derecha para evitar el arrollamiento, no siendo efectiva dicha maniobra, produciéndose el arrollamiento del conductor, parando Juan Antonio el vehículo unos segundos, para, acto seguido, reiniciar la marcha de su vehículo a sabiendas de que arrastraba en los bajos del vehículo al conductor del ciclomotor, Mauricio, arrastre que se prolongó durante un recorrido de unos dos kilómetros, hasta que al llegar una urbanización, realiza una serie de maniobras de marcha atrás/adelante con el vehículo con el propósito de desenganchar el cuerpo, objetivo que consiguió finalmente, dejando abandonado a su suerte a Mauricio, todavía con vida aunque gravemente herido, falleciendo pocos minutos después a consecuencia de las lesiones producidas por el arrastre

Elisenda fue consciente en todo momento que el coche en el que viajaba, conducido por su compañero, arrolló el cuerpo de una persona y lo arrastraba sobre el asfalto al haber quedado atorado en los bajos del vehículo, sin que Elisenda adoptase conducta alguna tendente a impedirlo, ni exigiese a su compañero que detuviese el vehículo, abandonando, junto con Juan Antonio, el cuerpo de Mauricio en la calzada una vez que se desenganchó de los bajos del vehículo[255].

---

[255] Con variaciones los hechos están basados en los enjuiciados por la Sentencia de la a Audiencia Provincial de Alicante (Sección 2ª) Sentencia número 437/2009 de 13 julio.

CUESTIONES DE PARTE GENERAL

ASPECTOS A ANALIZAR	PRECEPTOS DEL CÓDIGO PENAL
Comisión por omisión	Art. 11
Tipo subjetivo: ánimo de lesionar y ánimo de matar. Dolo e imprudencia.	Véanse los artículos relativos a los correspondientes tipos de la Parte Especial.
Autoría y participación	Arts. 27 ss.

CUESTIONES DE PARTE ESPECIAL

ASPECTOS A ANALIZAR	PRECEPTOS DEL CÓDIGO PENAL
Homicidio	Arts. 138, 142
Omisión del deber de socorro	Art. 195
Omisión del deber de impedir un delito	Art. 450

CASO NÚMERO 256

Pedro poseía un Porsche Carrera que se había estropeado y dañado, necesitando una reparación de 24.000 euros. Con la finalidad de que una compañía aseguradora se hiciera cargo del pago de la anterior cantidad, Pedro se puso de acuerdo con Luis y Amadeo para simular la existencia de un accidente como causa de los daños del "Porsche", ya que este automóvil solo tenía concertada una póliza de daños a terceros.

Para conseguir su propósito, Pedro y Luis firmaron un parte amistoso de accidente, en el que éste último se reconocía culpable, se describía la referida "fingida" causa del accidente y se hacía constar que había sido testigo del mismo Amadeo.

Al negarse la compañía aseguradora de Luis a pagar, Pedro demandó a Luis y a su compañía aseguradora exigiendo el abono de los desperfectos de su automóvil, más los intereses y las costas del proceso, y propuso como testigo presencial del siniestro a Amadeo. Amadeo declaró en el procedimiento civil según lo convenido. El órgano judicial condenó a la compañía de Luis al abono de los daños más los intereses y costas devengados[256].

CUESTIONES DE PARTE GENERAL

ASPECTOS A ANALIZAR	PRECEPTOS DEL CÓDIGO PENAL
Autoría y participación	Arts. 27 ss.
Relación concursal entre los distintos delitos. Concurso de leyes y de delitos	Arts. 8, 73 ss.

CUESTIONES DE PARTE ESPECIAL

ASPECTOS A ANALIZAR	PRECEPTOS DEL CÓDIGO PENAL
Estafa	Arts. 248 ss.
Falso testimonio	Arts. 458 ss.

---

[256]   Con variaciones los hechos están basados en los enjuiciados por la Sentencia del Tribunal Supremo, número 739/2006, de 28 de junio. *(Tol 984883).*

CASO NÚMERO 257

Juan y Laura declararon como testigos por un delito de robo con violencia. De forma consciente y con la intención de favorecer a Andrés, acusado en el citado juicio, faltaron a la verdad, manifestando encontrarse con éste el día y a la hora en la que ocurrieron los hechos objeto del juicio, y negando en consecuencia que pudiera haber participado en los mismos, por encontrarse con ellos. En la sentencia dictada por esta causa se condenó a Andrés como autor de un delito de robo con violencia y una falta de lesiones, resolución que fue confirmada en la sentencia dictada en apelación[257].

CUESTIONES DE PARTE GENERAL

ASPECTOS A ANALIZAR	PRECEPTOS DEL CÓDIGO PENAL
Autoría y participación	Arts. 27 ss.

CUESTIONES DE PARTE ESPECIAL

ASPECTOS A ANALIZAR	PRECEPTOS DEL CÓDIGO PENAL
Falso testimonio	Arts. 458 ss.

---

[257] Con variaciones, los hechos están basados en los enjuiciados por la Sentencia de la Audiencia Provincial de Bizkaia, número 336/2006, de 1 junio.

CASO NÚMERO 258

El Juzgado de lo Penal celebró vista oral en el procedimiento seguido contra Pedro por delitos de violencia doméstica y de obstrucción a la justicia. En dicha causa Jaime declaró como testigo propuesto por la defensa de Pedro, quien tras prestar juramento y previamente advertido de que si faltaba a la verdad podría incurrir en delito, manifestó, con el objeto de favorecer a Pedro y consciente de la falsedad de su declaración, que el día de los hechos el acusado en dicha causa no había realizado gesto alguno ni se había originado ninguna situación de tensión, cuando de la práctica de las demás pruebas quedó acreditado lo contrario. Se dictó sentencia condenatoria por los hechos que Jaime negó que se hubieran producido[258].

CUESTIONES DE PARTE GENERAL

ASPECTOS A ANALIZAR	PRECEPTOS DEL CÓDIGO PENAL
Autoría y participación	Arts. 27 ss.

CUESTIONES DE PARTE ESPECIAL

ASPECTOS A ANALIZAR	PRECEPTOS DEL CÓDIGO PENAL
Falso testimonio	Arts. 458 ss.

---

[258]   Con variaciones, los hechos están basados en los enjuiciados por la Sentencia de la Audiencia Provincial de Valladolid, número 142/2006, de 19 de mayo.

CASO NÚMERO 259

Ángel presentó una denuncia en la que hacía constar que por la noche personas desconocidas habían forzado las puertas del almacén de la entidad "Sport SA" de la que era administrador, accediendo de esta forma al interior de las oficinas y del almacén de la empresa y sustrayendo dinero en efectivo, caja de caudales, cheques, talonarios y pagarés, 15 prendas deportivas con un valor de 700 euros, 9.500 kgs. de hilo con un valor de 30 000 euros, 10.000 kgs. de tela en rollos por un valor de 12 000 euros, 200 piezas acabadas de tela por un valor de 11 000 euros, tijeras, caja de herramientas y varios juegos de llaves. Dicha denuncia fue ampliada posteriormente añadiéndose la sustracción de disquetes, libros y archivos con documentación contable, un muestrario de tejidos y que se había manipulado el disco duro del ordenador tras forzar la disquetera.

Ángel comunicó el hecho a la Compañía con la que tenía concertado el seguro a fin de cobrar la correspondiente indemnización presentando factura pro forma por dichas cantidades, que no le fue abonada.

Como consecuencia de la denuncia se formuló acusación contra Pedro y contra María, celebrándose Juicio oral en el que Ángel declaró como testigo manteniendo su versión, que concluyó con sentencia, en la que ambos acusados fueron absueltos de los delitos de hurto y robo con fuerza de los que venían siendo acusados[259].

CUESTIONES DE PARTE GENERAL

ASPECTOS A ANALIZAR	PRECEPTOS DEL CÓDIGO PENAL
Responsabilidad penal de las personas jurídicas	Arts. 31 bis ss.
Autoría y participación	Arts. 27 ss.
Relación concursal entre los distintos delitos. Concurso de leyes y de delitos	Arts. 8, 73 ss.

---

[259] Con variaciones, los hechos están basados en los enjuiciados por la Sentencia de la Audiencia Provincial de Barcelona, número 356/2006, de 3 abril. *(Tol 1008015)*.

CUESTIONES DE PARTE ESPECIAL

ASPECTOS A ANALIZAR	PRECEPTOS DEL CÓDIGO PENAL
Estafa	Arts. 248 ss.
Acusación y denuncia falsas y simulación de delito	Arts. 456 s.

CIRCULAR GENERAL DEL ESTADO
Véase la Circular 1/2011 de la Fiscalía General del Estado sobre la Responsabilidad Penal de las Personas Jurídicas

CASO NÚMERO 260

Sofía, puesta de acuerdo con su esposo Juan y con la finalidad de evitar pagar el importe a que ascendía el servicio de grúa por traslado del vehículo de su propiedad desde el punto kilométrico 300 de la A-30 hasta la empresa Grúas M, se personó en la comisaría del Cuerpo Nacional de Policía donde ante el Instructor, Policía Nacional, denunció que le habían sustraído el vehículo referido, denuncia que dio origen al correspondiente Atestado[260].

CUESTIONES DE PARTE GENERAL

ASPECTOS A ANALIZAR	PRECEPTOS DEL CÓDIGO PENAL
Tentativa y consumación	Arts. 15 s.
Autoría y participación	Arts. 27 ss.

CUESTIONES DE PARTE ESPECIAL

ASPECTOS A ANALIZAR	PRECEPTOS DEL CÓDIGO PENAL
Acusación y denuncia falsas y simulación de delito	Arts. 456 s.

---

[260] Con variaciones, los hechos están basados en los enjuiciados por la Sentencia de la Audiencia Provincial de Albacete, numero 36/2006, de 15 mayo. *(Tol 1000508)*.

ANEXOS

I. ACUERDOS DE PLENO NO JURISDICCIONAL DE LA SALA SEGUNDA DEL TRIBUNAL SUPREMO

I.1. Acuerdo del Pleno de 20 de enero de 2015. Ataque contra la vida de varias personas. Los ataques contra la vida de varias personas, ejecutados con dolo directo o eventual, se haya o no producido el resultado, realizados a partir de una única acción, han de ser tratados a efectos de penalidad conforme a las reglas previstas para el concurso real (arts. 73 y 76 del CP), salvo la existencia de regla penológica especial (v. gr. 382 del CP)

I.2. Acuerdo de 25 de abril de 2012. Castigo de la tentativa inidónea. El artículo 16 del Código Penal no excluye la punición de la tentativa inidónea cuando los medios utilizados valorados objetivamente y ex ante son abstracta y racionalmente aptos para ocasionar el resultado típico.

I.3. Acuerdo de 27 de octubre de 2009. Facilitación de pornografía infantil. Una vez establecido el tipo objetivo del art. 189.1.b) del Código Penal, el subjetivo deberá ser considerado en cada caso, evitando incurrir en automatismos derivados del mero uso del programa informático empleado para descargar los archivos.

I.4. Acuerdo de 21 julio 2009. Interpretación de la violencia física o psíquica incluida en el art. 173.2 del CP. El tipo delictivo del art. 173.2 del CP exige que el comportamiento atribuido sea activo, no siendo suficiente el comportamiento omisivo. Sin perjuicio de ello es sancionable penalmente, conforme a dicho precepto, quien contribuye a la violencia de otro, no impidiéndola pese a encontrarse en posición de garante.

I.5. Acuerdo de 31 marzo 2009. Estafa. Abuso de firma de otro. A los efectos del art. 250.1.4 del CP, la utilización de las claves bancarias de otro no es firma.

I.6. Acuerdo de 26 febrero 2009. Utilizar a menores de 18 años o a disminuidos psíquicos en delitos de tráfico de drogas. El tipo agravado previsto en el art. 370.1 del CP resulta de aplicación cuando el autor se sirve de un menor de edad o disminuido psíquico de modo abusivo y en provecho propio o de un grupo, prevaliéndose de su situación de ascendencia o de cualquier forma de autoría mediata.

I.7. Acuerdo de 27 enero 2009. Detenciones ilegales. La remisión que el art. 167 del CP hace al art. 163, alcanza también al apartado 4 de este último.

I.8. Acuerdo de 25 noviembre 2008. Conductas de extrema gravedad. La aplicación de la agravación del art. 370.3 del CP referida a la extrema gravedad de la cuantía de sustancia estupefaciente, procederá en todos aquellos casos en que el objeto del delito esté representado por una cantidad que exceda de la resultante de multiplicar por mil la cuantía aceptada por esta Sala como módulo para la apreciación de la agravación de notoria importancia.

A los efectos del art. 370.3 del CP, no cabe considerar que toda embarcación integra el concepto de "buque". La agravación está reservada para aquellas embarcaciones con propulsión propia o eólica y, al menos, una cubierta, con cierta capacidad de carga e idónea para realizar travesías de entidad. Por tanto, quedan excluidas de ese concepto, con carácter general, las lanchas motoras, planeadoras para efectuar travesías de cierta entidad.

I.9. Acuerdo de 25 noviembre 2008. Interpretación del art. 468 del CP en los casos de medidas cautelares de alejamiento en los que se haya probado el consentimiento de la víctima. El consentimiento de la mujer no excluye la punibilidad a efectos del art. 468 del CP.

I.10. Acuerdo de 18 julio 2007. Estafa y falsedad en documento mercantil. Clase de concurso. La firma del ticket de compra, simulando la firma del verdadero titular de una tarjeta de crédito, no está absorbida por el delito de estafa.

I.11. Acuerdo de 29 mayo de 2007. Conductas que favorezcan o promuevan la entrada de ciudadanos rumanos en España. Las conductas que favorezcan o promuevan la entrada de ciudadanos rumanos en España, incluso para el ejercicio de la prostitución, no son sancionables al amparo del art. 318 bis del Código Penal.

I.12. Acuerdo del día 18 de julio de 2006. Concurso real entre el art. 301 y el delito antecedente. El artículo 301 no excluye, en todo caso, el concurso real con el delito antecedente.

I.13. Acuerdo del día 30 de mayo de 2006. Relación concursal existente (de delitos o de normas) entre los arts. 188.1 y 312.2 del Código Penal. Cuando los hechos enjuiciados constituyan un delito del art. 188.1 CP y un delito del art. 312.2, segundo inciso, se producirá ordinariamente un concurso real de delitos".

I.14. Acuerdo del día 25 de octubre de 2005. Sociedad de gananciales y apropiación indebida. El régimen de la sociedad de gananciales no es obstáculo para la comisión de un delito de apropiación indebida, en su modalidad de distracción, por uno de los cónyuges, sin perjuicio de la aplicación, en su caso, de la excusa absolutoria del art. 268 del Código penal.

I.15. Acuerdo del día 1 de marzo de 2005. Posible aplicación de excusa absolutoria en delitos patrimoniales a personas unidas por una relación de afectividad semejante al matrimonio. A los efectos del art. 268 CP las relaciones estables de pareja son asimilables a la relación matrimonial.

I.16. Acuerdo del día 10 de octubre de 2003. Secuelas psíquicas de la agresión sexual. Las alteraciones psíquicas ocasionadas a la víctima de una agresión sexual ya han sido tenidas en cuenta por el legislador al tipificar la conducta y asignarle una pena, por lo que ordinariamente quedan consumadas por el tipo delictivo correspondiente por la aplicación del principio de consunción del art. 8.3 del Código penal, sin perjuicio de su valoración a efectos de la responsabilidad civil.

I.17. Acuerdo del 19 de abril de 2002. Pérdida de piezas dentarias. La pérdida de incisivos otras piezas dentarias, ocasionada por dolo directo o eventual es ordinariamente subsumible en el art. 150 CP. Este criterio admite modulaciones en supuestos de menor entidad en atención a la relevancia de la afectación o a las circunstancias de la víctima así como a la posibilidad de reparación accesible con carácter general, sin riesgo ni especiales dificultades para el lesionado. En todo caso dicho resultado comportará valoración como delito, y no como falta.

I.18. Acuerdo del día 19 de octubre de 2001. Tráfico de drogas. Cantidad de notoria importancia. 1. La agravante específica de cantidad de notoria importancia de drogas tóxicas, estupefacientes o sustancias psicotrópicas, prevista en el número 3º del artículo 369 del Código Penal, se determina a partir de las quinientas dosis referidas al consumo diario que aparece actualizado en el informe del Instituto Nacional de Toxicología de 18 de octubre de 2001.

2. Para la concreción de la agravante de cantidad de notoria importancia se mantendrá el criterio seguido por esta Sala de tener exclusivamente en cuenta la sustancia base o tóxica, esto es reducida a pureza, con la salvedad del hachís y de sus derivados.

3. No procederá la revisión de las sentencias firmes, sin perjuicio de que se informen favorablemente las solicitudes del indulto para que las condenas se correspondan a lo que resulta del presente acuerdo.

4. Para facilitar la aplicación de esta agravante específica, según lo acordado, se acompaña un cuadro —sobre la base del remitido por el Instituto Nacional de Toxicología— en el que se determinan las cantidades que resultan de las quinientas dosis, atendido el consumo diario estimado, de acuerdo con el informe de dicho Instituto.

SUSTANCIA	NOMBRES ALTERNATIVOS O COMERCIALES	FISCALIZACIÓN	CANTIDAD DE NOTORIA IMPORTANCIA
1. OPIÁCEOS Y SUSTANCIAS FARMACOLÓGICAMENTE RELACIONADAS:			
HEROÍNA	Caballo	Lista I y IV C.U. 1961	300 grs.
MORFINA	Cloruro mórfico Andrómaco, Cloruro Mórfico Braun, Morfina Braun, Morfina Serra, MST Continus, Sevedrol, Skenan	Lista I C.U. 1961	1.000 grs.
METADONA	Metasedín	Lista I C.U. 1961	120 grs.
BUPRENORFINA	Búprex, Prefin	Lista III C. Viena 1971	1,2 grs.
DEXTROPROPOXIFENO	Darvon, Deprancol	Lista II C.U. 1961	300 grs.
PENTAZOCINA	Pentazocina Fides, Sosegón	Lista III C. Viena 1971	180 grs.
FENTANILO	Durogesic, Fentanest	Lista I C.U. 1961	50 mg.
DIHIDROCODEÍNA	Contugesic	Lista II C.U. 1961	180 grs.
LEVOACETIL-METADOL	Laam, Orlan	Lista I C.U. 1961	90 grs.
PETIDINA	Meperidina, Volantina	Lista I C.U. 1961	150 grs.
TRAMADOL	Adolonta, Tioner, Tradonal, Tralgiol, Tramadol, Asta Médica		200 grs.
2. DERIVADOS DE LA COCAÍNA:			
CLORHIDRATO DE COCAÍNA	Nieve, Perico, Spedball (junto con heroína)	Lista I C.U. 1961	750 grs.

SUSTANCIA	NOMBRES ALTERNATIVOS O COMERCIALES	FISCALIZACIÓN	CANTIDAD DE NOTORIA IMPORTANCIA
3. DERIVADOS DEL CANNABIS:			
MARIHUANA	Hierba, Grifa, Costo, María	Lista I y IV C.U. 1961. Lista II C. Viena 1971	10 Kg.
HACHÍS	Chocolate	Lista I y IV C.U. 1961. Lista II C. Viena 1971	2,5 Kg.
ACEITE DE HACHÍS		Lista I y IV C.U. 1961. Lista II C. Viena 1971	300 grs.
4. LSD (DIETILAMINA DEL ÁCIDO LISÉRGICO)			
LSD	Tripi, ÁcidoLista	I C. Viena 1971	300 mg.
5. DERIVADOS DE LA FENILETILAMINA:			
SULFATO DE ANFETAMINA	Anfetas, Spedd, Centramina (no comercializado ya)	Lista II C. Viena 1971	90 grs.

I.19. Acuerdo del día 26 de mayo de 2000. Compatibilidad de la agravante de alevosía con la eximente completa de enajenación mental del art. 20.1 del CP. En los supuestos de aplicación de la medida de internamiento prevenido para los inimputables en el art. 101.1 del CP el límite temporal de la medida viene establecido por la tipificación del hecho como si el sujeto fuese responsable, por lo que en los supuestos de alevosía el hecho ha de calificarse como de asesinato".

II. CIRCULARES Y CONSULTAS DE LA FISCALÍA GENERAL DEL ESTADO

- Circular 3/2013, de 13 de marzo, sobre criterios de aplicación del internamiento terapéutico en el sistema de justicia juvenil.
- Circular 1/2012, de 3 de octubre, sobre tratamiento sustantivo y procesal de conflictos ante transfusiones de sangre.
- Circular 6/2012 sobre para la unidad de actuación especializada del MF en materia de violencia a la mujer.
- Circular 10/2011, de 17 de noviembre sobre criterios para la unidad de actuación especializada del MF en materia de seguridad vial.
- Circular 2/2011 de 2 junio, de la Fiscalía General del Estado, sobre la reforma del Código penal por la Ley orgánica 5/2010, en relación con las organizaciones y grupos criminales.
- Circular 1/2011, de 1 de junio de 2011, relativa a la responsabilidad penal de las personas jurídicas.
- Circular 3/2010 de 23 diciembre, de la Fiscalía General del Estado. Ley penal más favorable. Sobre el régimen transitorio aplicable a la reforma del Código penal operada por la Ley orgánica 5/2010, de 22 de junio.
- Consulta 3/2006, de 29 de noviembre, sobre determinadas cuestiones respecto de los delitos relacionados con la pornografía infantil.
- Consulta 1/2006 de la Fiscalía General del Estado, de 21 de abril, sobre la calificación jurídico-penal de la conducción de vehículos de motor a velocidad extremadamente elevada.
- Circular 4/2005 de la Fiscalía General del Estado, de 18 de julio, relativa a los criterios de aplicación de la ley orgánica de medidas de protección integral contra la violencia de género.